숨마 주니어®

중·고 내신 및 수능을 위한

중학 국어

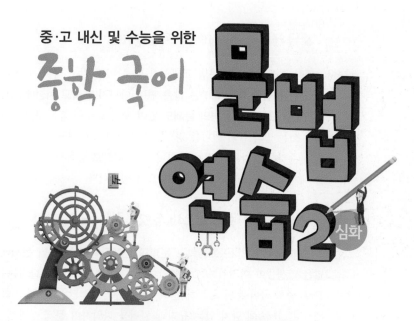

문법
연습2 심화

국어 교과서 **문법 필수 개념 16개 30일 완성!**
중학 문법=고교 내신·수능까지 연계되는 기초 필수!
예비 고1 국어 영역 대비

수록 개념 음운·품사와 어휘·문장·단어의 발음과 표기
언어의 특성·담화·한글 창제 원리 등 필수 문법

이룸이앤비
Education & Books

◆ '국어 문법' 공부가 왜 필요한가?

중학교 과정에서는 문법 교과서가 따로 있지 않고 국어 교과서에 문법이 함께 수록되어 있습니다. 문법의 학습 분량은 많은 편이 아니지만 학교 시험에는 반드시 출제되며, 높은 수준의 이해력을 요구하는 유형의 문제도 있어 오답률 또한 높은 편입니다. 또 국어 문법은 평소에 우리가 쓰는 말과 글의 의미를 정확하게 전달하고 이해하는 데에도 필요하지만, 내신 및 수능 시험을 준비하는 기본이 되기도 합니다. 그러므로 중학교에서 배우는 문법 개념과 용어, 어법들을 체계적으로 정리하여 공부할 필요가 있습니다.

◆ '중학 국어 문법'을 통해 무엇을 공부할까?

'중학 국어 문법'은 고등학교 문법과 연계되며 수능 문법 문제에까지도 이어집니다. '문법'은 많은 학생들이 어려워하는 영역인 만큼 기초부터 제대로 다지는 것이 매우 중요합니다. 그러므로 '중학 국어 문법'을 통해 단어, 문장, 문단, 글 단위에 포함되어 있는 문법 현상을 정확히 이해하고, 그 속에 담겨 있는 규칙과 원리를 파악하여 문제 상황에 맞게 응용할 수 있는 능력을 키워야 합니다.

◆ '중학 국어 문법 연습' 이렇게 공부하세요.

삽화와 도표 등을 통해 필수 문법 개념을 이해합니다.

⋮

'문제로 연습하기'를 통해 학습 내용을 바로바로 확인 · 점검합니다.

⋮

'내신 뛰어넘기'를 통해 공부한 내용을 적용하는 능력을 키웁니다.

⋮

'10분 테스트'를 통해 반복 학습을 합니다.

⋮

약점 부분을 파악하여 개념부터 정리한 후 복습합니다.

◇ **중학 국어 문법 연습**을 소개합니다.

1 문법이란?

'문법'이란 말의 구성 및 운용상의 규칙을 말합니다. 중학교 문법에서 공부해야 할 내용은 크게 '음운, 단어, 문장, 어문 규정, 국어사'로 나눌 수 있습니다. 이 같은 우리말의 다양한 문법 규칙을 이해하고 그 사례를 파악할 수 있어야 합니다.

2 문법을 벌써 공부해야 하는가?

국어의 문법은 변하지 않고, 정해져 있습니다. 따라서 중학교 시기에 배우는 문법 개념들이 고등학교 시기에 배우는 개념들과 이어지고, 이는 수능 문제에까지 반영됩니다. 따라서 중학교 때부터 문법 개념을 확실히 공부해 두어야 합니다.

3 무엇을 공부해야 하는가?

국어 문법은 크게 '음운, 단어, 문장, 어문 규정, 국어사'로 나뉘는데, 각 영역별로 자주 나오는 핵심 개념들을 정확하게 공부해야 합니다. 또 실제 사례에서 어떠한 문법 현상이 나타나는지를 파악하여 다양한 문제 상황에 맞게 적용할 수 있어야 합니다.

4 효과적인 문법 공부 방법은?

핵심 개념을 파악한 후, 확인 문제를 통해 정확하게 이해하고 있는지를 점검해야 합니다. 이후 문제를 풀어보면서 제시된 문제가 어떠한 문법 개념을 바탕으로 출제되었는지를 파악해야 합니다. 이때 자주 헷갈리는 개념이 있다면 그 부분을 따로 정리하고 해당 개념이 반영된 문제를 반복해서 풀어보는 것이 좋습니다.

이 책의 구성과 특징

1 새 교육과정을 바탕으로 중학 국어 필수 문법 개념을 엄선하였습니다.

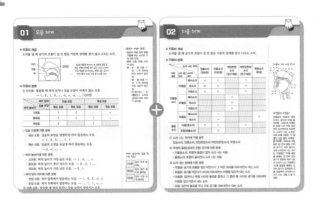

2015 개정 교육과정을 바탕으로 만들어진 중학교 국어 교과서에서 반드시 학습해야 하는 문법 요소들을 엄선하였습니다. 구체적인 예를 통해 핵심적인 문법 개념들을 익히고 연습 문제를 통해 이해했는지 확인하여 다양한 사례에 응용할 수 있게 하였습니다. 또한 '부록'에서는 알아 두면 도움이 되는 개념들도 수록하였습니다.

> 2015 개정 교육과정을 완벽하게 분석하였습니다.
>
> ▼
>
> 중학 국어 필수 문법 개념을 16개로 요약, 정리하였습니다.
>
> ▼
>
> 다양한 문제 유형으로 필수 개념을 익힐 수 있습니다.

2 교과서보다 더 자세하고 친절한 문법 개념 설명과 확인 문제로 구성하였습니다.

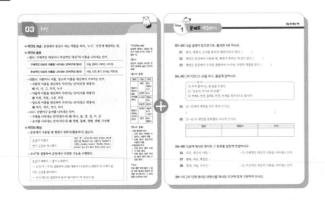

중학교 과정에서 반드시 공부해야 하는 핵심적인 문법 개념들을 다양한 예시와 함께 제시하였습니다. 또한 보조단에서는 어려운 어휘나 개념 등을 풀어 설명하여 혼자서도 학습이 가능하도록 하였습니다. '문제로 연습하기'에서는 빈칸 채우기, 줄긋기, ○× 문제 등의 다양한 유형으로 문제를 구성하여 바로바로 확인 학습이 가능하도록 하였습니다.

> 시각 자료와 도표를 통해 문법 개념을 자세하게 설명하였습니다.
>
> ▼
>
> 다양한 예를 바탕으로 개념을 쉽게 이해할 수 있습니다.
>
> ▼
>
> 확인 문제를 통해 학습한 개념을 바로바로 확인, 점검할 수 있습니다.

3 '내신 뛰어넘기'로 다양한 유형에 대한 문제 응용력을 높일 수 있습니다.

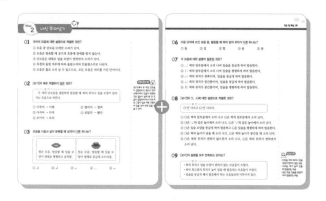

'내신 뛰어넘기'에서는 학습한 여러 개념들을 묶어서도 잘 이해할 수 있는지를 문제를 통해 확인함으로써 학교 시험에 효율적으로 대비할 수 있게 하였습니다. 또한 정답 및 해설에서는 문제를 풀고 난 후 혼자서도 정답과 오답이 갈리는 부분이 무엇인지를 공부할 수 있게 정답과 오답의 풀이뿐만 아니라 중요 개념을 한 번 더 정리하여 학습 효과를 높일 수 있도록 하였습니다.

> 문법 개념을 복합적으로 묶어 학교 시험에 대비할 수 있습니다.
>
> ▼
>
> 다양한 유형의 문제로 자신의 실력을 점검할 수 있습니다.
>
> ▼
>
> 정답 및 해설을 통해 복습을 할 수 있습니다.

4 '10분 테스트'로 실력 점검 및 반복 학습을 할 수 있습니다.

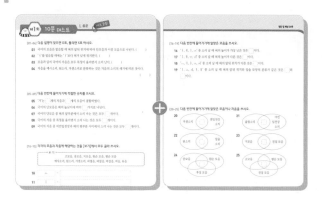

시간을 정해 놓고 문제를 푼 후, 채점을 하고 틀린 문제의 원인을 점검해 봅니다. 이렇게 실력을 점검하면 본문에서 공부한 내용을 얼마나 내 것으로 만들었는지를 확인할 수 있습니다. 만약 문제를 틀린 원인이 개념을 이해하지 못해서라면, 해당 단원의 개념을 반드시 복습하고 넘어가야 학교 시험뿐만 아니라, 수능에서도 좋은 성적을 거둘 수 있습니다.

> 다양한 문제로 문제 해결 능력을 키울 수 있습니다.
>
> ▼
>
> 학교 시험(중간, 기말고사) 및 수능까지 대비할 수 있습니다.

이 책의 차례

CONTENTS

부록

◇ SUB NOTE 정답 및 해설

학습 계획표

• 권장 학습 플래너

※ 학습 계획표에서 '10분 테스트'와 '단원 종합 문제'는 공부하는 순서를 바꾸어서 학습하여도 됩니다.

	학습 내용	학습 날짜			복습 내용
Ⅰ 음운	개념 01, 내신 뛰어넘기	Day 1	월	일	
	개념 02, 내신 뛰어넘기	Day 2	월	일	
	단원 종합 문제, 10분 테스트 〈1회〉	Day 3	월	일	
	10분 테스트 〈2회〉, 〈3회〉	Day 4	월	일	
Ⅱ 품사와 어휘	개념 03, 내신 뛰어넘기	Day 5	월	일	
	개념 04, 내신 뛰어넘기	Day 6	월	일	
	개념 05, 내신 뛰어넘기	Day 7	월	일	
	개념 06, 내신 뛰어넘기	Day 8	월	일	
	개념 07, 내신 뛰어넘기	Day 9	월	일	
	개념 08, 내신 뛰어넘기	Day 10	월	일	
	단원 종합 문제	Day 11	월	일	
	10분 테스트 〈4회〉, 〈5회〉	Day 12	월	일	
	10분 테스트 〈6회〉, 〈7회〉	Day 13	월	일	
	10분 테스트 〈8회〉, 〈9회〉	Day 14	월	일	
Ⅲ 문장	개념 09, 내신 뛰어넘기	Day 15	월	일	
	개념 10, 내신 뛰어넘기	Day 16	월	일	
	개념 11, 내신 뛰어넘기	Day 17	월	일	
	개념 12, 내신 뛰어넘기	Day 18	월	일	
	단원 종합 문제, 10분 테스트 〈10회〉	Day 19	월	일	
	10분 테스트 〈11회〉, 〈12회〉	Day 20	월	일	
Ⅳ 기타	개념 13, 내신 뛰어넘기	Day 21	월	일	
	개념 14, 내신 뛰어넘기	Day 22	월	일	
	개념 15, 내신 뛰어넘기	Day 23	월	일	
	개념 16, 내신 뛰어넘기	Day 24	월	일	
	단원 종합 문제	Day 25	월	일	
	10분 테스트 〈13회〉, 〈14회〉, 〈15회〉	Day 26	월	일	
	10분 테스트 〈16회〉, 〈17회〉, 〈18회〉	Day 27	월	일	
부록	부록 01, 02, 03	Day 28	월	일	
	부록 04, 05	Day 29	월	일	
	단원 종합 문제	Day 30	월	일	

Break Time

꿈을 '쫓아'도
꿈에
'쫓기지' 마라...

kimyh@hani.co.kr

헛된 꿈을 품은 자는 그 꿈에 쫓겨 자신을 벼랑으로 내몬다...

음운 **I**

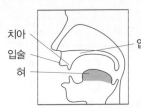

개념 01 모음 체계

● 모음의 개념
소리를 낼 때 공기의 흐름이 입 안 발음 기관의 장애를 받지 않고 나오는 소리.

치아
입술
혀
입천장

> 모음은 발음할 때 치아, 혀, 입천장, 입술 등 발음 기관의 방해를 받지 않고 나오는 소리야. '아'를 발음할 때 어디에도 막힘이 없이 공기가 자연스럽게 흐르는 것을 알 수 있을 거야.

● 모음의 분류
① 단모음: 발음할 때 혀의 위치나 입술 모양이 바뀌지 않는 모음.
→ ㅏ, ㅐ, ㅓ, ㅔ, ㅗ, ㅚ, ㅜ, ㅟ, ㅡ, ㅣ (10개)

혀의 앞뒤 / 입술 모양 / 혀의 높낮이	전설 모음		후설 모음	
	평순 모음	원순 모음	평순 모음	원순 모음
고모음	ㅣ	ㅟ	ㅡ	ㅜ
중모음	ㅔ	ㅚ	ㅓ	ㅗ
저모음	ㅐ		ㅏ	

● 입술 모양에 따른 분류
┌ 평순 모음: 입술의 모양을 평평하게 하여 발음하는 모음.
│ → ㅣ, ㅔ, ㅐ, ㅡ, ㅓ, ㅏ
└ 원순 모음: 입술의 모양을 둥글게 하여 발음하는 모음.
　　 → ㅟ, ㅚ, ㅜ, ㅗ

● 혀의 높낮이에 따른 분류
┌ 고모음: 혀의 높이가 가장 높은 모음. → ㅣ, ㅟ, ㅡ, ㅜ
├ 중모음: 혀의 높이가 중간 정도인 모음. → ㅔ, ㅚ, ㅓ, ㅗ
└ 저모음: 혀의 높이가 가장 낮은 모음. → ㅐ, ㅏ

● 혀의 앞뒤 위치에 따른 분류
┌ 전설 모음: 혀의 앞쪽에서 발음하는 모음. → ㅣ, ㅔ, ㅐ, ㅟ, ㅚ
└ 후설 모음: 혀의 뒤쪽에서 발음하는 모음. → ㅡ, ㅓ, ㅏ, ㅜ, ㅗ
② 이중 모음: 발음할 때 혀의 위치나 입술 모양이 달라지는 모음.
→ ㅑ, ㅒ, ㅕ, ㅖ, ㅘ, ㅙ, ㅛ, ㅝ, ㅞ, ㅠ, ㅢ (11개)

ㅣ + ㅏ → ㅑ
ㅗ + ㅏ → ㅘ

> 'ㅑ'는 'ㅣ'와 'ㅏ'를 이어서 발음하는 것과 비슷해. 혀의 위치가 'ㅣ'를 발음할 때는 높았다가 'ㅏ'를 발음할 때는 낮아져.

> 'ㅘ'는 'ㅗ'와 'ㅏ'를 이어서 발음하는 것과 비슷해. 입술의 모양이 'ㅗ'를 발음할 때는 둥글게 오므려졌다가 'ㅏ'를 발음할 때는 펴져.

[음운의 개념과 종류]
• 음운의 개념: 말의 뜻을 구별해 주는 소리의 가장 작은 단위.
• 종류: 모음, 자음, 소리의 길이.
　예 • 강 – 공: 모음 'ㅏ'와 'ㅗ'의 차이에 따라 의미가 달라짐.
　　 • 물 – 풀: 자음 'ㅁ'과 'ㅍ'의 차이에 따라 의미가 달라짐.
　　 • 눈(目)[눈] – 눈(雪)[눈:]: 소리의 길이에 따라 의미가 달라짐.

[혀의 높낮이와 입을 벌리는 정도]

고모음	입이 작게 벌어짐.
중모음	입이 중간 정도로 벌어짐.
저모음	입이 가장 크게 벌어짐.

문제로 연습하기

[01~05] 다음 설명이 맞으면 O표, 틀리면 X표 하시오.

01 모음을 발음할 때 발음 기관 때문에 공기의 막힘이 일어난다. (   )

02 국어의 모음은 혀의 위치나 입술 모양에 따라 분류할 수 있다. (   )

03 모음 중 혀의 앞쪽에서 발음되는 모음들은 전설 모음으로 분류한다. (   )

04 이중 모음은 발음할 때 혀의 위치나 입술 모양이 달라지지 않는 모음이다. (   )

05 단모음은 혀의 높낮이에 따라 고모음, 중모음, 저모음으로 분류한다. (   )

06 모음은 소리 나는 위치에 따라 원순 모음과 평순 모음으로 분류할 수 있다. (   )

[07~09] [보기]의 모음들을 종류별로 나누어 쓰시오.

┌─── 보 기 ───┐

ㅏ, ㅔ, ㅟ, ㅗ, ㅜ, ㅣ

07 | 전설 모음 / 후설 모음 | → | | / | |

08 | 평순 모음 / 원순 모음 | → | | / | |

09 | 고모음 / 중모음 / 저모음 | → | | / | | / | |

[10~16] 다음 설명에 해당하는 모음을 [보기]에서 찾아 쓰시오.

┌─── 보 기 ───┐

ㅡ, ㅚ, ㅟ, ㅣ, ㅏ, ㅛ, ㅓ

10 혀의 뒷부분에서 발음되며 혀의 위치가 높이 있을 때 소리 난다. (   )

11 발음할 때 혀의 위치나 입술 모양이 달라진다. (   )

12 입술 모양을 둥글게 하여 혀의 높이가 중간쯤일 때 소리 난다. (   )

13 혀의 뒷부분에서 발음되며 입이 가장 크게 벌어지며 소리 난다. (   )

14 입술 모양이 평평한 상태에서 혀의 앞부분에서 소리 난다. (   )

15 발음할 때 'ㅔ'와 혀의 높이는 같으나 혀의 앞뒤 위치가 다른 모음이다. (   )

16 발음할 때 'ㅜ'와 혀의 앞뒤 위치는 다르지만 혀의 높이와 입술 모양이 같은 모음이다. (   )

01 국어의 모음에 대한 설명으로 적절한 것은?

① 모음 중 단모음 10개만 소리가 난다.

② 모음은 발음할 때 공기의 흐름에 장애를 받지 않는다.

③ 단모음은 대체로 입술 모양이 변하면서 소리가 난다.

④ 목청의 울림 여부에 따라 울림소리와 안울림소리로 나뉜다.

⑤ 모음은 홀로 소리 날 수 있으므로, 모든 모음은 의미를 가진 단어이다.

02 [보기]의 예로 적절하지 않은 것은?

> ── 보 기 ├──
>
> 　두 개의 단모음을 결합하면 발음할 때 혀의 위치나 입술 모양이 달라지는 모음으로 바뀐다.

① 이루어 → 이뤄　　　　　② 열리어 → 열려

③ 다지어 → 다져　　　　　④ 보았다 → 봤다

⑤ 모이어 → 모아

이렇게 풀어 봐!

[보기]에서 두 개의 단모음이 결합한다고 했으니 먼저 선택지에서 모음이 변화한 것은 없는지 살펴 봐. 두 모음이 결합하여 하나가 된 예와 그렇지 않은 예로 구분하여 답을 찾아 보면 답을 찾을 수 있어.

03 모음을 다음과 같이 분류할 때 성격이 다른 하나는?

평순 모음: 발음할 때 입술 모양이 대체로 평평하고 납작함.	원순 모음: 발음할 때 입술 모양이 대체로 둥글게 오므라짐.

① ㅚ　　　② ㅟ　　　③ ㅗ　　　④ ㅡ　　　⑤ ㅜ

04 발음할 때 혀의 높낮이가 같은 모음끼리 묶인 것은?

① ㅐ, ㅏ　　　　　　　② ㅡ, ㅓ

③ ㅔ, ㅐ　　　　　　　④ ㅟ, ㅚ

⑤ ㅣ, ㅗ

05 다음 중 전설 모음이면서 고모음인 것은?

① ㅔ　　　② ㅐ　　　③ ㅡ　　　④ ㅟ　　　⑤ ㅚ

참고해 봐!

* 혀의 높낮이에 따른 모음의 분류
① 고모음: 혀의 높이가 가장 높을 때, 혀가 입천장과 가장 가까울 때 소리 나는 모음.
② 중모음: 혀의 높이가 중간쯤일 때 소리 나는 모음.
③ 저모음: 혀의 높이가 가장 낮을 때, 혀가 입의 바닥과 가장 가까울 때 소리 나는 모음.

06 다음 단어에 쓰인 모음 중, 발음할 때 혀의 앞뒤 위치가 <u>다른</u> 하나는?

① 들 　　　② 겁 　　　③ 힘 　　　④ 움 　　　⑤ 봄

07 각 모음에 대한 설명이 <u>잘못된</u> 것은?

① ㅡ: 혀의 뒷부분에서 소리 나며 입술을 둥글게 하여 발음한다.

② ㅣ: 혀의 앞부분에서 소리 나며 입술을 평평하게 하여 발음한다.

③ ㅜ: 혀의 위치가 위쪽이며, 입술을 둥글게 하여 발음한다.

④ ㅗ: 혀의 위치가 중간쯤이며, 입술을 둥글게 하여 발음한다.

⑤ ㅔ: 혀의 위치가 중간쯤이며, 입술을 평평하게 하여 발음한다.

08 [보기]의 ㉠, ㉡에 대한 설명으로 적절한 것은?

> ┤ 보 기 ├
>
> ㉠'아' 다르고 ㉡'어' 다르다.

① ㉠은 혀의 앞부분에서 소리 나고 ㉡은 혀의 뒷부분에서 소리 난다.

② ㉠은 'ㅗ'와 같은 높이에서 소리 나고, ㉡은 'ㅜ'와 같은 높이에서 소리 난다.

③ ㉠은 입술 모양을 둥글게 하여 발음하고 ㉡은 입술을 평평하게 하여 발음한다.

④ ㉠은 혀의 높이가 낮을 때 소리 나고, ㉡은 혀의 높이가 중간일 때 소리 난다.

⑤ ㉠은 혀의 위치가 변하지 않으면서 소리 나고, ㉡은 혀의 위치가 변하면서 소리 난다.

09 [보기]의 설명을 모두 만족하는 단어는?

> ┤ 보 기 ├
>
> • 혀의 위치나 입술 모양이 변하지 않는 모음들이 쓰였다.
> • 혀의 최고점의 위치가 높이 있을 때 발음되는 모음들이 쓰였다.
> • 입술을 둥글게 해서 발음해야 하는 모음들로만 이루어져 있다.

① 우위 　　　② 오이 　　　③ 응애 　　　④ 아욱 　　　⑤ 외유

• 단모음: 혀의 위치나 입술 모양이 변하지 않는 모음.
• 고모음: 혀가 높이 있을 때 발음되는 모음.
• 원순 모음: 입술을 둥글게 해서 발음되는 모음.

10 [보기]의 단어에 쓰인 모음이 해당하는 모음의 종류는?

> ┤ 보 기 ├
>
> 쉿!

① 중모음 　　　　② 고모음 　　　　③ 평순 모음

④ 후설 모음 　　　⑤ 이중 모음

● **자음의 개념**
  소리를 낼 때 공기의 흐름이 입 안 발음 기관의 장애를 받고 나오는 소리.

● **자음의 분류**

목청 울림	소리 내는 방법	소리의 세기	입술소리 (양순음)	잇몸소리 (치조음)	센입천장 소리 (경구개음)	여린입천장 소리 (연구개음)	목청소리 (후음)
안울림 소리	파열음	예사소리	ㅂ	ㄷ		ㄱ	
		된소리	ㅃ	ㄸ		ㄲ	
		거센소리	ㅍ	ㅌ		ㅋ	
	파찰음	예사소리			ㅈ		
		된소리			ㅉ		
		거센소리			ㅊ		
	마찰음	예사소리		ㅅ			ㅎ
		된소리		ㅆ			
울림 소리	비음(콧소리)		ㅁ	ㄴ		ㅇ	
	유음(흐름소리)			ㄹ			

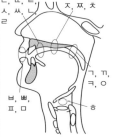

[자음이 소리 나는 위치]

ㄷ, ㄸ, ㅌ
ㅅ, ㅆ, ㅈ, ㅉ, ㅊ
ㄹ
ㄱ, ㄲ, ㅋ
ㅂ, ㅃ, ㅍ, ㅁ
ㅎ

① 소리 나는 위치에 따른 분류
  입술소리, 잇몸소리, 센입천장소리 여린입천장소리, 목청소리

② 목청의 울림(성대의 진동) 유무에 따른 분류
  • 안울림소리: 목청의 울림이 없이 소리 나는 자음.
  • 울림소리: 목청이 울리면서 소리 나는 자음.

③ 소리 내는 방법에 따른 분류
  • 파열음: 공기의 흐름을 일단 막았다가 그 막은 자리를 터뜨리면서 내는 소리.
  • 파찰음: 공기를 막았다가 서서히 터뜨리면서 마찰을 일으켜 내는 소리.
  • 마찰음: 입안이나 목청 사이의 통로를 좁히고 그 좁은 틈 사이로 공기를 내보내며 마찰을 일으키면서 내는 소리.
  • 비음: 입안의 통로를 막고 코로 공기를 내보내면서 내는 소리.
  • 유음: 혀끝을 잇몸에 가볍게 대었다가 떼거나 혀끝을 윗잇몸에 댄 채 공기를 그 양 옆으로 흘려 내보내면서 내는 소리.

④ 소리의 세기에 따른 분류
  • 예사소리: 보통의 세기로 나오는 소리, 경쾌하고 가벼운 느낌.
  • 된소리: 긴장된 상태에서 나오는 소리, 단단하고 급한 느낌.
  • 거센소리: 숨이 거세게 나오는 소리, 격하고 거센 느낌.

[파열음과 마찰음]
파열음의 '파열'은 '깨어지거나 갈라져 터짐.'을 의미함. 그러므로 파열음은 일정 시간 막혀 있던 것이 순간적으로 터지면서 소리가 나는 소리임. 이에 비해 마찰은 '두 물체가 서로 닿아 비벼짐.'을 의미함. 그러므로 마찰음은 입 안의 발음 기관과 공기가 서로 닿아서 길게 스치면서 나는 소리임. 파열음인 '파'를 발음할 때에는 입 안에 있던 공기가 한번에 터져 나오며 소리가 나고, 마찰음인 '사'를 발음할 때에는 입 안의 공기가 입천장과 잇몸, 입술까지 스치면서 소리가 나는 것을 느낄 수 있음.

[주의]
교과서에 따라 '안울림소리, 울림소리'와 '예사소리, 된소리, 거센소리'를 '파열음, 마찰음, 파찰음, 비음, 유음'과 함께 '소리 내는 방법에 따른 분류'에 포함시키기도 함. 따라서 학교에서 사용하는 교과서 내용을 확인해야 함.

[01~05] 다음 (　　) 안에 들어가기에 알맞은 말을 고르시오.

01 자음을 소리 나는 위치에 따라 분류하면 (두 입술 사이 / 윗잇몸과 혀끝 사이 / 센입천장과 혓바닥 사이 / 여린입천장과 혀 뒷부분 사이 / 목청 사이)에서 소리 나는 자음이 가장 많다.

02 울림소리와 안울림소리의 분류 기준은 (목청 / 입술)의 떨림 여부이다.

03 거센소리는 예사소리에 비해 (단단하고 급한 느낌 / 격하고 센 느낌)을 준다.

04 파찰음은 처음에는 (파열 / 마찰)의 방법으로 소리 내다가 마지막에는 (파열 / 마찰)의 방법으로 소리 내는 특성이 있다.

05 'ㄷ, ㄸ, ㅌ'은 (소리의 세기 / 소리 나는 위치)이/가 다르다.

[06~10] 다음 중 맞는 설명에 √ 표 하시오.

06 'ㄲ'과 'ㄱ'은 소리 나는 위치가 ·································· 같다 □ ｜ 다르다 □

07 'ㅎ'과 'ㅅ'은 소리 나는 위치가 ·································· 같다 □ ｜ 다르다 □

08 'ㄹ'과 'ㄴ'은 소리 낼 때 공기의 통로가 ·························· 같다 □ ｜ 다르다 □

09 'ㅊ'과 'ㅌ'은 소리의 세기가 ······································ 같다 □ ｜ 다르다 □

10 'ㅂ'과 'ㅉ'은 소리의 세기가 ······································ 같다 □ ｜ 다르다 □

[11~13] [보기]의 자음을 분류하시오.

> ┤ 보 기 ├
>
> ㄷ, ㅆ, ㅈ, ㅍ, ㅋ

11 소리 나는 위치

→ 잇몸소리:　　　　　입술소리:　　　　센입천장소리:　　　　여린입천장소리:

12 소리의 세기

→ 예사소리:　　　　　된소리:　　　　　거센소리:

13 소리 내는 방법

→ 파열음:　　　　　마찰음:　　　　　파찰음:

01 다음 중 국어의 자음에 대한 설명으로 적절한 것은?

① 우리말에서 활용하는 자음은 모두 21개이다.
② 모든 자음은 목청의 울림이 없이 소리 난다.
③ 혀의 위치나 입술 모양의 변화 유무에 따라 분류된다.
④ 자음은 공기의 흐름이 발음 기관의 장애를 받고 소리가 난다.
⑤ 자음은 홀로 소리 날 수 없으므로 단어의 의미를 구별해 줄 수 없다.

02 다음 중 두 사음의 공통점을 <u>잘못</u> 나타낸 것은?

① ㅌ – ㅈ: 안울림소리 ② ㄱ – ㅃ: 파열음
③ ㅇ – ㅎ: 여린입천장소리 ④ ㄹ – ㄸ: 잇몸소리
⑤ ㅆ – ㄲ: 된소리

03 다음 중 끝소리에 쓰인 자음을 목청의 울림 여부에 따라 분류할 때 <u>다른</u> 하나는?

① 산 ② 말 ③ 형 ④ 박 ⑤ 움

> **참고해 봐!**
> 글자의 받침으로 쓰이는 자음을 끝소리라고 한다.

04 다음 중 [보기]에서 설명하는 자음으로 구성된 말은?

┤ 보 기 ├
• 첫소리는 잇몸소리이며 된소리이다.
• 끝소리는 여린입천장소리이며 비음이다.

① 홍 ② 싹 ③ 땅 ④ 칸 ⑤ 춤

05 [보기]의 단어들에서 나타나는 자음의 변화와 같은 것은?

┤ 보 기 ├
단단하다 – 딴딴하다 – 탄탄하다

① 사분사분 – 사뿐사뿐 – 사푼사푼
② 고불고불 – 꼬불꼬불 – 꾸불꾸불
③ 해죽해죽 – 헤죽헤죽 – 히죽히죽
④ 쌍긋쌍긋 – 생긋생긋 – 싱긋싱긋
⑤ 살랑살랑 – 설렁설렁 – 썰렁썰렁

> **참고해 봐!**
> 자음은 예사소리, 된소리, 거센소리의 변화에 따라 그 느낌이 가볍고 평온한 느낌에서 점점 더 강하고 거센 느낌으로 달라진다.

자음은 소리 내는 방법에 따라 파열음, 파찰음, 마찰음, 비음, 유음으로 나눌 수 있다.

06 다음 각 자음의 소리 내는 방법을 바르게 설명한 것은?

① ㄹ: 입안의 통로를 막고 코로 공기를 내보내면서 소리 낸다.

② ㅍ: 공기를 막았다가 서서히 터뜨리면서 마찰을 일으켜 소리 낸다.

③ ㅇ: 공기의 흐름을 일단 막았다가 그 막은 자리를 터뜨리면서 소리 낸다.

④ ㅈ: 혀끝을 윗잇몸에 댄 채 공기를 그 양 옆으로 흘려 내보내면서 소리낸다.

⑤ ㅎ: 공기의 통로를 좁히고 그 좁은 틈 사이로 공기를 내보내며 마찰을 일으키면서 소리 낸다.

07 자음을 소리 내는 방법에 따라 나눌 때, 종류가 <u>다른</u> 하나는?

① ㄱ   ② ㅂ   ③ ㅆ   ④ ㄸ   ⑤ ㅌ

08 '햅쌀'에 쓰인 자음에 대한 설명으로 적절하지 <u>않은</u> 것은?

① 마찰음 1개   ② 울림소리 1개   ③ 입술소리 1개

④ 된소리 1개   ⑤ 잇몸소리 2개

09 [보기]의 ㉠, ㉡에 들어갈 말을 차례대로 나열한 것은?

┤ 보 기 ├

'신발'이라는 단어는 표기 그대로 [신발]이라고 발음하는 것이 적절하다. 그런데 실제로는 (㉠)인 'ㄴ'을 (㉡)인 'ㅁ'으로 바꾸어 [심발]이라고 잘못 발음하는 경우도 있으니 주의해야 한다.

	㉠	㉡		㉠	㉡
①	거센소리	된소리	②	파열음	파찰음
③	잇몸소리	입술소리	④	울림소리	안울림소리
⑤	센입천장소리	여린입천장소리			

10 [보기]의 설명을 바탕으로 할 때 밑줄 친 자음의 소리 나는 위치의 변화를 바르게 나타낸 것은?

┤ 보 기 ├

'굳이'라는 단어는 '굳'의 받침 'ㄷ'이 'ㅈ'으로 바뀌어 [구지]로 발음된다. 또한 '미닫이'라는 단어도 '닫'의 받침 'ㄷ'이 'ㅈ'으로 바뀌어 [미:다지]로 발음된다.

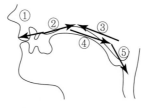

01 다음 중 후설 모음이 전설 모음으로 바뀌어 잘못 발음되는 예로 적절하지 <u>않은</u> 것은?

① '아기[아기]'를 [애기]로 잘못 발음하는 경우

② '어미[어미]'를 [에미]로 잘못 발음하는 경우

③ '띠어[띠어]'를 [띠여]로 잘못 발음하는 경우

④ '죽이다[주기다]'를 [쥐기다]로 잘못 발음하는 경우

⑤ '맛보기[맏뽀기]'를 [맏뾔기]로 잘못 발음하는 경우

02 [보기]의 문장에서 발음되는 단모음의 수는?

┤ 보 기 ├

금세 온 산이 화려해졌어요.

① 7개   ② 8개   ③ 9개   ④ 10개   ⑤ 11개

03 [보기]는 '무지개'의 어원을 설명한 글의 일부이다. ㉠에 대한 설명으로 적절한 것은?

┤ 보 기 ├

'무지개'는 빛깔을 뜻하는 '믈'에서 'ㄹ'이 탈락한 형태인 '므'와 문을 나타내는 '지게'가 합해진 말 '므지게'에서 온 말입니다. 여기서 ㉠<u>'므'의 모음 'ㅡ'가 'ㅜ'로 변하고 '게'의 모음 'ㅔ'가 'ㅐ'로 변하여 오늘날의 '무지개'가 되었어요.</u>

① 중모음인 'ㅡ'가 저모음인 'ㅜ'로, 평순 모음인 'ㅔ'가 원순 모음인 'ㅐ'로 달라졌다.

② 고모음인 'ㅡ'가 중모음인 'ㅜ'로, 원순 모음인 'ㅔ'가 평순 모음인 'ㅐ'로 달라졌다.

③ 평순 모음인 'ㅡ'가 원순 모음인 'ㅜ'로, 중모음인 'ㅔ'가 저모음인 'ㅐ'로 달라졌다.

④ 후설 모음인 'ㅡ'가 전설 모음인 'ㅜ'로, 고모음인 'ㅔ'가 중모음인 'ㅐ'로 달라졌다.

⑤ 평순 모음인 'ㅡ'가 원순 모음인 'ㅜ'로, 전설 모음인 'ㅔ'가 후설 모음인 'ㅐ'로 달라졌다.

04 [보기]의 ㉮에 들어갈 수 있는 모음끼리 묶인 것은?

① 'ㅏ', 'ㅟ'
② 'ㅣ', 'ㅡ'
③ 'ㅚ', 'ㅐ'
④ 'ㅓ', 'ㅗ'
⑤ 'ㅔ', 'ㅜ'

이렇게 풀어 봐!

고모음과 평순 모음에는 어떤 모음이 있는지 각각 생각해 봐. 그리고 둘 모두에 해당하는 모음을 찾으면 돼.

05 ㉠~㉤에 들어갈 자음을 활용하여 단어를 만든 것으로 적절한 것은?

소리 내는 방법 \ 소리나는 위치		입술소리	잇몸소리	센입천장소리	여린입천장소리	목청소리
파열음	예사소리					
	된소리		㉡			
	거센소리					
파찰음	예사소리					
	된소리					
	거센소리			㉢		
마찰음	예사소리					
	된소리					㉤
비음		㉠			㉣	
유음						

① ㉠, ㉣: 돚
② ㉡, ㉣: 땅
③ ㉠, ㉡: 떡
④ ㉠, ㉤: 학
⑤ ㉣, ㉤: 흑

06 [보기]의 밑줄 친 부분은 모두 잘못된 발음을 나타낸다. 밑줄 친 부분의 발음에 대한 설명으로 적절한 것은?

> ── 보 기 ──
>
> 딸이 연필을 너무 세[쎄]게 쥐고 숙제를 하다가 연필심을 똑 부[뿌]러트렸다. 그래서 연필을 새로 깎아 주고 있는데, 막내아들이 손가락에 가[까]시가 들어갔다고 울면서 집에 들어왔다. 나는 "사[싸]나이가 그만한 일로 울면 안 돼."라고 말하며 족[쪽]집게로 가[까]시를 빼 주었다.

① 원래의 소리보다 목청의 울림을 길게 하여 소리 냈다.
② 원래의 소리보다 발음의 자리를 입 앞쪽으로 옮겨 소리 냈다.
③ 원래의 소리보다 공기를 막았다가 강하게 터뜨리며 소리 냈다.
④ 원래의 소리보다 더 강하고 단단한 느낌을 주도록 소리 냈다.
⑤ 원래의 소리보다 입 안에서의 공기 마찰을 더 길게 하여 소리 냈다.

07 다음 ㉮, ㉯, ㉰에 들어갈 자음을 순서대로 바르게 나열한 것은?

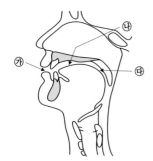

	㉮	㉯	㉰
①	ㄱ	ㄷ	ㅅ
②	ㄷ	ㅁ	ㅇ
③	ㅂ	ㅊ	ㅋ
④	ㅍ	ㄹ	ㅎ
⑤	ㅈ	ㄴ	ㅌ

08 [보기]에서 설명하는 자음을 포함하고 있는 단어는?

┤ 보 기 ├

　자음 중에는 입 안을 좁혀서 공기가 그 좁은 틈을 통과하면서 스쳐나가게 발음하는 것들이 있다.

① 경제　　　② 아들　　　③ 대나무　　　④ 역사　　　⑤ 버찌

이렇게 풀어 봐!

[보기]에서는 자음을 발음할 때 소리 내는 방법을 바탕으로 자음을 설명하고 있어. 따라서 이에 따른 자음의 분류를 떠올려 보자. 그리고 [보기]에서 설명하고 있는 자음이 어떤 유형에 해당하는지 생각해 본 후, 각 단어에 쓰인 자음들을 나열하여 그 유형에 해당하는 자음이 있는지 확인해 보자.

09 다음은 어느 학생의 일기이다. (　　) 안에 들어갈 단어로 알맞은 것은?

　어제 공원에서 자전거를 타다가 넘어져 코를 다쳤다. 코뼈가 부러져 치료를 받았지만 코가 막혀 힘들었다. 그리고 (　　)와/과 같은 단어를 제대로 발음할 수 없어 대화를 하기도 힘들었다.

① 길　　　② 봄　　　③ 약　　　④ 옷　　　⑤ 밥

10 관계의 차이점을 바탕으로 [보기]의 ㉠과 ㉡에 대해 한 문장으로 서술하시오.

┤ 보 기 ├

㉠ ㅂ, ㄷ, ㄱ, ㅈ　　　　　㉡ ㅁ, ㄴ, ㅇ, ㄹ

(　　　　　　　　　　　　　　　　　　　　　　　)

11 대화 내용을 고려할 때 ㉠에 들어갈 말로 적절한 것은?

> 학생 1: (종이를 내밀며) 내가 쓴 글 좀 읽어볼래?
> 학생 2: 응? 쓴 글?
> 학생 1: (머리를 긁적이며) '으'와 '어' 발음이 잘 안 되네.
> 학생 2: 그 두 모음을 바르게 발음하려면 ＿＿＿＿＿＿＿＿＿＿＿＿＿＿＿＿.

① 목청 울림을 없애야 해.
② 입술의 모양을 정확히 해야 해.
③ 혀의 앞뒤 위치를 정확히 해야 해.
④ 혀끝과 윗잇몸의 간격을 바르게 해야 해.
⑤ 혀의 높이나 입을 벌리는 정도를 다르게 해야 해.

12 다음에 쓰인 자음과 모음에 대한 설명으로 적절하지 <u>않은</u> 것은?

> 참 예쁜 아이

① 단모음 4개와 이중 모음 1개가 쓰였다.
② 'ㅅ, ㅎ'과 같은 마찰음이 하나 쓰였다.
③ 된소리와 거센소리가 각각 하나씩 쓰였다.
④ 목청을 울리면서 소리 내는 자음은 모두 2개가 쓰였다.
⑤ 안울림소리이면서 예사소리인 자음은 쓰이지 않았다.

13 [보기]의 ㉠~㉤에 쓰인 자음과 모음의 분류로 적절하지 <u>않은</u> 것은?

> ┤ 보 기 ├
> • 하늘에 ㉠별이 가득하다.
> • ㉡손에 잡힐 듯하다.
> • ㉢흥이 났다.
> • ㉣낮부터 ㉤축 늘어졌던 몸도 가뿐해졌다.

		첫소리	가운뎃소리	끝소리
①	㉠	입술소리	이중 모음	유음(흐름소리)
②	㉡	마찰음	후설 모음	잇몸소리
③	㉢	목청소리	고모음	여린입천장소리
④	㉣	비음(콧소리)	평순 모음	안울림소리
⑤	㉤	거센소리	전설 모음	파열음

품사와 어휘 Ⅱ

● 체언의 개념: 문장에서 중심이 되는 역할을 하며, '누구', '무엇'에 해당하는 말.

● 체언의 종류
  • 명사: 구체적인 대상이나 추상적인 대상*의 이름을 나타내는 단어.

구체적인 대상의 이름을 나타내는 단어(구체 명사)	교실, 김유신, 지리산, 나비 등.
추상적인 대상의 이름을 나타내는 단어(추상 명사)	사랑, 도전, 용기, 인내심, 걱정 등.

  • 대명사: 사람이나 사물, 장소의 이름을 대신하여 가리키는 단어.
    • 사람의 이름을 대신하여 가리키는 단어(인칭 대명사)
      예 나, 너, 그, 우리, 누구
    • 사물의 이름을 대신하여 가리키는 단어(사물 대명사)
      예 이것, 저것, 그것, 무엇
    • 장소의 이름을 대신하여 가리키는 단어(장소 대명사)
      예 여기, 저기, 거기, 어디
  • 수사: 수량이나 순서를 나타내는 단어.
    • 수량을 나타내는 단어(양수사) 예 하나, 둘, 셋, 일, 이, 삼
    • 순서를 나타내는 단어(서수사) 예 첫째, 둘째, 셋째, 넷째, 다섯째

● 체언의 특성
  • 문장에서 사용될 때 형태가 변하지(활용하지) 않는다.

  > 교실이 더럽다.
  > 셋이 그곳을 청소했다.

  '교실', '셋', '그곳'과 같은 체언은 문장에서 쓰일 때 항상 같은 형태로만 쓰여. '더럽다'와 '청소했다'가 '더럽고, 더러워서, 더러우니', '청소했고, 청소하니, 청소해서' 등과 같이 형태가 변하는 것과는 다르지.

  • 조사*와 결합하여 문장에서 다양한 기능을 수행한다.

  > 우산이 예쁘다. / 새가 노래한다.
  > → 조사('이', '가')와 결합하여 상태('예쁘다')나 동작('노래한다')의 주체가 됨.
  > 나는 그녀를 좋아한다.
  > → 조사('를')와 결합하여 동작('좋아한다')의 대상이 됨.

  • 관형어*의 꾸밈을 받을 수 있다.

  > 온갖 꽃이 피었다. → 관형어가 명사를 꾸밈.
  > 사랑하는 그녀가 있어 행복하다. → 관형어가 대명사를 꾸밈.
  > 나는 이 둘 가운데 한 사람을 택해야 한다. → 관형어가 수사를 꾸밈.

---

* **추상적인 대상**
일정한 형태나 성질이 없어서 직접 보거나 만질 수 없는 것.

[품사]
문법적 성질이 비슷한 것끼리 분류해 놓은 단어의 갈래.

[품사의 분류]

형태	기능	의미
형태가 변하지 않는 단어(불변어)	체언	명사, 대명사, 수사
	관계언	조사
	수식언	관형사, 부사
	독립언	감탄사
형태가 변하는 단어(가변어)	관계언	서술격 조사 '-이다'
	용언	동사, 형용사

[명사의 종류]
• 사용 범위에 따라
  ┌ 고유 명사: 특정한 사람이나 사물의 이름.
  └ 보통 명사: 일반적인 사물의 이름.
• 자립성에 따라
  ┌ 자립 명사: 홀로 쓰일 수 있는 명사.
  └ 의존 명사: 앞에 꾸미는 말이 와야 쓰일 수 있는 명사.

* **조사**
주로 체언 뒤에 붙어 그 말과 다른 말과의 문법적 관계를 표시하거나 그 말의 뜻을 도와주는 단어.

* **관형어**
체언 앞에 놓여 체언을 꾸며 주는 기능을 하는 문장 성분으로, 품사 '관형사'와는 다름.
예 그가 멋진 신발을 신었다. → 용언의 활용형으로 관형어가 됨.
나는 그의 책을 빌렸다.
→ '체언+조사(의)'의 형태로 관형어가 됨.
그가 새 옷을 입었다.
→ 관형사가 관형어가 됨.

Step 1 문제로 **연습하기**

[01~03] 다음 설명이 맞으면 O표, 틀리면 X표 하시오.

01 명사, 대명사, 수사를 묶어서 체언이라고 한다. (   )

02 체언은 문장에서 사용될 때, 형태가 변하는 특성이 있다. (   )

03 체언은 문장에서 조사와 결합하여 쓰이며, 다양한 역할을 한다. (   )

[04, 05] [보기]의 ㉠~㉢을 보고, 물음에 답하시오.

┌─── 보 기 ├───
㉠ 우리 할머니는 딸 둘을 두셨다.
㉡ "승준아, 여기로 와 보렴!"
㉢ 첫째도 안전, 둘째도 안전, 안전을 최우선으로 합시다!
└─────────────

04 ㉠~㉢에서 체언을 모두 찾아 쓰시오.

(   )

05 ㉠~㉢ 속 체언을 종류별로 나누어 쓰시오.

명사	대명사	수사

[06~08] 다음에 제시된 명사와 그 종류를 알맞게 연결하시오.

06 나무, 개구리, 아들 ·   · ㉠ 구체적인 대상의 이름을 나타내는 단어

07 행복, 자유, 책임감 ·

08 영희, 서울, 지리산 ·   · ㉡ 추상적인 대상의 이름을 나타내는 단어

[09~11] [보기]에 제시된 대명사를 제시된 조건에 맞게 구분하여 쓰시오.

┌─── 보 기 ├───
나, 저것, 이곳, 누구, 무엇, 우리, 그것, 어디, 거기
└─────────────

09 사람의 이름을 대신하여 가리키는 단어 →

10 사물의 이름을 대신하여 가리키는 단어 →

11 장소의 이름을 대신하여 가리키는 단어 →

01 체언에 대한 설명으로 적절하지 <u>않은</u> 것은?

① 조사와 결합하여 쓸 수 있다.

② 관형어의 꾸밈을 받을 수 있다.

③ 명사, 대명사, 수사가 체언에 해당한다.

④ 문장에서 사용할 때, 형태가 변하지 않는다.

⑤ 문장에서 주로 주체의 동작이나 상태를 설명하는 역할을 한다.

02 각 문장의 밑줄 친 단어 중 체언이 <u>아닌</u> 것은?

① 학생 <u>하나</u>가 질문을 하였다.

② <u>너</u>랑 나랑 다시 한 반이 되었어.

③ 이제 <u>바야흐로</u> 여름 휴가철이야.

④ 푸른 <u>나뭇잎</u>이 싱그러워 보인다.

⑤ <u>여기</u>를 보세요. 화분에 꽃이 피었어요.

이렇게 풀어 봐!

[보기] 속 밑줄 친 단어들의 품사가 무엇인지 파악해 보고, 그 품사의 특성을 생각해 보자.

03 [보기]의 밑줄 친 단어들에 대한 설명으로 적절하지 <u>않은</u> 것은?

> ─ 보 기 ─
>
> 집에서 쫓겨난 가믄장 아기는 고개를 넘고 넘었어. 그러다 날도 저물고 발도 아파 쉴 곳을 찾았지. 때마침 <u>그녀</u>는 허름한 오두막집을 발견하여 <u>그곳</u>에서 하룻밤 신세를 지기로 했어.
> "지나가는 사람인데 <u>여기</u>에서 하룻밤 묵어갈 수 있을까요?"
> ─ 제주가 무가 설화, 「삼공본 풀이」 중

① 체언에 해당한다.

② 대상의 이름을 대신하여 가리킨다.

③ 추상적인 대상의 이름만을 나타낸다.

④ 문장에서 쓰일 때 형태가 변하지 않는다.

⑤ 이와 같은 단어를 사용하면 앞에 나온 말을 불필요하게 반복하지 않아도 된다.

04 다음 문장에 쓰인 명사의 총 개수는?

> 우리는 학교에서 국어 공부를 열심히 하며 보람을 느낀다.

① 3개   ② 4개   ③ 5개   ④ 6개   ⑤ 7개

05 [보기]의 ㉠~㉤에 대한 설명으로 알맞은 것은?

> ─── 보 기 ───
> ㉠나는 ㉡필통에서 연필 ㉢하나를 꺼내고, ㉣그것으로 ㉤'사랑'이라
> 고 썼다.

① ㉠: 명사이며, 사람의 이름을 대신하여 가리킨다.
② ㉡: 명사이며, 구체적인 대상의 이름을 나타낸다.
③ ㉢: 수사이며, 사물의 순서를 나타낸다.
④ ㉣: 대명사이며, 장소의 이름을 대신하여 가리킨다.
⑤ ㉤: 명사이며, 사물의 상태나 성질을 나타낸다.

06 다음 중 명사, 대명사, 수사가 모두 포함된 문장은?

① 나는 당신이 몹시 그리워요.
② 여기서 친구를 만나기로 했어.
③ 나의 소원은 첫째가 통일이다.
④ 싸우는 것을 보니 둘이 똑같다.
⑤ 수민이는 너보다 키가 훨씬 작구나.

07 다음 중 수량이나 순서를 나타내는 단어가 사용되지 <u>않은</u> 문장은?

① 우리 가족은 다섯이다.
② 나의 필통에는 연필 둘, 지우개 하나가 있다.
③ 귤 한 상자에서 이제 남은 것은 겨우 셋이다.
④ 처음 중학교에 가던 날의 즐거움을 잊을 수가 없다.
⑤ 할머니는 첫째도 건강, 둘째도 건강이 최고라고 말씀하신다.

08 다음 중, 추상적인 대상의 이름을 나타내는 단어끼리 묶인 것은?

① 학교, 평화, 희망   ② 가방, 우정, 자동차
③ 긍지, 기쁨, 만족감   ④ 가족, 청춘, 할아버지
⑤ 이순신, 대한민국, 자만심

09 사물의 이름을 대신하여 가리키는 대명사로만 묶인 것은?

① 여기, 저기, 어디   ② 그녀, 당신, 누구   ③ 이것, 저것, 무엇
④ 거기, 그곳, 이것   ⑤ 이것, 그것, 저곳

참고해 봐!

체언 가운데 '명사'는 대상의 이름을 나타내는 단어이고, '대명사'는 명사를 대신하여 가리키는 단어이다. 또 '수사'는 순서나 수량을 나타내는 단어이다.

● **용언의 개념**: 문장에서 대상을 서술하는 역할을 하며, '어찌하다', '어떠하다', '무엇이다'에 해당하는 말.

● **용언의 종류**

• 동사: 사람이나 사물의 움직임을 나타내는 단어.

목적어*가 필요 없는 동사(자동사)	• 아이가 운다. • 꽃이 피었다.
목적어가 필요한 동사(타동사)	• 그가 노래를 불렀다. • 어머니가 내 손을 잡았다.

• 형용사: 사람이나 사물의 상태나 성질을 나타내는 단어.

상태나 성질을 나타내는 형용사(성상 형용사)	아름답다, 고요하다, 빠르다 등
상태와 성질의 의미를 대신 나타내는 형용사 (지시 형용사)	이러하다, 그러하다, 저러하다 등

● **용언의 특성**

• 문장에서 주체의 동작이나 상태, 성질 등을 설명한다.

나는 축구를 좋아한다.
날씨가 참 맑다.

'좋아한다'는 주체인 '나'의 동작을, '맑다'는 주체인 '날씨'의 상태를 설명하고 있어.

• 문장에서 쓰임에 따라 형태가 변한다.

정원에 꽃이 많다.

'많다'는 형용사로, 문장에서 쓰일 때 '많아', '많네', '많고', '많구나', '많지' 등과 같이 형태가 변하기도 해.

● **용언의 활용**

• 용언이 문장에서 쓰일 때, 어간(형태가 변하지 않는 부분)에 어미(형태가 변하는 부분)가 붙어서 형태가 변하는 것을 활용이라고 한다.

내 친구가 환하게 웃는다.

'웃는다'의 기본형은 '웃다'로, '웃다'가 '웃고, 웃어서, 웃으니, 웃는다, 웃었다'와 같이 활용할 때, 형태가 변하지 않는 부분인 '웃-'은 어간이고, 형태가 변하는 부분인 '-다, -고, -어서, -으니, -는다, -었다'는 어미라고 해.

• 용언의 어간에 어미 '-다'가 붙은 형태를 기본형이라고 하고, 용언의 어간에 '-다' 외의 어미가 결합한 형태를 활용형이라고 한다.

• 용언의 활용형은 형태만 바뀌는 것이기 때문에, 품사는 변하지 않는다.

흰 꽃이 피었다.

'흰'은 형용사 '희다'가 활용한 형태로, 품사는 '희다'와 같은 형용사야.

---

* **목적어**
동작의 대상이 되는 말로, 문장에서 '누구를/무엇을'에 해당함.
예 나는 공을 찬다.

[동사와 형용사의 구별]
1. 현재를 나타내는 어미 '-ㄴ다/-는다'와의 결합
→ 결합할 수 있으면 동사이고, 결합할 수 없으면 형용사이다.
예 간다(○) → 동사, 예쁜다(×) → 형용사
2. 명령을 나타내는 어미 '-아라/-어라'와의 결합
→ 결합할 수 있으면 동사이고, 결합할 수 없으면 형용사이다.
예 먹어라(○) → 동사, 작아라(×) → 형용사
3. 함께 하자고 요청하는 어미 '-자'와의 결합
→ 결합할 수 있으면 동사이고, 결합할 수 없으면 형용사이다.
예 놀자(○) → 동사, 아름답자(×) → 형용사

[용언의 기본형]
동사나 형용사와 같이 활용을 하는 단어에서 활용의 기본이 되는 형태를 용언의 기본형이라고 한다. 활용형 모두를 국어사전에 실을 수 없기 때문에, 국어사전에는 모든 활용형의 기본형만 제시된다.
• 동사의 활용형 '놓고, 놓으니, 놓아서, 놓았다, 놓으세요'의 기본형은 '놓다'임.
• 형용사의 활용형 '곱게, 고우니, 고운, 고왔다, 고우므로'의 기본형은 '곱다'임.

Ⅱ

품사와 어휘

[01~05] 다음 ( ) 안에 들어가기에 알맞은 말을 쓰시오.

01 동사와 형용사를 묶어서 (   )(이)라고 한다.

02 용언은 문장에서 주체의 (   )이나 상태, 성질 등을 서술한다.

03 용언은 문장에서의 쓰임에 따라 (   )이/가 변하기도 한다.

04 동사는 사람이나 사물의 (   )을/를 나타내는 단어이다.

05 (   )은/는 사람이나 사물의 상태나 성질을 나타내는 단어이다.

[06, 07] [보기]의 ㉠~㉢에서 용언을 찾아 동사와 형용사로 구분하여 쓰시오.

> ┤ 보 기 ├
> ㉠ 푸른 하늘과 깊은 바다가 눈앞에 펼쳐졌다.
> ㉡ 그는 친절하고, 언제나 잘 웃는다.
> ㉢ 그는 책상을 닦고 책을 읽었다.

06 | 동사 | → | |

07 | 형용사 | → | |

[08~10] 다음 문장에서 밑줄 친 단어의 기본형을 쓰시오.

08 | 청춘은 언제나 아름답구나. | → | |

09 | 민지는 약속이 있어서 못 왔어. | → | |

10 | 나는 빨리 달릴 수 있다. | → | |

[11~14] 용언의 묶음과 그 종류를 알맞게 연결하시오.

11 가다, 뛰다, 놀다 ·   · ㉠ 성질이나 상태를 나타내는 형용사

12 굵다, 예쁘다, 길다 ·   · ㉡ 목적어가 필요하지 않은 동사

13 넘기다, 잡다, 부르다 ·   · ㉢ 목적어가 필요한 동사

14 그러하다, 이러하다, 저러하다 ·   · ㉣ 성질이나 상태의 의미를 대신 나타내는 형용사

01 다음 단어들의 공통적인 특징으로 알맞은 것은?

> 쥐다   펴다   잡다   다투다

① 체언을 꾸며 주는 역할을 한다.
② 사물의 이름을 대신하여 가리킨다.
③ 추상적인 대상의 이름을 나타낸다.
④ 사람이나 사물의 움직임을 나타낸다.
⑤ 사람이나 사물의 상태나 성질을 나타낸다.

02 다음 단어들에 대한 공통적인 설명으로 적절하지 <u>않은</u> 것은?

> 곱다   작다   아름답다

① 용언에 해당한다.
② 문장에서 쓰임에 따라 형태가 변한다.
③ 명령을 나타내는 어미와 결합할 수 있다.
④ 함께 하자고 요청하는 어미와 결합할 수 없다.
⑤ 문장에서 주체의 상태와 성질 등을 서술한다.

03 각 문장의 밑줄 친 단어 중, 품사가 <u>다른</u> 하나는?

① 세월이 참 <u>빠르다</u>.
② 누가 그 연필을 <u>주었니</u>?
③ 나는 어머니의 손을 <u>놓쳤다</u>.
④ 철호가 밥을 맛있게 <u>먹는다</u>.
⑤ 나는 토요일에도 공부하러 도서관에 <u>갔다</u>.

04 다음 문장의 밑줄 친 단어 중, 활용을 하는 것은?

① <u>수영</u>이는 가방을 샀다.
② 어? <u>하나</u>가 모자라네.
③ 너는 <u>여기</u>에 남아 있어라.
④ <u>새로운</u> 생각이 세상을 바꾼다.
⑤ 나는 친구와 <u>그곳</u>에 가고 싶다.

참고해 봐!

'가다'와 같은 동사나 '높다'와 같은 형용사는 문장에서 쓰일 때 '가고, 가서, 가니', '높고, 높아서, 높으니' 등과 같이 형태가 다양하게 바뀐다. 이를 활용이라고 한다.

05 [보기]의 밑줄 친 부분처럼 활용할 수 있는 단어가 <u>아닌</u> 것은?

> ─── 보 기 ───
> • 책을 <u>읽는다</u>.　　• 책을 <u>읽자</u>.　　• 책을 <u>읽어라</u>.

① 걷다　　　　　② 보다　　　　　③ 놀다

④ 향기롭다　　　⑤ 들어가다

'읽는다'는 어간 '읽'에 현재를 나타내는 어미 '-는다'가 결합한 것이고, '읽자'는 함께 하자고 요청하는 어미(청유형 어미) '-자'가 결합한 것이며, '읽어라'는 명령을 나타내는 어미(명령형 어미) '-어라'가 결합한 것이다. 이러한 어미와의 결합이 어색하지 않으면 동사이고, 결합했을 때 어색하면 형용사이다.

06 [보기]의 밑줄 친 단어들을 동사와 형용사로 바르게 나눈 것은?

> ─── 보 기 ───
> ㉠ 그는 <u>많은</u> 돈을 다 써 버렸다.
> ㉡ 이미 음식은 <u>충분하게</u> 준비했다.
> ㉢ 그들은 운동장을 두 바퀴째 <u>달린다</u>.
> ㉣ 동생은 하루도 빠짐없이 일기를 <u>쓴다</u>.
> ㉤ 하늘을 <u>우러러</u> 한 점 부끄럼이 없기를 기도했다.

	동사	형용사
①	㉠, ㉡	㉢, ㉣, ㉤
②	㉠, ㉣, ㉤	㉡, ㉢
③	㉢, ㉣	㉠, ㉡, ㉤
④	㉠, ㉡, ㉤	㉢, ㉣
⑤	㉢, ㉣, ㉤	㉠, ㉡

07 [보기]에서 설명하고 있는 특징을 모두 갖춘 단어끼리 묶인 것은?

> ─── 보 기 ───
> • 문장에서 쓰임에 따라 형태가 변한다.
> • 사람이나 사물의 상태나 성질을 나타낸다.

① 우리, 여기, 저것　　　　② 사랑, 슬픔, 기쁨

③ 작다, 많다, 피다　　　　④ 귀엽다, 즐겁다, 미끄럽다

⑤ 노래하다, 친절하다, 화려하다

08 각 문장의 밑줄 친 단어 중, 품사가 <u>다른</u> 하나는?

① 그는 학생이 <u>아니다</u>.

② 그녀는 성격이 <u>활달하다</u>.

③ 학생들이 입고 있는 교복이 <u>멋있다</u>.

④ 시험 문제가 쉬워서 시험 시간이 <u>남는다</u>.

⑤ <u>이러한</u> 가운데에서도 일은 예정대로 진행되었다.

개념 05 수식언

● **수식언의 개념**: 문장에서 뒤에 오는 말을 꾸며 주는 역할을 하며, '어떠한', '어떻게'에 해당하는 말.

● **수식언의 종류**

● 관형사: 뒤에 오는 체언을 꾸며 주는 역할을 하는 단어.

대상의 성질이나 상태를 나타내는 관형사 (성상 관형사)	• 새 자동차에 문제가 생겼다. • 헌 신발을 버리기로 했다.
대상을 가리키는 관형사 (지시 관형사)	• 이 책이 더 유익하다. • 그 사람은 우리 학교 학생이다.
수량이나 순서를 나타내는 관형사 (수 관형사)	• 그의 첫 월급은 예상보다 두둑했다. • 세 학생이 운동장에서 놀고 있다.

● 부사: 주로 뒤에 오는 용언을 꾸며 주는 역할을 하는 단어. 용언뿐만 아니라 체언, 관형사, 부사, 문장 전체를 꾸미기도 한다.

문장의 한 성분을 꾸며 주는 부사(성분 부사)	• 어제는 학교에 일찍 갔다. 　　　　　　　　동사(용언)를 꾸며 줌. • 주희네 집은 우리 집 바로 뒤야. 　　　　　　　　명사(체언)를 꾸며 줌. • 이것은 정말 새 책이야. 　　　　　관형사를 꾸며 줌. • 비가 매우 많이 내리고 있다. 　　　　다른 부사를 꾸며 줌.
문장 전체를 꾸미거나 이어 주는 부사(문장 부사)	• 과연 이 일은 앞으로 어떻게 될 것인가? 　　문장 전체를 꾸며 줌. • 장미는 아름답다. 그러나 가시가 많다. 　　　　　　　　앞과 뒤의 내용을 이어 줌.

● **수식언의 특성**

● 문장의 의미를 자세하고 구체적으로 전달하거나, 의미를 한정*한다.

● 문장에서 쓰일 때 형태가 변하지 않는다.

> 온갖 꽃이 활짝 피었다.

'온갖', '활짝'과 같은 수식언은 문장에서 항상 같은 형태로만 쓰여.

● 관형사는 조사와 결합하여 쓰이지 못하고, 부사는 조사와 결합하여 쓰이기도 한다.

> 어떤 사람이 길을 물었다.
> 그가 참 많이도 먹는구나.

'어떤'과 같은 관형사는 조사와 결합하지 않고 단독으로 쓰이지만, '많이'와 같은 부사는 '도'와 같은 조사와 결합하여 쓰일 수 있어.

[지시 관형사와 대명사]
• 지시 관형사: 홀로 쓰이지 못하고 체언을 꾸며 주며, 조사와 결합할 수 없음.
　예 이 사람, 그 분
• 대명사: 조사와 결합할 수 있음.
　예 이는, 그도, 저희가

[수 관형사와 수사]
• 수 관형사: 체언을 꾸며 주며, 조사와 결합할 수 없음.
　예 사과 한 개를 먹었어.
• 수사: 조사와 결합할 수 있음.
　예 사과 하나를 먹었어.

[성분 부사의 종류]
• 성상 부사(사람이나 사물의 상태나 성질을 나타내는 부사): 빨리, 천천히, 높이, 잘, 매우, 아주 등
• 지시 부사(장소나 시간을 나타내는 부사): 이리, 저리, 그리, 어제, 오늘 등
• 부정 부사(내용을 부정하는 부사): 안, 아니, 못 등
• 의성 부사(사람이나 사물의 소리를 흉내 낸 부사): 찰칵, 졸졸, 사르륵 등
• 의태 부사(사람이나 사물의 모양을 흉내 낸 부사): 엉금엉금, 아장아장, 뒤뚱뒤뚱 등

*한정
수량이나 범위 따위를 제한하여 정함. 또는 그런 한도.

[01~05] 다음 설명이 맞으면 O표, 틀리면 X표 하시오.

01 수식언은 관형사와 부사를 묶어서 일컫는 말이다. (   )

02 수식언은 문장에서 다른 단어의 꾸밈을 받는 말이다. (   )

03 수식언은 문장에서 쓰일 때 그 형태가 변하지 않는다. (   )

04 수식언 중 부사는 문장에서 쓰일 때 주로 뒤에 오는 체언을 꾸며 준다. (   )

05 수식언은 문장의 의미를 구체적으로 전달하거나 한정하기 위해 사용된다. (   )

[06~08] 다음 문장에서 수식언을 찾아 밑줄을 긋고, '관형사'인지 '부사'인지 쓰시오.

06 나는 그 노래를 아주 좋아해.

07 키가 훌쩍 커서 너를 못 알아보았어!

08 할머니께서는 옛 물건을 소중히 다루신다.

[09~11] 다음에 제시된 관형사와 그 종류를 알맞게 연결하시오.

09 새, 헌 ・

10 이, 그, 저 ・

11 한, 두, 세 ・

・㉠ 수를 나타내는 관형사

・㉡ 성질이나 상태를 나타내는 관형사

・㉢ 대상을 가리키는 관형사

[12~14] 다음 문장에서 밑줄 친 부사가 꾸며 주는 말을 찾아 쓰시오.

12 저 차는 <u>너무</u> 빨리 달리는군. →

13 <u>과연</u> 그 일은 어떻게 될까? →

14 작년 겨울은 <u>몹시</u> 추웠다. →

01 수식언에 대한 설명으로 적절하지 <u>않은</u> 것은?

① 문장에서 쓰일 때 그 형태가 변하지 않는다.

② 문장에서 주로 동작이나 상태의 주체가 된다.

③ 수식언 중 관형사는 체언 앞에서 뒤의 체언을 꾸며 준다.

④ 수식언 중 부사는 주로 용언의 앞에서 뒤의 용언을 꾸며 준다.

⑤ 문장에서 꾸밈을 받는 단어의 의미를 자세하고 구체적으로 전달해 주기 위해 쓰이기도 한다.

02 [보기]의 밑줄 친 단어와 같은 품사의 단어는?

┤ 보 기 ├
아침을 굶었더니 배가 <u>매우</u> 고팠다.

① 이것   ② 하나   ③ 온갖

④ 여러   ⑤ 다행히

03 [보기]의 밑줄 친 단어들의 공통점으로 적절한 것은?

┤ 보 기 ├
<u>한</u> 사람이 <u>뚜벅뚜벅</u> 걸어왔다.

① 용언을 꾸며 준다.

② 체언을 꾸며 준다.

③ 문장에서 쓰일 때 활용을 한다.

④ 주체의 상태나 성질을 설명해 준다.

⑤ 문장의 의미를 자세하고 구체적으로 전달해 준다.

04 각 문장의 밑줄 친 단어 중 품사가 <u>다른</u> 하나는?

① 내가 그를 <u>심하게</u> 밀쳤다.

② <u>과연</u> 그는 훌륭한 사람이야.

③ 휴일인데도 <u>일찍</u> 일어났구나.

④ 우리 집은 우체국 <u>바로</u> 옆이야.

⑤ 이제부터는 게임을 <u>안</u> 할 것이다.

참고해 봐!

용언도 활용하면 수식언처럼 뒤에 오는 체언이나 용언을 꾸며 줄 수 있다. 따라서 다른 단어를 꾸며 주는 역할을 하는 말이 용언인지 수식언인지를 파악할 때에는 수식언은 활용하지 않지만 용언은 활용한다는 점을 기억해 두어야 한다.

05 [보기]의 문장에 사용된 수식언의 총 개수는?

> ─── 보 기 ───
>
> 헌 옷을 깨끗이 빨아서 햇볕에 바싹 말렸다.

① 1개   ② 2개   ③ 3개   ④ 4개   ⑤ 5개

수식언은 문장에서 뒤에 오는 말을 꾸며 주는데, 관형사와 부사가 있다.

06 다음 중 관형사와 부사가 모두 쓰인 문장은?

① 너 오늘 아주 멋지다.

② 이 책은 나에게 너무 어렵다.

③ 너와 나의 첫 공연이 시작된다.

④ 창문 너머로 해바라기가 활짝 피었다.

⑤ 그는 천천히 걸어와서 나를 보며 생긋 웃었다.

07 [보기]의 밑줄 친 단어와 같은 품사가 포함된 문장은?

> ─── 보 기 ───
>
> 나는 약속 장소에 <u>빨리</u> 나갔다.

① 모든 사람은 법 앞에 평등하다.

② 세 사람이 거기에 가지 않았다.

③ 여기 모인 학생들이 신입생이다.

④ 종례를 마치고 나만 남아 있었다.

⑤ 도랑물이 졸졸 흐르는 소리가 들렸다.

08 다음 중, 수식언에 해당하는 단어끼리 바르게 묶인 것은?

① 푸른, 옛, 모든

② 활짝, 꼭, 셋

③ 온갖, 어느, 아주

④ 무척, 거기, 많이

⑤ 쉽게, 높은, 열심히

◉ 관계언의 개념: 다른 단어들과의 문법적 관계를 나타내거나 특별한 뜻을 더해 주는 말. '조사'를 가리킴.

◉ 관계언(조사)의 종류

앞의 체언이 일정한 자격을 갖게 해 주는 조사(격 조사)	이/가, 께서, 을/를, 에, 에서, 에게, 의, 이다, 야
앞말에 특별한 뜻을 더해 주는 조사(보조사)	은/는('대조'의 뜻을 더해 줌.), 만('단독'의 뜻을 더해 줌.), 도('더함'의 뜻을 더해 줌.), 부터('시작'의 뜻을 더해 줌.), 까지('끝'의 뜻을 더해 줌.), 조차('첨가'의 뜻을 더해 줌.)
두 단어를 같은 자격으로 이어 주는 조사(접속 조사)	와/과, 랑, 하고

◉ 관계언(조사)의 특성
- 형태가 변하지 않는다.(단, 서술격 조사 '–이다'는 형태가 변하는 활용을 한다.)

> 은미가 나의 부탁을 들어주었다.
> 이것은 책상이다.

> '가', '의', '을'과 같은 조사는 항상 같은 형태로만 쓰여. 그렇지만 조사 '이다'는 '이고, 이니, 이어서, 이므로' 등과 같이 형태가 변해. 그래서 '이다'를 서술격 조사라고 해.

- 주로 체언 뒤에 붙어서 쓰이지만, 보조사는 체언 이외의 다른 단어 뒤에도 결합하여 쓰일 수 있다.

> 영희에게 무슨 일이 생겼을까?
> 그가 어디서 왔는지조차 모른다.

> '에게', '이'는 체언 뒤에 붙어서 쓰이지만, 보조사 '조차'는 용언 뒤에 붙어서 쓰이고 있어. 조사는 홀로 쓰이지 않고 다른 단어 뒤에 붙어서만 쓰여.

◉ 독립언의 개념: 문장에서 다른 단어들과 관련 없이 독립적으로 쓰이는 말. '감탄사'를 가리킴.

◉ 감탄사(독립언)의 종류

놀람, 느낌 등의 감정을 나타내는 감탄사	어머나, 아, 아차, 아하, 허, 아이고, 아무렴 등.
부름을 나타내는 감탄사	어이, 이봐, 여보게, 여보세요 등.
대답을 나타내는 감탄사	그래, 응, 예, 글쎄, 네, 아니 등.

◉ 감탄사(독립언)의 특징
- 형태가 변하지 않고, 독립적으로 쓰이므로 문장에서 자유롭게 위치할 수 있다.
- 쉼표나 느낌표 등을 사용하여 독립된 요소임을 나타낸다.

> 허, 그래! 다행이다.

> '허', '그래'와 같은 감탄사는 형태가 변하지 않는 단어이고, 독립적인 의미를 갖고 있어서 문장 끝으로 이동해도 의미가 통해.

[격 조사의 종류]
- 주격 조사(앞에 오는 체언이 동작의 주체임을 나타내는 조사): 이/가, 께서
- 목적격 조사(앞에 오는 체언이 동작의 대상이 됨을 드러내는 조사): 을/를
- 보격 조사(앞에 오는 체언이 '되다/아니다'라는 말을 보충하는 역할을 함을 드러내는 조사): 이/가
- 부사격 조사(앞에 오는 체언이 용언을 꾸며 주는 역할을 함을 드러내는 조사): 에서, 에게, 에, 께, 보다, 으로, 로서/로써
- 관형격 조사(앞에 오는 체언이 다른 체언을 꾸며 주는 역할을 함을 드러내는 조사): 의
- 서술격 조사(앞에 오는 체언이 서술하는 역할을 함을 드러내는 조사): 이다
- 호격 조사(앞에 오는 체언이 부름말이 되게 하는 역할을 하는 조사): 야

[조사의 위치]
조사는 체언 뒤, 부사 뒤, 용언 뒤, 조사 뒤에도 붙어서 쓰인다.

[감탄사의 구별]
- 실제 이름 뒤에 부름을 나타내는 조사가 붙은 말은 감탄사가 아님.
  예 기문아!
  → 명사(기문)+조사(아)의 형태로 감탄사가 아님.
- 형용사가 활용한 경우도 말하는 이의 느낌을 나타낼 수 있지만 감탄사가 아님.
  예 하늘이 푸르구나.
  → 형용사임.
- 문장의 첫머리에 놓인 제시어는 감탄사가 아님.
  예 청춘, 듣기만 해도 가슴이 설렌다.
  → 명사임.

Step 1 문제로 연습하기

[01~06] ( ) 안에 들어가기에 알맞은 말을 쓰시오.

01 관계언과 독립언에 해당하는 품사는 각각 ( )와/과 ( )이다.

02 '-이다'를 제외한 모든 관계언은 문장에서 쓰일 때 ( )이/가 변하지 않는다.

03 문장에서 쓰일 때 독립언은 쉼표나 ( ) 등을 사용하여 독립된 요소임을 드러낸다.

04 문장에서 관계언은 단독으로 쓰이지 않고 주로 ( ) 뒤에 붙어서 쓰인다.

05 다른 말과의 ( )을/를 나타내거나 특별한 ( )을/를 더해 주는 것은 조사이다.

06 말하는 이의 놀람, 느낌, 부름이나 ( ) 등을 나타내는 것은 감탄사이다.

[07~09] 다음 문장에 쓰인 관계언은 모두 몇 개인지 쓰시오.

| **07** | 너와 나는 한민족이다. | → | ( )개 |

| **08** | 민희와 친구가 다리를 건너서 집으로 갔다. | → | ( )개 |

| **09** | 1시부터 5시까지 숙제를 끝내도록 하여라. | → | ( )개 |

[10~12] 다음 문장에 쓰인 감탄사를 모두 찾아 쓰시오.

| **10** | 어이쿠, 벌써 시간이 다 되었네. | → | |

| **11** | 그는 '앗!' 하고 소리를 질렀다. | → | |

| **12** | 여보세요, 거기 김 선생님 댁이죠? | → | |

[13~15] 조사의 묶음과 그 종류를 알맞게 연결하시오.

13 와/과, 하고, 랑 ・ ・㉠ 앞의 체언이 일정한 자격을 갖게 해 주는 조사

14 도, 만, 까지, 조차 ・ ・㉡ 앞말에 특별한 뜻을 더해 주는 조사

15 이/가, 을/를, 의 ・ ・㉢ 두 단어를 같은 자격으로 이어 주는 조사

01 다음 중 조사에 대한 설명으로 적절하지 <u>않은</u> 것은?

① 보통 체언 뒤에 붙어서 쓰인다.

② 모든 조사는 형태가 변하지 않는다.

③ 문장에서 독립적으로 쓰이지 않는다.

④ 다른 말에 붙어 특별한 뜻을 더해 주기도 한다.

⑤ 다른 말과의 문법적 관계를 나타내 주기도 한다.

02 다음 문장의 밑줄 친 부분 가운데 조사가 <u>아닌</u> 것은?

① 친구<u>를</u> 탓할 필요는 없다.

② 소년<u>은</u> 아이스크림을 샀다.

③ 여기<u>부터</u> 저기<u>까지</u> 걸어가자.

④ 하늘은 <u>스스로</u> 돕는 자를 돕는다.

⑤ 고속도로<u>에서</u> 주정차를 해서는 안 된다.

03 다음 중 앞말에 특별한 뜻을 더해 주는 단어가 사용되지 <u>않은</u> 것은?

① 나<u>만</u> 학교에 갔다.

② 철수<u>마저</u> 등을 돌렸다.

③ 벌써 많<u>이도</u> 먹었구나.

④ 정우가 민희를 좋아한다.

⑤ 지선이는 마음씨<u>조차</u> 예쁘다.

조사는 격 조사, 보조사, 접속 조사 등으로 나눌 수 있다. 대부분의 조사는 주로 체언 뒤에 결합하지만, 보조사의 경우에는 체언 이외의 다른 말 뒤에도 결합할 수 있다.

04 다음 문장 중 관계언이 가장 많이 쓰인 것은?

① 하늘은 푸르고 바다는 깊구나.

② 벼는 익을수록 고개를 숙인다.

③ 밤새 열이 나고 기침이 났다.

④ 민수가 이번에 반장이 되었어.

⑤ 우리는 그 영화를 보고 같이 웃었다.

05 제시된 문장을 완성하기 위해 조사를 넣을 때, 적절하지 <u>않은</u> 곳은?

> 나(①) 빵(②) 데운(③) 우유(④) 먹고 이 (⑤) 깨끗이 닦았다.

06 감탄사에 대한 설명으로 알맞은 것은?

① 체언 뒤에 붙어서 사용된다.

② 조사와 결합하여 쓰일 수 있다.

③ 문장에서 쓰일 때 형태가 변하기도 한다.

④ 사람이나 사물의 상태나 성질을 나타낸다.

⑤ 문장에서 다른 단어와 관계를 맺지 않고 독립적으로 쓰인다.

07 다음 중, 감탄사가 쓰이지 <u>않은</u> 문장은?

① 이런, 큰일 났어.

② 앗, 물이 너무 차가워!

③ 청춘! 아름답고 소중한 시간!

④ 여보게, 제발 정신 좀 차리게.

⑤ 예, 할머니는 제가 모시고 갈게요.

08 (가), (나)의 밑줄 친 부분의 품사를 연결한 것으로 적절한 것은?

> (가) <u>야</u>, 너 언제 왔니?   (나) 경희<u>야</u>, 전화 좀 받아.

	(가)	(나)
①	대명사	조사
②	명사대	명사
③	감탄사	조사
④	대명사	감탄사
⑤	감탄사	대명사

09 각 문장의 밑줄 친 단어들의 공통점으로 적절한 것은?

> • <u>어머나</u>, 이게 얼마 만이니?
> • <u>글쎄</u>, 누구인지 도저히 모르겠어.

① 수식언의 꾸밈을 받을 수 있다.

② 생략했을 경우, 문장이 어색해진다.

③ 단어들 사이의 문법적인 관계를 나타낸다.

④ 문장의 첫머리에 쓰여 동작의 주체를 나타낸다.

⑤ 말하는 사람의 놀람, 느낌, 부름이나 대답 등을 나타낸다.

이렇게 풀어 봐!

감탄사는 놀람이나 느낌, 부름이나 대답을 나타내는데, 부름을 나타내는 말이 모두 감탄사는 아니야. (가)의 '야'는 독립적으로 쓰이고 있으나, (나)의 '야'는 '경희'라는 명사 뒤에 쓰이고 있음을 유의해야 해.

● **분류 기준**: 우리말 어휘는 어원*에 따라 고유어, 한자어, 외래어로 나눌 수 있음.

● 고유어

개념	다른 나라에서 들여온 것이 아니라, 조상들이 예부터 써 온 단어들.
특징	• 일상생활에서 자주 쓰이는 기본 어휘가 많음. • 우리 민족 특유의 문화나 정서를 효과적으로 표현할 수 있음. • 한자어에 비해 쉽고 정답게 느껴짐. • 감정이나 정서, 감각을 다양하게 표현할 수 있음. → 한자어인 '황색(黃色)'을 고유어로는 '노랗다, 노르스름하다, 누렇다, 누르튀튀히다' 등으로 다양하게 표현할 수 있음.
예	가다, 먹다, 무지개, 마음, 하늘, 물, 발그레하다 등

● 한자어

개념	중국의 한자를 기초로 만들어진 단어들.

특징	• 우리말 어휘의 절반 이상을 차지함.
	• 개념을 나타내거나 추상적인 의미를 나타내는 단어가 많음.
	• 중국이나 일본에서 들어온 말도 있지만 우리 민족 스스로 만들어 낸 말도 있음.
	  ㉮ 감기(感氣), 편지(便紙)
	• 고유어에 비해 좀 더 정확하고 분화*된 의미를 가지고 있어서 고유어를 보완하는 역할을 함.
	  → 고유어 '고치다'는 문맥에 따라 '수리(修理)하다', '수정(修正)하다', '수선(修繕)하다', '치료(治療)하다' 등의 한자어로 바꾸어 씀으로써 좀 더 정확한 의미를 전달할 수 있음.

예	친구(親舊), 학교(學校), 책(冊), 우정(友情), 동물(動物), 온풍기(溫風器) 등

● 외래어

개념	다른 나라에서 들어온 말이지만 우리말처럼 쓰이는 단어들.
특징	• 다른 나라에서 새로운 문물이 들어오면서 그것을 가리키는 말이 함께 들어온 경우가 많음. • 다른 나라에서 들어온 대상을 지칭하여 대체할 수 있는 고유어가 없는 경우가 대부분임. ㉮ 커피, 버스, 피아노 • 상당히 우리말처럼 느껴져 다른 나라의 말이라는 것을 쉽게 느낄 수 없는 경우가 많음. ㉮ 빵, 고무 • 우리말의 부족한 어휘를 보완하여 우리의 언어생활을 풍부하게 할 수 있음. • 지나치게 많이 사용하면 우리말의 정체성*을 흔들 수 있음.
예	샌드위치, 콜라, 오페라, 모델, 앙코르, 첼로, 컴퓨터, 텔레비전 등

* **어원**
어떤 단어의 근원적인 형태, 또는 어떤 말이 생겨난 근원.

[한자어를 외래어로 구분하지 않은 이유]
한자어는 다른 외래어에 비해 사용해 온 기간이 오래됨. 또 우리의 생활과 매우 밀접하여 한자를 한국식으로 발음하고, 우리가 만든 한자어도 존재하는 등 일반적인 외래어와는 많은 점에서 다르기 때문에 외래어로 구분하지 않음.

* **분화**
단순하거나 비슷한 성질의 것에서 복잡하거나 다른 성질의 것으로 변함.

[외국어와 외래어]
'외국어'는 '외래어'에 비해 다른 나라에서 온 말이라는 느낌이 상대적으로 강한 말임. 외래어에 비해 우리말로 쉽게 고쳐쓸 수 있음.
㉮ 펜슬 → 연필
　타이거 → 호랑이
　헤어 → 머리
　밀크 → 우유

* **정체성**
변하지 아니하는 존재의 본질을 깨닫는 성질. 또는 그 성질을 가진 독립적 존재.

Step 1 문제로 연습하기

[01~07] 고유어에 대한 설명에는 '고', 한자어에 대한 설명에는 '한', 외래어에 대한 설명에는 '외'를 쓰시오.

01 우리 조상들이 예부터 써 온 단어들로, 다른 나라에서 들여오지 않은 것이다. ················ (   )

02 우리말 어휘의 절반 이상을 차지하는 단어들이다. ······························· (   )

03 우리 민족 특유의 문화나 정서를 표현하기에 적합하다. ························· (   )

04 새로운 문물이 들어오면서 그것을 가리키는 말이 같이 들어 오는 경우가 많으며, 대체할 수 있는 고 유어가 없는 경우가 많다. ······································· (   )

05 우리말 어휘를 보완해 주지만, 지나치게 많이 사용하면 우리말의 정체성을 흔들 수 있다. (   )

06 개념을 나타내거나 추상적인 의미를 나타내는 단어가 많다. ······················· (   )

07 고유어에 비해 분화된 의미를 가지고 있어 고유어를 보완하기도 한다. ············ (   )

[08~10] 다음에 제시된 어휘의 묶음을 어원에 따라 연결하시오.

08 하늘, 구름, 먹다 ·   · ㉠ 외래어

09 친구, 학교, 우정 ·   · ㉡ 한자어

10 오페라, 모델, 커피 ·   · ㉢ 고유어

[11~15] 각 문장의 밑줄 친 단어를 어원에 따라 분류하고, 고유어이면 ○표, 한자어이면 △표, 외래어이면 □표 하시오.

11   누나는 언제나 아침 식사로 우유와 빵을 먹는다.

12   나는 음악가가 되기 위해 매일 피아노와 첼로를 연습하고 있다.

13   내 동생은 텔레비전을 보면서 피자와 콜라를 먹고 있다.

14   어제 공연에서 사람들은 피아니스트의 연주가 끝나자 앙코르를 외쳤다.

15   할아버지는 내 인생의 길잡이가 되어 주셨다.

01 우리말 어휘에 대한 설명으로 적절하지 <u>않은</u> 것은?

① 고유어는 오래 전부터 사용해 온 순수한 우리말이다.

② 고유어를 쓰면 우리 민족 특유의 문화나 정서를 효과적으로 표현할 수 있다.

③ 한자어는 중국의 한자를 바탕으로 만들어진 말이다.

④ 한자어에는 개념을 나타내거나 추상적인 의미를 나타내는 단어가 많다.

⑤ 외래어는 다른 나라에서 들여온 단어들로, 대부분 그것을 대체하여 쓸 수 있는 고유어가 있다.

02 [보기]의 단어 중, 고유어만을 골라 바르게 묶은 것은?

> ─── 보 기 ───
> ㉠ 아버지   ㉡ 우유   ㉢ 바나나   ㉣ 공원   ㉤ 잔디
> ㉥ 글러브   ㉦ 깔개   ㉧ 운동화   ㉨ 감기   ㉩ 마음

① ㉠, ㉡, ㉣, ㉤

② ㉠, ㉤, ㉦, ㉩

③ ㉠, ㉡, ㉤, ㉧, ㉩

④ ㉡, ㉤, ㉦, ㉧, ㉨

⑤ ㉠, ㉡, ㉣, ㉤, ㉦, ㉧, ㉨, ㉩

> **참고해 봐!**
>
> 국어사전을 활용하면 어휘의 종류를 쉽게 구분할 수 있다. 한자어의 경우에는 그 단어 옆에 한자가 함께 제시되어 있고, 외래어의 경우에는 영어나 그 단어의 어원이 되는 말이 함께 제시되어 있기 때문이다.
> 예 · 학생(學生) → 한자어
> · 쿠키(cookie) → 영어에서 온 외래어
> · 빵 [<포>pão] → 포르투갈에서 온 외래어

03 외래어에 대한 설명으로 적절하지 <u>않은</u> 것은?

① 어느 한 시기의 사람들만 널리 쓰는 말이다.

② 우리말 어휘의 부족한 부분을 보완할 수 있다.

③ 지나치게 많이 사용하면 우리말의 정체성을 흔들 수 있다.

④ 다른 나라와의 문화적, 경제적 교류가 이루어질 때 들어온 말이다.

⑤ 다른 나라에서 들어왔지만 우리말처럼 자연스럽게 쓰이는 말이다.

04 한자어에 대한 설명으로 적절하지 <u>않은</u> 것은?

① 우리말 어휘의 절반 이상을 차지한다.

② 고유어를 보완하는 역할을 하기도 한다.

③ 고유어에 비해 전문적이고 세분화된 의미를 가지고 있다.

④ 중국이나 일본에서 들어온 말도 있지만 우리가 만들어 낸 말도 있다.

⑤ 고유어에 비해 우리 민족의 감정이나 정서, 감각을 다양하게 표현할 수 있다.

05 각 문장의 밑줄 친 단어와 바꾸어 쓸 수 있는 한자어가 바르게 연결되지 <u>않은</u> 것은?

① (건전지를 교체하고) 시계가 잘 <u>간다</u>. → 작동(作動)한다

② (선생님이 학생들에게) <u>머리</u>를 단정히 하자. → 두발(頭髮)

③ (공책을 꺼내며) 자기 소개서를 같이 <u>쓰자</u>. → 사용(使用)하자

④ (매우 화를 내며) 내 <u>말</u>을 하고 다니는 사람이 누구야? → 험담(險談)

⑤ (한글을 모르는 사람이) <u>글</u>을 배워서 시를 쓰고 싶다. → 문자(文字)

06 다음 글의 밑줄 친 단어를 고유어, 한자어, 외래어로 분류하면 각각 몇 개인가?

> 어렸을 때부터 제 <u>꿈</u>은 자동차 <u>디자이너</u>가 되는 것이었습니다. 저는 <u>학교</u>에서 배우는 모든 것이 제 앞길에 도움이 될 것이라고 <u>생각</u>하며 학업에 <u>최선</u>을 다했습니다. 또한 밤새도록 자동차와 관련된 새로운 <u>뉴스</u>를 찾아 읽기도 하고, 관련 서적을 보고 <u>공부</u>하면서 국내외 자동차 디자인의 장단점 등을 <u>분석</u>해 보기도 하였습니다. 이렇게 꾸준히 노력한 결과, 저는 <u>인정</u>받는 자동차 디자이너가 되어 이 <u>자리</u>에 서게 되었습니다.

	고유어	한자어	외래어
①	3개	6개	3개
②	4개	6개	2개
③	4개	5개	2개
④	5개	5개	2개
⑤	5개	4개	3개

07 어휘와 그 예가 바르게 연결된 것은?

① 고유어 - 집, 빵, 피아노

② 고유어 - 책, 숙제, 필통

③ 한자어 - 등산, 문법, 홍차

④ 한자어 - 황색, 식구, 망토

⑤ 외래어 - 아이디어, 인플루엔자, 백일장

08 다음 중, 외래어끼리만 묶인 것은?

① 뮤지컬, 댄스, 컴퓨터, 연필

② 침팬지, 토마토, 전문가, 친밀

③ 버스, 라디오, 담뿍담뿍, 동아리

④ 소프라노, 리듬, 마요네즈, 온풍기

⑤ 디저트, 앙코르, 스위치, 샌드위치

참고해 봐!

외국어는 외래어와는 달리 다른 나라에서 온 말이라는 느낌이 상대적으로 강한 말이다. 또 외국어는 그것에 해당하는 고유어를 쉽게 찾을 수 있는 경우가 대부분이다.

● **분류 기준**: 한 언어에서 사용 지역 또는 사회 계층에 따라 분화된 말의 체계를 방언이라고 하며, 지리적 원인과 사회적 요인에 따라 지역 방언과 사회 방언으로 나눌 수 있음.

● 지역 방언의 개념: 지리적으로 격리*되어 오랜 시간이 흐르면서 지역에 따라 달라진 말.

> 부잰째리, 장잘기, 간진자리, 밤부리,
> 오다리, 찰레기, 잠재, 곰부리, 깽자리

> 모두 '잠자리'를 일컫는 지역 방언이야. 같은 것을 가리키는 것이라도 오랜 시간이 흐르면서 지역에 따라 달라졌어.

● 지역 방언의 특성
① 특정 지역의 생활 언어로, 예부터 전해 오는 다양한 문화와 전통 및 역사, 그 지역 사람들의 독특한 정서가 깊이 배어 있음.
② 지역 방언을 사용하면 같은 지역 발언을 사용하는 사람들끼리 친밀감을 느낄 수 있음.
③ 지역민의 정서나 감정을 풍부하게 전달할 수 있음.
→ 지역 방언을 사용하면 표준어만으로는 표현할 수 없는 지역민의 정서를 효과적으로 전달할 수 있음.
④ 지역 방언에는 옛말의 모습이 많이 남아 있어서 국어의 역사 연구에 도움이 됨.
⑤ 해당 지역 방언을 모르는 타 지역의 사람들에게는 거리감을 줄 수 있음.

● 사회 방언의 개념: 연령, 성별, 사회 집단과 같은 사회적 요인에 따라 달라진 말.

> 간지나다(폼 나다), 땅본(숫자 9),
> 주(숫자 10), 캔서(암), 어레스트(심장 정지)

> '간지나다'는 청소년들이, '땅본, 주'는 상인들이, '캔서, 어레스트'는 의사들이 사용하는 사회 방언이야.

● 사회 방언의 특성
① 같은 직업을 가진 사람들이나 같은 연령의 친구들끼리 대화를 나눌 때 사용하는 경우가 많음.
② 집단 내 구성원들끼리 사용하면 의사소통의 효율성을 높일 수 있음.
→ 컴퓨터, 법률, 의료, 학술, 운동 경기 등 전문적인 분야에서 사회 방언을 사용하면 복잡하고 어려운 내용을 간결하고 정확하게 전달할 수 있어서 그 분야의 일을 효과적으로 수행하는 데 도움을 줌.
③ 집단 내 구성원들끼리의 친밀감을 형성할 수 있음.
→ 특정 집단 내에서만 사용되므로, 같은 집단에 속한 사람들에게 소속감과 동료 의식을 줄 수 있음.
④ 다른 집단의 사람들과 대화할 때 사회 방언을 사용하면 의사소통에 어려움이 있을 수 있음.

---

*양상
사물이나 현상의 모양이나 상태.

*격리
다른 것과 통하지 못하게 사이를 막거나 떼어 놓음.

[표준어]
• 국가에서 특정 시대, 특정 지역, 특정 계층에서 사용하는 말을 정하여, 모든 국민이 배우고 쓸 수 있도록 정한 공용어.
• 우리나라에서는 교양 있는 사람들이 두루 쓰는 현대 서울말로 정함을 원칙으로 함.
• 여러 지역 방언 중에서 대표로 정해진 것으로, 지역 방언이 없으면 표준어의 제정도 무의미함.

[지역 방언이 국어의 역사 연구에 도움을 주는 예]
• 조선 시대 초기 국어에서 사라진 성조(소리의 높낮이)가 영남 지역의 방언에 남아 있음.
• 17세기에 음가가 사라진 '아래아(ㆍ)'는 제주도 방언에 남아 있음.

[사회 방언의 예]
• 전문어: 의료, 학술, 운동 경기 등 전문 분야에서 그 분야의 일을 효과적으로 수행하기 위해 사용하는 말로, 한자어나 외래어가 많이 사용됨.
예 코스피 지수, 채권, 어음 (→ 경제 용어)
트리플 러츠, 더블 악셀 (→ 피겨 스케이팅 용어)
• 은어: 특정 집단 안에서 비밀을 유지하기 위해 다른 집단의 사람들이 이해할 수 없게 만든 말.
예 산삼을 캐러 다니는 심마니들의 은어: 심(산삼), 넙대(곰), 왕초(큰 산삼), 도치(산돼지), 천둥마니(어린 심마니)

Ⅱ

품사와 어휘

[01~04] 다음 ( ) 안에 들어가기에 적절한 말을 [보기]에서 골라 쓰시오.

보 기
친밀감   거리감   사회적   지리적   의사소통   정보   정서

01 지역 방언을 사용하면 그 지역민의 (   )(이)나 감정을 풍부하게 전달할 수 있다.

02 지역 방언을 사용하면 그것을 사용하는 사람들 사이에 (   )을/를 형성할 수 있다.

03 사회 방언은 연령, 성별, 사회 집단과 같은 (   ) 요인에 따라 달라진 말이다.

04 사회 방언을 사용하면 그 사회 방언을 사용하는 집단 내 구성원들끼리 (   )의 효율성을 높일 수 있다는 장점이 있다.

[05~10] 지역 방언에 대한 설명이면 '지', 사회 방언에 대한 설명이면 '사', 지역 방언과 사회 방언 모두에 대한 설명이면 '지, 사'를 쓰시오.

05 지리적으로 격리되어 오랜 시간이 흐름에 따라 지역에 따라 달라진 말이다. ············ (   )

06 같은 집단 내 구성원들끼리 대화할 때 사용하면 친밀감을 높일 수 있다. ·················· (   )

07 예부터 전해 오는 다양한 문화와 전통 및 역사를 담고 있다. ······························ (   )

08 다른 집단의 사람들과 대화할 때 사용하면 의사소통을 방해할 수 있다. ·················· (   )

09 같은 직업을 가진 사람들이나 같은 연령의 친구들끼리 대화를 나눌 때 사용하면 의사소통의 효율성을 높일 수 있다. ··· (   )

10 '간지나다', '땅본', '캔서' 등이 대표적인 예이다. ·· (   )

[11~14] [보기]에 제시된 방언의 특성에 대한 설명으로 맞으면 O표, 틀리면 X표 하시오.

보 기
간지나다(폼 나다), 땅본(숫자 9), 주(숫자 10), 캔서(암), 어레스트(심장 정지)

11 한 나라의 고유한 문화와 관습을 반영한다. (   )

12 짧은 시기에 걸쳐 여러 사람들의 입에 오르내리다가 사라진다. (   )

13 특정 집단의 사람들끼리만 의미를 공유한다. (   )

14 같은 집단의 구성원들끼리 사용하면 소속감이나 동료 의식을 심어줄 수 있다. (   )

01 지역 방언의 가치에 대한 설명으로 알맞은 것은?

① 전국민의 의사소통을 원활하게 한다.

② 표준어로 된 정보를 이해하는 데 도움을 준다.

③ 외국인과도 쉽게 대화하게 해 준다.

④ 각 지역의 다양한 문화를 통합하는 역할을 한다.

⑤ 각 지역의 전통이나 풍습을 이해하는 데 도움을 준다.

02 다음 대화를 통해 알 수 있는 지역 방언의 효과로 가장 알맞은 것은?

> 태진: 이번 발명 대회에서 대상을 수상했다고 들었어. 우리 동아리에서
> 활동하게 된다니 기대가 커.
> 준수: 부끄럽습니다. 칭찬이 과하세요.
> 태진: 혹시 고향이 어디야?
> 준수: 부산입니다.
> 태진: 맞나? 니 부산이가? 내도 부산이다 아이가.
> 준수: 와, 반갑습니더.
> 태진: 잘됐네. 우리 마음 맞춰가 한번 잘해 보재이.
> 준수: 선배님 걱정 안 허시게 마음 단디 묵겠습니더.

① 상대방의 감정을 정확하게 전달한다.

② 각 지역의 다양한 삶의 모습을 보여 준다.

③ 우리의 전통문화를 전승하는 데 도움이 된다.

④ 생소한 어휘를 통해 듣는 이의 웃음을 유발한다.

⑤ 같은 방언을 사용하는 사람들끼리 친근감을 느끼게 해 준다.

이렇게 풀어 봐!

태진과 준수는 같은 동아리의 선후배 사이인데, 같은 고향 사람임을 알게 된 후 지역 방언을 사용하면서 대화를 나누고 있어. 지역 방언을 사용하기 전과 사용한 후의 둘의 관계가 어떻게 변화하고 있는지를 살펴보면서 이와 관련된 지역 방언의 특성을 생각해 보자.

03 지역 방언에 대한 대화 내용으로 적절하지 않은 것은?

① 인아: 지역 방언은 표준어의 부족한 어휘를 보완하는 역할을 하기도 해.

② 서영: 지역 방언을 사용하면 그 지역 사람들 사이의 독특한 정서를 효과적으로 표현할 수 있어.

③ 윤경: 지역 방언을 사용하면 그것을 모르는 다른 지역 사람들에게는 거리감을 줄 수도 있어.

④ 민경: 특정 지역을 배경으로 하는 문학 작품에서 그 지역 방언을 사용하면 향토적 분위기를 잘 살릴 수 있어.

⑤ 기문: 공식적인 상황에서도 지역 방언을 사용하면 전달하고자 하는 바를 명확하게 표현할 수 있어서 의사소통을 하는데 크게 도움이 돼.

04 사회 방언에 대한 설명으로 알맞은 것은?

① 어떤 대상을 얕잡아 보고 경멸하기 위해 사용하는 말이다.

② 다른 나라에서 들어온 말이지만 우리말처럼 쓰이는 말이 대부분이다.

③ 저속한 느낌이 매우 강하기 때문에 정서적인 면에서 나쁜 영향을 줄 수 있다.

④ 해당 언어를 사용하는 사람들끼리는 쉽게 그 의미를 알 수 있으나, 집단 밖의 사람들과 대화할 때 사용하면 의사소통이 어려울 수 있다.

⑤ 대부분 짧은 시기 동안에만 사용되는 말로 신선한 느낌을 줄 수 있지만, 너무 자주 사용하면 개성이 없는 사람이라는 인상을 주기 쉽다.

05 다음과 같은 방언을 사용하여 얻을 수 있는 긍정적인 효과로 가장 적절한 것은?

> • 선물 거래, 코스피 지수, 인플레이션, 어음, 채권, 공시 지가 (→ 경제 용어)
> • 트리플 러츠, 스파이럴 시퀀스, 더블 악셀 (→ 피겨 스케이팅 용어)

① 자신의 지식을 과시할 수 있다.

② 특정한 집단의 비밀을 유지할 수 있다.

③ 재치 있는 사람이라는 인상을 줄 수 있다.

④ 당대의 사회상을 효과적으로 반영할 수 있다.

⑤ 전문 분야의 일을 수행하는 데 도움을 줄 수 있다.

06 다음 대화에서, 밑줄 친 말과 같은 어휘의 특성으로 알맞은 것은?

> 형: 요즘 왜 이리 <u>겜</u>이 안 풀리는지 모르겠어. 그런데 너 어제 보니까 꽤 괜찮은 <u>아템</u>을 가지고 있더라.
> 동생: 사실 <u>현질</u> 좀 했어.
> 할아버지: 너희 무슨 이야기를 하는 거니?

① 전국민이 모두 사용하는 말이다.

② 새로운 사물이나 개념이 등장하면서 만들어진 것이다.

③ 특정 집단의 사람들끼리 은밀하고 비공식적으로 사용한다.

④ 두렵거나 불쾌한 느낌을 주어 입 밖에 내기를 꺼리는 경우가 많다.

⑤ 지리적으로 격리되어 오랜 시간이 흐르면서 세월에 따라 달라진 말이다.

이렇게 풀어 봐!

'겜(게임)', '아템(아이템)', '현질(온라인 게임의 아이템을 현금을 주고 사는 것)'은 청소년 집단에서 사용되는 사회 방언이야. 이러한 사회 방언이 사용되는 이유를 생각해 보면서 사회 방언의 특징을 생각해 보자.

01 다음 중 문장에서 쓰일 때 형태가 변하는 단어끼리 묶인 것은?

① 새, 기차, 노래
② 온갖, 모든, 높다
③ 아주, 많이, 빨리
④ 가다, 어머나, 푸르다
⑤ 걷다, 노랗다, 아름답다

02 [보기]에 쓰인 체언의 개수는?

┤ 보 기 ├
　그녀는 그에게 시집을 가기로 했다. 그래서 둘은 찬물 한 그릇을 떠 놓고 달빛 아래에서 혼례식을 올렸다.

① 7개
② 8개
③ 9개
④ 10개
⑤ 11개

03 각 문장의 밑줄 친 단어 중 체언이 <u>아닌</u> 것은?

① <u>앞</u>으로는 다투지 않을게요.
② <u>이</u> 집에는 강아지가 살고 있습니다.
③ <u>여기</u>에서 하룻밤 묵어갈 수 있을까요?
④ 나무 위의 동물들은 모두 <u>여섯</u>이 되었다.
⑤ <u>첫째</u>, 서로의 입장을 배려하도록 노력해야 한다.

04 [보기]에 제시된 단어들의 공통점으로 알맞지 <u>않은</u> 것은?

┤ 보 기 ├
너, 우리, 비행기, 이순신, 둘째

① 체언에 해당한다.
② 관형어의 꾸밈을 받을 수 있다.
③ 조사와 결합하여 쓰이기도 한다.
④ 문장에서 쓰일 때 형태가 변하지 않는다.
⑤ 대상의 이름을 나타내거나 대신하여 가리키는 역할을 한다.

05 [보기]에 제시된 조건을 모두 만족하는 단어는?

┤ 보 기 ├
• 조사와 결합하여 문장에서 다양한 기능을 수행한다.
• 추상적인 대상의 이름을 나타낸다.

① 이것
② 국어
③ 자유
④ 여보세요
⑤ 사랑스럽다

이렇게 풀어 봐!

체언은 문장에서 쓰일 때 조사와 결합하여 다양한 기능을 해. 체언에 해당하는 '명사, 대명사, 수사' 중 추상적인 대상의 이름을 나타내는 것의 예를 찾아보자.

06 다음 중, 수사가 포함되지 <u>않은</u> 문장은?

① 둘이 있어야 더 즐겁다.

② 일과 이를 더하면 삼이 된다.

③ 큰아버지에게는 딸만 셋 있다.

④ 우리 집은 강아지 두 마리를 키우고 있다.

⑤ 만나는 것은 둘째로 치더라도 연락은 하고 지내자.

수사는 수량이나 순서를 나타내는데, 수 관형사도 수량이나 순서를 나타낸다. 따라서 수사와 수관형사를 구별할 때에는 관형사는 조사와 결합하지 않으며 다음에 나오는 체언을 꾸며 준다는 것을 기억해야 한다.

07 품사와 그 예를 정리한 것으로 알맞지 <u>않은</u> 것은?

	품사	예
①	대명사	이것, 무엇, 어디
②	부사	빨리, 과연, 그러나
③	관형사	온갖, 모든, 첫
④	동사	일어나다, 웃다, 읽다
⑤	형용사	먹다, 젊다, 예쁘다

08 밑줄 친 단어 중, [보기]에서 공통적으로 설명하는 품사에 해당하는 것은?

┌─ 보 기 ─┐
• 문장에서의 쓰임에 따라 활용을 한다.
• 사물이나 사람의 움직임을 나타낸다.

① 한 아이가 <u>빨리</u> 달린다.

② 세상은 얼마나 <u>아름다운가</u>.

③ <u>어떤</u> 과목이 가장 어렵니?

④ 예린이가 뛰다가 <u>넘어질</u> 뻔했다.

⑤ 선생님, 오늘도 <u>좋은</u> 하루 보내시길 바랍니다.

09 다음 중 동사가 사용되지 <u>않은</u> 문장은?

① 손님을 가족처럼 따뜻하게 대하자.

② 10월이면 바람이 정말 선선할 거야.

③ 운동복을 입고 있으니 진짜 멋있구나.

④ 노란 꽃을 들고 있는 아이가 내 동생이다.

⑤ 우리 반 아이들은 언제나 교복을 단정히 입는다.

동사는 사물이나 사람의 움직임을 나타내는 단어이다. 형용사와 마찬가지로 문장에서 쓰일 때 형태가 변하는 활용을 하지만, 형용사와 달리 동사는 명령형(-어라/-아라), 청유형(-자), 현재형 어미(-는다/-ㄴ다)와 두루 결합할 수 있다.

10 [보기]의 ㉠~㉤ 중, 관형사와 부사를 모두 포함하고 있는 문장의 총 개수는?

> ── 보 기 ──
> ㉠ 나는 특히 그 일을 좋아한다.
> ㉡ 하얀 솜사탕을 빨리 먹고 싶어요.
> ㉢ 세 사람이 함께 길을 떠났다.
> ㉣ 다행히 그에게 큰 피해는 없었다.
> ㉤ 헌 옷이지만 깨끗이 빨아 세탁했다.

① 1개　　　② 2개　　　③ 3개　　　④ 4개　　　⑤ 5개

참고해 봐!

관형사와 부사는 다른 단어를 꾸며 주는 역할을 하지만 꾸며 주는 말이 다르다. 관형사는 체언만을 꾸며 줄 수 있지만, 부사는 용언뿐만 아니라 문장 전체를 꾸며 주기도 하고 수식언이나 체언을 꾸며 주기도 한다.

11 각 문장의 밑줄 친 단어가 같은 품사끼리 연결된 것은?

① 어느 동네에서 오셨어요? – 그동안 기쁜 일이 있었다.
② 이보다 더 좋을 수는 없다. – 저 아이가 네 아이들이니?
③ 그 집은 깨끗하게 정돈되었다. – 학생들이 조용히 공부했다.
④ 아이들이 떠드는 소리에 일어났다. – 평화로운 저 풍경을 보아라.
⑤ 미생물을 인공적으로 배양한다. – 아이들은 소시지, 햄 등을 좋아한다.

12 관계언에 대한 설명으로 알맞지 않은 것은?

① 문장에서 홀로 쓰이지 않는다.
② 앞말에 특별한 뜻을 더해 주기도 한다.
③ 두 단어를 같은 자격으로 이어주기도 한다.
④ 조사 '–이다'를 제외하면 문장에서 사용할 때 형태가 변하지 않는다.
⑤ 주로 용언 뒤에 붙어서 용언과 다른 말과의 문법적 관계만을 나타낸다.

13 다음 중, 감탄사가 쓰이지 않은 문장은?

① 예, 잘 알겠습니다.
② 그래, 지금 가고 있어.
③ 서윤아, 공책 좀 빌려 줘.
④ 맙소사, 이게 무슨 일이지?
⑤ 아, 저기가 바로 한강이구나.

14 밑줄 친 단어와 그 품사가 바르게 연결된 것은?

① 봄나물 냄새가 향긋하다. → 동사

② 이 일은 아무라도 할 수 있다. → 명사

③ 그곳은 사람이 살지 않는 듯 고요했다. → 형용사

④ 어머니는 나에게 항상 잔소리를 하신다. → 관형사

⑤ 자리가 모자라서 두 사람은 서 있어야 해. → 수사

15 다음 중, 관형사가 쓰이지 않은 문장은?

① 온 세상을 다 가진 듯한 기분이야.

② 한 사람 한 사람이 모두 소중하다.

③ 내가 믿을 사람은 저 사람밖에 없다.

④ 나는 언제나 기쁜 마음으로 살아간다.

⑤ 그는 어떤 일이라도 자기 몫을 해 낸다.

관형사와 용언의 활용형의 공통점은 다음에 나오는 체언을 꾸며 줄 수 있다는 것이다. 관형사와 용언의 차이점은 관형사에는 조사가 붙을 수 없고 활용할 수도 없지만, 용언은 활용할 수 있고 조사가 붙을 수 있다는 것이다.

16 다음 문장에서 찾을 수 없는 단어는?

> 어머나, 그 아기가 물을 엎질렀구나!

① 대상의 이름을 나타내는 단어

② 체언을 꾸며 주는 역할을 하는 단어

③ 사람이나 사물의 움직임을 나타내는 단어

④ 사람, 사물, 장소의 이름을 대신하여 가리키는 단어

⑤ 말하는 이의 놀람, 느낌, 부름이나 대답 등을 나타내는 단어

제시된 문장 속 단어들의 품사를 먼저 파악해 보고, 그 품사가 어떤 의미인지를 생각해 보자.

17 다음 중, 밑줄 친 단어가 꾸며 주는 대상이 바르게 연결되지 않은 것은?

① 그가 훨씬 더 빠르다. → 더

② 이것은 정말 굉장히 아름답다. → 굉장히

③ 과연 그 사람은 똑똑하다. → 똑똑하다

④ 우리 집은 우체국 바로 옆이다. → 옆

⑤ 휴일인데도 아주 일찍 일어났구나. → 일어났구나

18 밑줄 친 단어의 기능이 [보기]의 '아주', '벌써'와 <u>다른</u> 것은?

> ┤ 보 기 ├
> • 오늘 날씨가 <u>아주</u> 좋다.
> • 기차가 <u>벌써</u> 떠났다.

① 신발이 내 발에 <u>꼭</u> 맞다.
② 내가 너보다 훨씬 <u>더</u> 크다.
③ 우리 모두 <u>조금씩</u> 지쳐 갔다.
④ <u>몹시</u> 피곤하니 내일로 미루자.
⑤ <u>누구나</u> 살다 보면 그럴 수 있지.

'아주'와 '벌써'가 문장에서 어떤 역할을 하는지를 생각해 보면 '아주'와 '벌써'의 품사를 파악할 수 있어. 각 문장의 밑줄 친 단어 중에서 '아주', '벌써'와 다른 품사를 찾아보자.

19 품사의 특성에 대해 <u>잘못</u> 이해하고 있는 사람은?

① 진영: 체언은 조사와 결합하여 문장에서 다양한 기능을 해.
② 은우: 수식언은 형태가 변하지 않는 단어로, 조사와는 결합할 수 없어.
③ 윤호: 용언은 문장에서 주체의 동작이나 상태, 성질을 설명하는 역할을 해.
④ 서영: 관계언은 주로 체언 뒤에 붙어서 문장에 쓰인 단어들의 관계를 나타내.
⑤ 인아: 독립언은 다른 단어와 관계를 맺지 않고 쓰이는 말로, 흔히 쉼표나 느낌표와 같이 쓰여.

20 다음 중 특별한 뜻을 더해 주는 조사가 포함된 문장은?

① 경희가 집에 갔다.
② 그가 나에게 꽃을 주었다.
③ 종일 잠만 잤더니 머리가 멍하다.
④ 선생님께서 우리를 부르라고 말씀하셨다.
⑤ 진경아, 배하고 사과하고 감을 가져오너라.

조사에는 체언과 다른 말과의 문법적 관계를 나타내는 조사(격 조사)도 있지만, 앞말에 특별한 뜻을 더해 주는 조사(보조사)도 있고, 두 단어를 같은 자격으로 이어주는 역할을 하는 조사(접속 조사)도 있다. 조사는 주로 체언 뒤에 결합하지만 보조사는 체언 이외의 다른 말 뒤에도 결합할 수 있다.

21 다음 중, 부사가 사용되지 <u>않은</u> 문장은?

① 그리고 창문을 닫았다.
② 저기에 높이 솟은 빌딩을 보아라.
③ 그러나 나는 그 말에 대답하지 못했다.
④ 비록 사소한 것일지라도 선생님과 의논해야지.
⑤ 하늘에 낮게 깔린 먹구름이 비를 퍼부을 것 같다.

22 각 문장의 밑줄 친 단어 중, [보기]에서 설명하는 품사에 해당하는 것은?

┌──── 보 기 ────┐
- 형태가 변하지 않는다.
- 체언을 꾸며 준다.
└────────────┘

① 예쁜 새가 노래를 한다.
② 모든 사람은 법 앞에 평등하다.
③ 우리 집은 항상 웃음이 넘친다.
④ 내가 가장 좋아하는 사람은 엄마이다.
⑤ 이 소식을 듣고 어머니는 무척 기뻐하셨다.

이렇게 풀어 봐!

제시된 문장 속 단어들의 품사를 먼저 파악해 보고, 그 품사의 기능을 생각해 보자.

23 품사 찾기 말판을 따라서 단어의 품사를 찾는 과정이다. ㉠∼㉤ 중 [자료]의 밑줄 친 '새'가 들어갈 곳은?

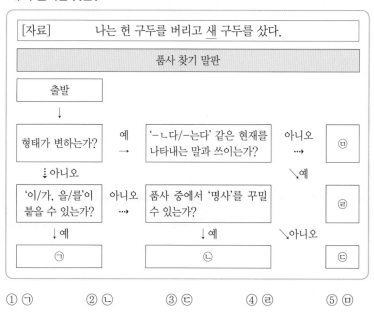

① ㉠   ② ㉡   ③ ㉢   ④ ㉣   ⑤ ㉤

24 다음 문장 속 ㉠과 ㉡의 품사와 두 품사의 차이점을 쓰시오.

┌────────────────────┐
나는 ㉠그 노래를 ㉡아주 좋아한다.
└────────────────────┘

(   )

25 우리말 어휘에 대한 설명으로 알맞지 <u>않은</u> 것은?

① 고유어에는 일상생활에서 자주 쓰이는 기본 어휘가 많다.

② 한자어는 우리말 어휘의 절반 이상을 차지한다.

③ 한자어에는 개념을 나타내거나 추상적인 의미를 나타내는 말이 많다.

④ 외래어를 지나치게 사용하면 우리말의 정체성을 흔들 수 있다.

⑤ 외래어는 본디부터 있는 말이나 그것에 기초하여 새로 만들어진 말이다.

26 어원에 따라 어휘를 나누었을 때, 다음 글에 주로 사용된 어휘의 특성으로 알맞은 것은?

> 콩이 누렁누렁 익으면 고장 아이들은 콩 서리를 잘해 먹었다. 마른나무를 주워다가 불을 피우고 콩 가지를 꺾어다 올려놓으면, 콩은 '피이 피' 하고 김을 뿜으며 익었다. 가지에서 콩꼬투리가 떨어져 까뭇까뭇해지면 불을 헤집고 콩을 주워 까먹었다. 참 구수하고 달큼했다. 한동안 이렇게 콩 서리를 해 놓고 나면 입 가장자리는 꼭 굴뚝 족제비같이 까맣게 되어 서로 바라보면서 웃어 댔다.　　　　 – 오영수, 「요람기」 중에서

① 한자를 기초로 만들어졌다.

② 외국에서 들어와 우리말로 정착한 어휘들이다.

③ 전문적인 작업을 효율적으로 처리하는 데 도움을 준다.

④ 지식이나 정보를 체계적으로 정리하는 데 도움을 준다.

⑤ 우리 민족 특유의 정서와 감수성을 드러내는 데 도움을 준다.

27 [자료]를 참고할 때, 문맥상 바꾸어 쓸 수 있는 고유어와 한자어의 짝으로 적절하지 <u>않은</u> 것은?

> ── 자료 ──
> 우리말 어휘 중 고유어와 한자어는 서로 대응하기도 하는데, 하나의 고유어에 여러 개의 한자어가 대응하는 경우도 있다.
> • 나는 이 마을에 오랫동안 <u>살았다</u>. → 거주(居住)했다
> • 대지진이 났지만 주민들은 모두 <u>살았다</u>. → 생존(生存)했다

① 우리는 합의를 <u>보았다</u>. → 도출(導出)했다

② 수상한 사람을 <u>보면</u> 신고하라. → 목격(目擊)하면

③ 사무실에서 업무를 <u>보고</u> 있다. → 수행(遂行)하고

④ 우리 집은 1년째 신문을 <u>보고</u> 있다. → 판단(判斷)하고

⑤ 원장님은 오전에만 환자를 <u>보십니다</u>. → 진찰(診察)하십니다

이렇게 풀어 봐!

한자어는 고유어에 비해 좀 더 정확하고 세밀한 의미를 가지고 있어서 고유어를 보완하는 역할을 하기도 해. 따라서 고유어로는 같은 말이라도 한자어로는 다른 말로 바꾸어 쓸 수 있어. ①~⑤의 한자어를 원래의 문장에 넣어 보고 어색한 점은 없는지 판단해 봐.

28 어휘의 체계에 따른 예를 바르게 정리한 것은?

	고유어	한자어	외래어
①	마음, 노래	사과, 감기	버스, 빵
②	무지개, 가위	우정, 동물	시계, 에센스
③	우유, 사랑	친구, 학교	모델, 첼로
④	편지, 사람	고생, 노력	원피스, 호랑이
⑤	나무, 구름	신문, 온풍기	바람, 크림

29 다음 대화에서 의사들이 사회 방언을 사용하는 이유는?

> 〈병원 응급실〉
> 의사 1: 코드 블루*입니다. 지비(GB)* 쪽 혈관 기형입니다.
> 의사 2: 바이탈*은?
> 의사 1: 좋지 않습니다. 혈압이 계속 올라갑니다.
> 의사 2: 복부를 열자마자 리트렉터* 걸고 석션*해서 시야 확보하고 바로 출혈 부위 봉합해야 해.

① 의사소통의 창의성을 높이려고   ② 의사소통의 효율성을 높이려고
③ 의사소통의 함축성을 높이려고   ④ 의사소통의 상징성을 높이려고
⑤ 의사소통의 다의성을 높이려고

이렇게 풀어 봐!

'코드 블루, 지비, 바이탈, 리트렉터, 석션' 등은 사회 방언 중 의사 집단에서 쓰는 전문어이다. 의사들이 이러한 사회 방언을 왜 사용하는지 생각해 보고, 이러한 사회 방언을 의사가 아닌 다른 집단 사람들과 사용할 때에는 어떤 문제점이 있는지 생각해 보자.
*코드 블루: 병원 내 긴급 상황.
*지비: 담낭 혹은 쓸개.
*바이탈: 생명 징후(호흡, 맥박, 체온, 혈압).
*리트렉터: 칼날 따위에 다쳐서 생긴 상처의 두 끝을 분리하여 두는 것으로 수술 부를 열어 놓는다든지 기관이나 조직을 비켜 놓는 기구. 견인기의 일종.
*석션: 기계적 방법으로 가스나 액체를 빨아내는 것.

30 지역 방언의 가치에 대한 대화로 적절하지 않은 것은?

① 진영: 지역 방언은 그것을 사용하는 사람들 사이에서 친밀감을 드러내게 해 줍니다.
② 재범: 지역 방언에는 옛말의 모습이 많이 남아 있어서 국어의 역사 연구에 도움이 됩니다.
③ 영준: 문학 작품에 사용된 지역 방언은 작품의 예술성과 감성을 높이고 전국의 독자가 작품을 쉽게 이해할 수 있게 해 줍니다.
④ 유경: 지역 방언에는 지역 사회의 문화와 풍습이 담겨 있어서 전통문화를 지키고 전승하는 데 도움이 됩니다.
⑤ 영재: 지역 방언은 각 지역 사람들의 미묘한 감성과 정서를 효과적으로 드러낼 수 있어요. 그것은 표준어로는 정확하게 표현하기 어려운 것이죠.

Break Time

누구나
재능의 열쇠
하나씩 받지만,

그건 '깎지 않은'
열쇠다...

재능이 열리고 빛나는 것은 수고로이 '깎은' 결과다...

kimyh@hani.co.kr

문장 III

개념 09 문장 성분 (1)_주성분

● **주성분의 개념**: 문장의 골격을 이루는 부분으로, 문장을 구성하는 데에 필수적인 성분. 주어, 서술어, 목적어, 보어가 있음.

> 문장의 주성분을 생략하면 의미가 제대로 전달되지 않을 수 있음.

● **주성분의 종류**

● 주어

① 개념: 문장에서 동작, 성질, 상태의 주체가 되는 성분으로, '누가/무엇이'에 해당하는 말. ㉠ 진호가 빨리 달린다. / 강물이 매우 맑다.

② 형태

체언+조사 '이/가/께서/에서'	체언+특별한 의미를 갖는 조사	조사의 생략
• 언니가 밥을 먹는다. • 할머니께서 길을 건너신다. • 학교에서 축제를 열기로 결정했다.	• 나만 늦게 끝났다. • 나도 늦게 끝났다.	• 선호 작년에 자격증을 땄대.

● 서술어

① 개념: 주어의 동작, 상태, 성질 따위를 풀이하여 설명하는 성분으로, '어찌하다, 어떠하다, 무엇이다'에 해당하는 말.

㉠ 하은이가 걸어간다. / 햇살이 따사롭다. / 그것은 공책이다.

② 형태

용언 그 자체가 서술어가 됨.	체언+조사 '이다'
• 사과가 단단하다.(형용사) • 고양이가 밥을 먹는다.(동사)	• 그 요리는 언니의 작품이다. • 장미꽃은 내 선물이다.

● 목적어

① 개념: 문장에서 서술어의 동작 대상이 되는 성분으로, '무엇을/누구를'에 해당하는 말. ㉠ 동생이 강아지를 안았다. / 서희는 언니를 기다린다.

② 형태

체언+조사 '을/를'	체언+특별한 의미를 갖는 조사	조사의 생략
• 나는 방을 닦고, 언니는 걸레를 빨았다.	• 나는 그림도 잘 그린다. • 나는 그림만 잘 그린다.	• 진수는 빵 먹고 있어.

● 보어

① 개념: 서술어 '되다', '아니다'가 사용된 문장의 불완전한 의미를 보충하는 성분으로, '누가/무엇이'에 해당하는 말.

② 형태

체언+조사 '이/가'	• 선지는 언니가 되었다.	• 토마토는 과일이 아니다.

[문장 성분]
• 주성분: 주어, 서술어, 목적어, 보어
• 부속 성분: 관형어, 부사어
• 독립 성분: 독립어

[서술어의 자릿수]
① 한 자리 서술어: 문장을 만드는 데, 주어 하나만 필요로 하는 서술어.
㉠ 산이 높다.
② 두 자리 서술어: 문장을 만드는 데 주어 이외에 또 하나의 필수적인 문장 성분을 필요로 하는 서술어.
㉠ 형이 준비물을 산다. 나는 회장이 아니다.
③ 세 자리 서술어: 문장을 만드는 데 주어 이외에 두 개의 필수적인 문장 성분을 필요로 하는 서술어.
㉠ 나는 할머니께 편지를 썼다.

[문장 성분과 품사의 차이]
• 문장 성분
  ― 개념: 문장 안에서 단어가 어떤 역할을 하는지에 따라 이름을 붙임. 띄어쓰기 단위와 일치함.
  ― 특징: 조사나 쓰는 위치에 따라 같은 단어라도 문장 성분은 달라질 수 있음.
• 품사
  ― 개념: 단어를 의미에 따라 분류해 놓음.
  ― 특징: 형태가 달라져도 품사는 변하지 않음.

Step 1 문제로 연습하기

[01~05] 다음 빈칸에 들어가기에 알맞은 단어를 쓰시오.

01 ☐☐☐ 은/는 문장에서 필수적인 역할을 하는 성분으로 종류에는 주어, 서술어, 목적어, 보어가 있다.

02 ☐☐ 는 문장에서 동작, 성질, 상태의 주체가 되는 성분이다.

03 ☐☐ 는 서술어 '되다, 아니다'가 사용된 문장의 의미를 보충하는 성분이다.

04 서술어의 동작 대상이 되는 성분을 ☐☐☐ 라고 한다.

05 주어의 동작, 성질, 상태 따위를 풀이하여 설명하는 성분을 ☐☐☐ 라고 한다.

[06~12] 다음 밑줄 친 부분에 해당하는 문장 성분을 쓰시오.

06 정은이는 <u>멋쟁이가</u> 되었다. (   )

07 오빠가 <u>만두를</u> 다 먹었다. (   )

08 <u>할아버지께서</u> 신문을 보신다. (   )

09 우리 둘이 다음에 꼭 다시 <u>만나자</u>. (   )

10 그녀는 <u>노을을</u> 좋아한다. (   )

11 나는 <u>볶음밥을</u> 만들고 싶었는데, 만들고 나니 <u>죽이</u> 되었다. (,   )

12 <u>정부는</u> 곧 산불이 진화될 것이라고 <u>발표했다</u>. (,   )

[13~16] 다음 문장에서 해당하는 문장 성분을 찾아 쓰시오.

13 선우가 공을 빠르게 던졌다.   → 목적어:

14 나는 어제 저녁에 도서관에 갔어. → 주어:

15 물이 끓어서 수증기가 되었다.   → 보어:

16 그 아이는 동생의 친구이다.   → 서술어:

[17~20] 다음 (   ) 안에 들어가기에 적절한 문장 성분을 알맞게 연결하시오.

17 (   ) 밥을 먹었다.   •   • ㉠ 주어

18 나는 문구점에서 (   ) 샀다. •   • ㉡ 보어

19 나는 언니보다 키가 (   )   •   • ㉢ 서술어

20 나는 새 학기에 (   ) 되었다. •   • ㉣ 목적어

01 각 문장의 밑줄 친 부분 중 주성분이 <u>아닌</u> 것은?

① 나는 <u>첫째가</u> 아니다.

② 우리는 <u>방학을</u> 기다린다.

③ 우리 언니는 <u>고등학생이다.</u>

④ 나는 <u>오늘</u> 늦게 집을 나왔다.

⑤ <u>선생님께서</u> 숙제를 내 주셨다.

> 참고해 봐!
>
> 문장의 성분은 크게 주성분, 부속 성분, 독립 성분으로 나눌 수 있다. 주성분에는 주어, 보어, 서술어, 목적어가 있다.

02 다음 ㉠~㉣의 문장 성분을 바르게 나열한 것은?

- ㉠세월이 빠르게 지나간다.
- 우리 마을은 매우 ㉡평화롭다.
- 어머니께서는 ㉢노래도 잘 부르신다.
- 너는 ㉣학생이 아니야.

	㉠	㉡	㉢	㉣
①	주어	목적어	보어	서술어
②	주어	보어	서술어	목적어
③	서술어	보어	주어	목적어
④	목적어	서술어	보어	주어
⑤	주어	서술어	목적어	보어

03 다음 문장에서 문장 성분 중 목적어가 포함되지 <u>않은</u> 문장은?

① 진아는 예쁜 옷을 입었다.

② 나는 큰 인형을 좋아한다.

③ 커다란 풍선을 많이 샀다.

④ 언니는 동생을 잘 도와준다.

⑤ 운동장에서 아이들이 놀고 있다.

04 [보기]의 ㉠~㉢에 대한 설명으로 적절하지 <u>않은</u> 것은?

┌─── 보 기 ───

• 수희는 우리 반 ㉠회장이 아니다.
• 나는 어린 시절 꿈꾸던 ㉡디자이너가 되었다.
• 이것은 ㉢독버섯이 아니야.

└──────────────

① ㉠~㉢의 문장 성분은 모두 같다.
② ㉠~㉢은 모두 체언에 조사가 붙은 형태이다.
③ ㉠~㉢은 특정한 서술어 앞에서만 나타난다.
④ ㉡은 서술어가 의미하는 행위의 주체를 나타낸다.
⑤ ㉢은 문장 내에서 '무엇이'에 해당하는 말이다.

05 각 문장의 밑줄 친 부분의 문장 성분이 같은 것끼리 묶인 것은?

① ┌ <u>시간이</u> 정말 빨리 흐른다.
　 └ 아침에 <u>할머니만</u> 집에 오셨다.

② ┌ 세 <u>우산이</u> 나란히 걸어갑니다.
　 └ 노란 <u>새들이</u> 노래를 부릅니다.

③ ┌ 현서가 <u>열쇠를</u> 잃어 버렸다.
　 └ 진우는 틀림없이 훌륭한 <u>사람이</u> 될 거야.

④ ┌ 고래는 바다의 <u>왕이다.</u>
　 └ 세찬 <u>바람이</u> 유리창에 부딪쳤다.

⑤ ┌ 저 <u>강아지</u> 정말 귀엽다.
　 └ 너는 꼭 <u>연필</u> 가져와.

이렇게 풀어 봐!

먼저 각 문장의 밑줄 친 부분이 어떤 문장 성분인지 생각해 봐. 그리고 두 개를 비교해 보면 금방 정답을 알수 있지.

06 [보기]의 문장에서 주성분이 아닌 것은?

┌─── 보 기 ───

• 귀여운 ①동생이 ②말썽꾸러기가 ③되었다.
• 진영이가 어려운 ④문제를 ⑤빨리도 풀었네.

└──────────────

● **부속 성분의 개념**: 문장에서 주로 다른 성분을 꾸며 주며 의미를 더해 주는 문장 성분으로, 무엇을 꾸며 주느냐에 따라 관형어와 부사어로 나뉨.

● **부속 성분의 특성**: 대부분의 부속 성분은 생략하여도 문장의 기본 의미가 변하지 않음.

● **부속 성분의 종류**
  ● 관형어
    ① 개념: 문장에서 체언(명사, 대명사, 수사)을 꾸며 주는 문장 성분으로, 문장에서 '어떤', '누구의', '무엇의'에 해당하는 말.

      예 인호가 새 공을 가져왔다. / 성실한 우리가 좋다. / 예쁜 첫째가 왔구나.
      　　　 명사 '공'을 꾸밈.　　 대명사 '우리'를 꾸밈.　　 수사 '첫째'를 꾸밈.
    ② 형태

관형사를 그대로 사용함.	체언+조사 '의'	용언(동사, 형용사)의 활용
• 나는 헌 옷을 빨았다. • 두 사람만 빨리 와라.	• 나는 승규의 책을 찾았다.	• 서점에 가는 사람이 있니? • 깨끗한 물이다.

  ● 부사어
    ① 개념: 서술어나 관형어, 다른 부사어, 문장 전체를 꾸며 주는 문장 성분으로, 문장에서 '어떻게', '누구에게', '어디에서'에 해당하는 말.

      예 떡볶이가 정말 맵다. / 아주 큰 개를 보았다. / 더 빨리 뛰어라.
      　　　 서술어 '맵다'를 꾸밈.　 관형어 '큰'을 꾸밈.　 부사어 '빨리'를 꾸밈.

      제발 비가 왔으면 좋겠다.
      문장 전체를 꾸밈.
    ② 형태

부사를 그대로 사용함.	체언+조사 '에, 에서, 에게, 으로(써), (라)고'	용언(동사, 형용사)의 활용
• 늦었으니 어서 떠나자. • 가끔 친구가 보고 싶다.	• 고양이가 마당에서 논다. • 그 꽃을 나에게 줘.	• 그 옷은 예쁘게 보인다.

● **독립 성분**
  ● 개념: 문장의 어느 성분과도 직접적인 관련이 없는 문장 성분으로, '독립어'가 독립 성분에 해당함.
      예 우와, 바람이 정말 세다.
  ● 형태

감탄사를 그대로 사용함.	체언+조사 '야', '아'
• 야호, 시험이 끝났다. • 어머나, 시간이 지났네. • 응, 내가 거기로 빨리 갈게.	• 선호야, 빨리 건너와. • 수진아, 네가 먼저 고르렴.

[관형어와 관형사]
관형사는 관형어의 일부가 됨(부사와 부사어의 관계도 동일함.).

관형어
관형사

[필수적 부사어]
부사어는 주성분이 아니기 때문에 대부분의 문장에서 생략할 수 있지만, 일부 부사어의 경우에는 생략할 수 없는 경우도 있음.
  예 나는 어머니와 닮았다.
　 현수를 양자로 삼았다.
→ 밑줄 친 부분은 부사어이지만, 생략할 경우 문장이 성립되지 않음. 이러한 부사어를 필수적 부사어라고 함.

[독립어와 감탄사의 관계]
감탄사는 놀람, 느낌, 부름, 응답 등을 나타내는 말로, 단독으로 쓰일 때에는 독립어에 속함.

독립어
감탄사

[01~06] 다음 설명이 맞으면 O표, 틀리면 X표 하시오.

01 문장의 부속 성분에는 부사어와 독립어가 있다. (   )

02 관형어의 경우 체언과 용언을 꾸며 주어 문장의 의미를 더해 준다. (   )

03 부사어의 형태에는 부사를 그대로 사용하거나 체언에 특정한 조사를 더한 것이 있다. (   )

04 관형어를 생략해도 문장의 기본 의미는 크게 변하지 않고 전달된다. (   )

05 독립어는 서술어를 반드시 필요로 하는 문장 성분이다. (   )

06 감탄사는 독립어에 속하지만, 모든 독립어가 감탄사인 것은 아니다. (   )

[07~12] 다음 밑줄 친 부분에 해당하는 문장 성분을 쓰시오.

07 <u>저</u> 아이는 내 친구 지수이다. (   )

08 아침에 <u>일찍</u> 일어나는 것은 힘들다. (   )

09 <u>민호야</u>, 밑을 보지 말고 건너렴. (   )

10 <u>과연</u> 네가 그 일을 성공했구나. (   )

11 너는 <u>하얀</u> 재킷이 아주 잘 어울리는구나. (   )

12 <u>이야</u>, 나보다 <u>더</u> <u>빠른</u> 사람은 너뿐이야. (,   ,   )

[13~15] 다음 문장에서 밑줄 친 말이 꾸며 주는 말을 찾아 동그라미를 하시오.

13 <u>이</u> 길은 걸어가기 힘들어.

14 앗, 내가 너보다 <u>더</u> 늦었구나.

15 <u>우리</u> 집은 저녁을 <u>빨리</u> 먹는다.

[16~20] 다음 문장에서 해당되는 문장 성분을 찾아 쓰시오.

16 세월이 빨리도 가는구나.   → 부사어:

17 그 책은 너무 무겁다.   → 관형어:

18 친구야, 너에게는 나 밖에 없지? → 독립어:

19 이번 과제는 정말 쉬웠다.   → 관형어: , 부사어:

20 이야, 오래간만에 깨끗한 공기를 마실 수 있었다.

          → 독립어: , 관형어: , 부사어:

01 다음 중 [보기]의 ㉠에 해당하는 문장 성분을 포함하지 <u>않은</u> 문장은?

> ┤ 보 기 ├
>
> 부속 성분에는 관형어와 ㉠이 있다. 관형어는 명사, 대명사, 수사를 수식하고, ㉠은 서술어나 관형어, 다른 부사나 문장 전체를 수식한다.

① 철호는 공을 멀리 찼다.

② 나는 숙제를 겨우 끝냈다.

③ 이곳이 친근하게 느껴진다.

④ 오늘 아침은 기온이 너무 높다.

⑤ 그 집은 빨간 장미 울타리가 있다.

02 ㉠~㉣의 문장 성분을 바르게 나열한 것은?

> • 사람들이 연을 하늘 ㉠높이 날렸다.
> • ㉡뭐, 네가 원하면 그렇게 해.
> • 날씨가 너무 추워 ㉢따뜻한 차를 마셨다.
> • 나는 운동을 ㉣마당에서 했다.

	㉠	㉡	㉢	㉣
①	부사어	독립어	관형어	부사어
②	관형어	부사어	독립어	관형어
③	관형어	독립어	부사어	부사어
④	독립어	부사어	관형어	관형어
⑤	부사어	관형어	독립어	부사어

03 다음 중 독립어가 쓰이지 <u>않은</u> 문장은?

① 제발 나를 줘라.

② 이야, 벌써 왔니?

③ 어머나, 학교가 크다.

④ 휴, 버스를 놓칠 뻔 했네.

⑤ 수진아, 얼른 와서 밥 먹어라.

참고해 봐!

독립어에는 놀람, 느낌, 부름, 응답 등을 나타내는 감탄사와, 조사 '아' 등을 뒤에 붙여 대상을 부르는 말이 있다.

04 다음 문장에 쓰인 문장의 부속 성분을 관형어와 부사어로 알맞게 나눈 것은?

> 우선 나는 그 일을 전혀 몰랐다.
> ㉠   ㉡   ㉢   ㉣   ㉤   ㉥

	관형어	부사어
①	㉢	㉠
②	㉡	㉤
③	㉢	㉠, ㉤
④	㉠, ㉣	㉤, ㉥
⑤	㉠, ㉢	㉡, ㉤

이렇게 풀어 봐!

관형어와 부사어를 구별하려면 꾸며 주는 대상이 무엇인지를 찾아야 해. 명사, 대명사, 수사와 같은 체언 앞에서 체언을 꾸며 주는 말은 '관형어'이고, 주로 용언을 꾸며주지만 때때로 관형어, 다른 부사어, 문장 전체를 꾸며 주는 말은 부사어야.

Ⅲ

문장

05 각 문장의 밑줄 친 문장 성분이 나머지와 다른 하나는?

① 그가 잽싸게 일어났다.

② 나는 아주 큰 집을 보았다.

③ 나는 너무 늦게 집에 도착했다.

④ 대기 오염은 모든 국가에서 문제가 된다.

⑤ 설령 그가 그것을 했더라도 우리는 그를 믿어 주어야 한다.

06 [보기]의 ㉠~㉣에 대해 잘못 설명한 것은?

> ──── 보 기 ────
> • 나는 ㉠너의 꿈을 인정하고 있어.
> • ㉡확실히 그는 성실한 사람이다.
> • ㉢자, 하던 일을 멈추고 앞을 보세요.
> • ㉣어떤 일이라도 마음먹기에 달려 있다.

① ㉠, ㉡: 문장의 부속 성분에 해당한다.

② ㉠: '체언＋조사' 형태의 관형어이다.

③ ㉡: '그'라는 대명사를 꾸며 주는 관형어이다.

④ ㉢: 문장에서 다른 성분과 관련을 맺지 않는다.

⑤ ㉣: 관형사가 관형어가 된 경우이다.

● **이어진문장의 개념** : 둘 이상의 홑문장이 대등하거나 종속적으로 이어지는 문장.

● **이어진문장의 종류**

  ● 대등하게 이어진 문장

    ① 개념 : 두 개 이상의 홑문장이 대등한 관계로 이어진 문장.

      ㉮ 학교가 크다 + 운동장이 넓다. → 학교가 크고, 운동장이 넓다.

    ② 종류

앞뒤 절의 관계	㉮
나열	바람이 불고 비가 내렸다.
대조	눈이 내리지만 날씨가 춥지는 않다.
선택	숙제를 하거나 준비물을 챙겨라.

    ③ 특징

      – 앞뒤 절의 순서를 바꾸어도 의미의 차이가 없음.

        ㉮ 밖은 춥고 안은 따뜻하다. → 안은 따뜻하고 밖은 춥다.

      – 앞뒤 절의 서술어가 같을 때에는 앞 절의 서술어를 생략할 수 있음.

        ㉮ 언니는 음악을 좋아하고, 나는 미술을 좋아한다.

          → 언니는 음악을, 나는 미술을 좋아한다.

  ● 종속적으로 이어진 문장

    ① 개념 : 두 개 이상의 홑문장이 이유, 조건, 목적 등의 종속적인 관계로 이어진 문장.

      ㉮ 비가 왔다. + 옷이 젖었다. → 비가 와서 옷이 젖었다.

    ② 종류

앞뒤 절의 관계	㉮
원인과 결과	영수는 밥을 먹어서 배가 부르다.
조건	열심히 노력하면 경기에서 이길 수 있다.
목적	진호는 책을 사려고 서점에 갔다.
가정(양보)	늦게 출발하더라도 우리는 꼭 그곳에 가야 한다.
배경(상황)	내가 집에 가는데 민호가 나를 불렀다.

    ③ 특징

      – 앞뒤 절의 순서를 바꾸면 의미가 통하지 않거나, 달라지기도 함.

        ㉮ 온도가 내려가서 땅이 얼었다. ≠ 땅이 얼어서 온도가 내려갔다.

      – 앞뒤 절의 서술어가 같아도 앞 절의 서술어를 생략할 수 없음.

        ㉮ 꽃이 많으면 열매도 많다. → 꽃이, 열매도 많다.(×)

[문장]
• 홑문장: 주어와 서술어가 한 번 나타나는 문장.
  ㉮ 하늘이 맑다.
• 겹문장: 주어와 서술어가 두 번 이상 나타나는 문장.
  ① 이어진문장: 대등하게 이어진 문장, 종속적으로 이어진 문장
  ② 안은문장과 안긴문장

[문장의 기본 구조]
• 무엇이(누가)+어찌하다: 대상의 움직임을 나타냄.
  ㉮ 지우가 달린다.
• 무엇이(누가)+어떠하다: 대상의 성질이나 상태를 나타냄.
  ㉮ 산이 푸르다.
• 무엇이(누가)+무엇이다.: 어떠한 대상을 지정함.
  ㉮ 내일은 월요일이다.

[문장을 이루는 요소]

어절	문장을 구성하는 각각의 마디. 띄어쓰기와 일치함.
구	둘 이상의 어절이 모여서 하나의 성분으로 쓰이는 단위. 구 안에는 주어와 서술어 관계가 없음.
절	둘 이상의 어절이 모여서 하나의 성분으로 쓰이는 단위. 절 안에는 구어와 서술어의 관계가 있음.

Step 1 문제로 연습하기

[01~05] 다음 설명이 맞으면 O표, 틀리면 X표 하시오.

01 이어진문장은 둘 이상의 홑문장을 연결한 문장이다. (   )

02 대등하게 이어진 문장은 앞뒤 문장의 순서를 바꾸면 의미가 달라진다. (   )

03 대등하게 이어진 문장의 두 절에서 같은 서술어가 쓰이면 앞의 서술어는 생략할 수 있다. (   )

04 종속적으로 이어진 문장의 문장 전체에서는 서술어가 한 개만 나타나기도 한다. (   )

05 종속적으로 이어진 문장의 앞뒤 문장은 원인, 조건, 목적, 가정 등의 관계로 연결된다. (   )

[06~09] 다음의 문장들을 조건에 따라 이어진문장으로 만드시오.

06 바람이 분다. + 나뭇잎이 떨어진다. (종속적으로 이어진 문장)

→ _____

07 산은 푸르다. + 계곡물은 맑다. (대등하게 이어진 문장)

→ _____

08 인수가 늦잠을 잤다. + 인수는 학교에 늦었다. (종속적으로 이어진 문장)

→ _____

09 어제는 비가 왔다. + 오늘은 날씨가 좋다. (대등하게 이어진 문장)

→ _____

[10~13] 다음 문장에서 대등하게 이어진 문장에는 O표, 종속적으로 이어진 문장에는 △표 하시오.

10 밥을 먹으려고 식당에 갔다. (   )

11 날씨는 따뜻하지만 미세먼지 수치는 높다. (   )

12 해가 지고 달이 뜬다. (   )

13 비가 내려서 우리는 소풍을 가지 못했다. (   )

[14~16] 다음 이어진문장 속 앞뒤 절의 관계를 [보기]에서 찾아 쓰시오.

┌─ 보 기 ─┐
나열, 대조, 선택, 원인과 결과, 목적, 조건

14 산에 가려고 등산화를 샀다. (   )

15 은우는 키가 커서 농구부에 뽑혔다. (   )

16 배를 먹든지, 사과를 먹든지 해라. (   )

01 다음 중 이어진문장에 대한 설명으로 옳지 **않은** 것은?

① 주어와 서술어의 관계가 두 번 이상 나타난다.

② 대등하게 이어진 문장과 종속적으로 이어진 문장으로 나눌 수 있다.

③ 대등하게 이어진 문장은 앞뒤 절의 순서를 바꾸어도 의미가 달라지지 않는다.

④ 주어가 같은 두 개의 홑문장이 이어질 경우 주어 하나는 생략할 수도 있다.

⑤ 나열, 대조, 선택의 의미 관계로 연결되는 문장은 종속적으로 이어진 문장이다.

02 다음 중 이어진문장에 해당하는 문장은?

① 이 연못의 물은 정말 깨끗하다.

② 진호는 커다란 종이학을 접었다.

③ 언니가 놀이동산에서 놀고 있다.

④ 우리는 그의 소식을 간절히 기다리고 있다.

⑤ 나는 집에 왔지만 동생은 아직 오지 않았다.

> 참고해 봐!
> 이어진문장은 주어와 서술어가 한 번씩만 나오는 홑문장이 두 개 이상 연결된 문장이다. 따라서 주어와 서술어가 각각 두 번 이상 나온다.

03 다음 두 홑문장을 이어진문장으로 만들었을 때 연결이 **부자연스러운** 것은?

① 햇볕이 강하다. + 온도가 높지는 않다.

→ 햇볕이 강해서 온도가 높지는 않다.

② 차가 많이 막힌다. + 약속 시간에 늦었다.

→ 차가 많이 막혀서 약속시간에 늦었다.

③ 낮말은 새가 듣는다. + 밤말은 쥐가 듣는다.

→ 낮말은 새가 듣고 밤말은 쥐가 듣는다.

④ 나는 봉사 활동을 한다. + 형은 시험공부를 한다.

→ 나는 봉사 활동을 하고 형은 시험공부를 한다.

⑤ 우리는 산에 오르려고 한다. + 우리는 일찍 일어났다.

→ 우리는 산에 오르려고 일찍 일어났다.

04 두 문장을 종속적으로 연결하면 가장 **어색해지는** 것은?

① 비가 온다. + 밖에 나가야 한다.

② 열심히 공부한다. + 성적이 오를 것이다.

③ 서연이는 노래한다. + 승재는 농구를 한다.

④ 눈이 펑펑 내린다 + 길이 하얗게 보인다.

⑤ 유정이는 책을 빌렸다. + 유정이는 도서관에 갔다.

05 다음 중 대등하게 이어진 문장은?

① 단비가 내려서 채소가 잘 자란다.

② 가로등이 밝아서 길이 잘 보인다.

③ 우리는 이겼지만 그들은 패배했다.

④ 손님이 오시면 정성을 다해야 한다.

⑤ 날씨가 나쁘더라도 축제 준비를 열심히 해야 해.

이렇게 풀어 봐!

대등하게 이어진 문장을 찾을 때는 앞 절과 뒤 절의 순서를 바꿔봐. 의미의 차이가 없으면 대등하게 이어진 문장이야.

06 [보기]의 문장과 같은 관계로 이어진문장은?

> ┤ 보 기 ├
>
> 목이 아파서 병원에 갔다.

① 새 신을 사니 기분이 좋다.

② 수영을 하려고 일찍 일어났다.

③ 나를 만나려면 아침에 일찍 와라.

④ 숙제를 하는데 형이 나를 자꾸 불렀다.

⑤ 경기에 지더라도 최선을 다해야 한다.

07 다음 중 앞뒤 문장의 관계를 잘못 연결한 것은?

① 성적이 잘 나와서 기분이 좋다. – 원인과 결과

② 학용품을 구입하려고 문방구에 갔다. – 가정

③ 재범이를 부르려고 우리 모두 뛰어갔다. – 목적

④ 계속해서 반복한다면 그 일을 쉽게 배울 수 있다. – 조건

⑤ 친한 친구와 만나려는데, 갑자기 전화가 왔다. – 상황

08 [보기]의 ㉠과 ㉡에 대한 설명으로 적절한 것은?

> ┤ 보 기 ├
>
> ㉠ 빵을 먹어서 배가 부르다.   ㉡ 인생은 짧고 예술은 길다.

① ㉠은 홑문장이고, ㉡은 겹문장이다.

② ㉠과 ㉡은 둘 이상의 문장이 결합된 이어진문장이다.

③ ㉠은 서술어가 생략되었고, ㉡은 주어가 생략되었다.

④ ㉠은 대등하게 이어진 문장이고, ㉡은 종속적으로 이어진 문장이다.

⑤ ㉠은 문장 순서를 바꾸어도 의미의 차이가 없지만, ㉡은 차이가 있다.

● **안은문장**과 **안긴문장**의 개념

하나의 홑문장이 다른 홑문장 속에 포함되어 하나의 문장 성분이 되는 관계. 이 때 하나의 문장 성분이 된 홑문장을 '안긴문장'이라고 하고, 안긴 문장이 들어가서 만들어진 겹문장을 '안은문장'이라고 함.

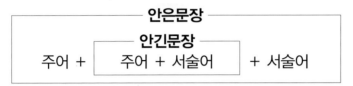

● **안은문장**의 종류

• 명사절을 안은 문장

안긴문장이 전체 문장 속에서 명사처럼 쓰여 주어, 목적어 등 다양한 기능을 함. 명사절 뒤에 붙는 조사에 따라 문장에서의 기능이 달라짐.

예 지은이가 범인임이 밝혀졌다.
  명사절(주어 역할)

우리는 네가 오기를 기다린다.
  명사절(목적어 역할)

• 관형절을 안은 문장

안긴문장 전체가 문장 속에서 체언을 꾸며 주는 관형어의 기능을 함.

예 이것은 내가 친구에게 선물 받은 책이다.
  관형절(명사인 '책'을 꾸며 주고 있음.)

내가 좋아했던 그는 이미 떠나고 없다.
  관형절(대명사인 '그'를 꾸며 주고 있음.)

• 부사절을 안은 문장

안긴문장 전체가 문장 속에서 서술어를 꾸며 주는 부사어의 기능을 함.

예 눈이 흔적도 없이 사라졌다.
  부사절(동사 '사라졌다'를 꾸며 주고 있음.)

내 친구는 눈이 부시게 예쁘다.
  부사절(형용사 '예쁘다'를 꾸며 주고 있음.)

• 서술절을 안은 문장

안긴문장이 문장 속에서 서술어의 기능을 함.

예 토끼는 뒷발이 길다.
  서술절('토끼는'이라는 주어를 서술하고 있음.)

• 인용절을 안은 문장

다른 사람의 말이나 생각을 인용한 것이 절의 형식으로 안긴 것으로, 다른 사람의 말을 그대로 인용하는 직접 인용과 말하는 이의 표현으로 바꾸어 인용하는 간접 인용이 있음.

예 태헌이는 나에게 "내가 청소를 할게."라고 말했다.
  직접 인용절('-라고'를 사용하여 인용함.)

태헌이는 나에게 자기가 청소를 한다고 말했다.
  간접 인용절('-고'를 사용하여 인용함.)

[안은문장과 이어진문장]

안은문장	이어진문장
홑문장이 다른 문장 속에서 하나의 문장 성분이 됨.	홑문장들이 대등하게 혹은 종속적으로 이어져 있음.
문장 성분의 역할을 하게 해 주는 어미를 사용함. 예 '-(으)ㄴ, -던' 등(관형절), '-게, -이' 등(부사절)	홑문장들을 연결하는 어미를 사용함. 예 '-고, -(으)나, -(아)서, -(으)면' 등

[서술절과 보어의 차이]

서술절을 안은 문장이나, 보어가 사용된 문장 모두 '주어+주어+서술어'의 형태가 나타나는 것으로 보임. 그러나 보어는 뒤에 '되다', '아니다'라는 서술어 앞에만 나타남.

서술절을 안은 문장	그는 키가 크다. 서술절
보어가 사용된 문장	그는 회장이 되었다. 보어

III

문
장

[01~05] 다음 설명이 맞으면 O표, 틀리면 X표 하시오.

01 명사절은 문장 속에서 체언을 꾸며 주는 역할을 한다. (   )

02 관형절은 문장에서 주어, 목적어 등의 기능을 한다. (   )

03 부사절은 문장에서 용언을 꾸밀 수 있다. (   )

04 서술절을 안은 문장에서는 주어가 2개 나타난다. (   )

05 인용절을 안은 문장 중 직접 인용은 다른 사람의 말을 그대로 인용하는 것이다. (   )

[06~11] 다음 문장이 안은문장이면 O표, 아니면 X표 하시오.

06 고향 사람들이 다 모였다. (   )

07 그는 말도 없이 사라졌다. (   )

08 나는 철수의 말이 옳다고 생각한다. (   )

09 내가 어린 시절을 보냈던 마을이 떠오른다. (   )

10 나는 어제 도서관 앞에서 선재를 만났다. (   )

11 할머니는 건강이 좋지 않으시다. (   )

[12~18] 다음 문장에서 안긴문장을 찾아 밑줄을 긋고, 안긴문장의 종류를 쓰시오.

12 현수는 선재의 편지가 오기를 기다린다.

13 은우는 친구가 많다.

14 나는 비가 내리는 모습을 쳐다보았다.

15 그는 밤이 새도록 노래를 불렀다.

16 성욱이는 현지를 봤다고 말했다.

17 그는 "날씨가 좋네."라고 말했다.

18 나는 시간이 되었음을 알았다.

[19, 20] 각 문장 속 명사절의 역할을 바르게 연결하시오.

19 네 방을 치우기가 쉽지 않다.   ·   · ㉠ 목적어

20 우리는 비가 그치기를 기다린다. ·   · ㉡ 주어

01 다음 중 안은문장과 안긴문장에 대한 설명으로 옳지 <u>않은</u> 것은?

① 한 문장이 다른 문장의 문장 성분이 될 수 있다.

② 명사절은 문장 속에서 다양한 문장 성분으로 쓰인다.

③ 관형절과 부사절은 문장 성분 중 부속 성분과 같은 역할을 한다.

④ 서술절은 특별한 조사를 결합하거나 연결하는 말을 넣어 만든 것이다.

⑤ 인용절을 만들 때에는 다른 사람의 말을 말하는 이의 표현으로 바꾸어 말할
  수 있다.

02 각 문장의 밑줄 친 부분이 안긴문장이 <u>아닌</u> 것은?

① 우리 할머니는 <u>허리가 아프시다</u>.

② 나는 <u>그녀가 온</u> 사실을 몰랐다.

③ <u>진수를 만나기</u>가 너무 어렵다.

④ 우리는 <u>소포가 도착하기</u>를 기다리고 있다.

⑤ 선생님은 <u>교과서 진도가 끝났다고</u> 말씀하셨다.

03 [보기] 속 안은문장의 종류로 알맞은 것은?

> ┤ 보 기 ├
>
> 정수는 어제 산 공을 잃어버렸다.

① 인용절을 안은 문장

② 부사절을 안은 문장

③ 명사절을 안은 문장

④ 관형절을 안은 문장

⑤ 서술절을 안은 문장

참고해 봐!

주어가 같거나 서술어가 같으면 동일한 주어나 서술어는 생략될 수 있다.
예) 민수가 저녁에 음식을 만들었다. + 민수는 그 음식을 나에게 줬다. → 민수는 저녁에 만든 음식을 나에게 줬다. ➡ 안긴문장에서 주어인 '민수는'이 생략됨.

04 다음 중 명사절을 포함한 문장이 <u>아닌</u> 것은?

① 그는 내가 오기를 기다렸다.

② 나는 그가 전부임을 깨달았다.

③ 나는 노래가 발표되기를 기다렸다.

④ 동생은 내가 옳았음을 인정하지 않았다.

⑤ 풍성한 곡식의 수확을 비는 행사가 있었다.

05 각 문장에서 안긴문장의 종류를 잘못 연결한 것은?

① 매일 준수는 땀이 나게 뛰었다. – 부사절

② 거북이는 토끼를 이기기를 바랐다. – 서술절

③ 나는 어서 방학이 오기를 기다린다. – 명사절

④ 은지는 동생이 어지른 장난감을 치웠다. – 관형절

⑤ 민재는 자신이 그 일을 하겠다고 말했다. – 인용절

안긴문장은 문장 속에서 하나의 문장 성분 역할을 하는 '절'이 된다. 이 중 명사절은 뒤에 붙는 조사에 따라 주어나 목적어 등의 다양한 역할을 하고, 서술절, 관형절, 부사절은 각각 서술어, 부사어, 관형어 역할을 한다. 인용절의 경우 문장 속에서 특정한 문장 성분의 역할을 하는 것이 아니라, 다른 사람의 말이나 생각을 문장 속에서 직·간접적으로 드러낸다.

06 [보기]의 ㉠과 ㉡에 들어갈 말을 바르게 짝지은 것은?

┤ 보 기 ├

안긴문장은 문장 속에서 하나의 문장 성분으로 쓰이는 문장을 말한다. 안긴문장 중, (㉠)은 문장에서 주로 용언을 꾸며 주는 역할을 한다. 다음의 예를 통해 확인해 보자.

예 1) 아이는 예쁘다. / 꽃과 같다. → 아이는 꽃과 같이 예쁘다.

예 2) 내 친구는 항상 말한다. / 기분이 좋다. → (㉡)

	㉠	㉡
①	부사절	내 친구는 항상 기분이 좋게 말한다.
②	관형절	기분이 좋은 내 친구는 항상 말한다.
③	서술절	내 친구는 항상 말하고 기분이 좋다.
④	명사절	내 친구는 항상 기분이 좋음을 말한다.
⑤	인용절	내 친구는 항상 기분이 좋다고 말한다.

07 [보기]의 ㉠~㉤에 대한 설명으로 적절한 것은?

┤ 보 기 ├

㉠ 그는 약속 시간에 이미 늦었음을 몰랐다.

㉡ 언니는 그 물건을 나보다 빠르게 집었다.

㉢ 사람들은 전화가 빨리 수리되기를 바랐다.

㉣ 광수는 영화가 정말 재미있었다고 말했다.

㉤ 나는 다음 주에 시작될 축제 준비 때문에 바쁘다.

① ㉠: 서술절을 안고 있는 문장이다.

② ㉡: '나보다 빠르게'가 안긴문장이다.

③ ㉢: 안은문장의 주어는 '전화가'이다.

④ ㉣: 직접 인용절을 안은 문장이다.

⑤ ㉤: '다음 주에 시작될'은 '나'를 꾸며 주고 있다.

01 다음 중 문장 성분에 대한 설명으로 알맞지 <u>않은</u> 것은?

① 우리말 문장 성분의 종류는 총 7가지이다.

② 관형어는 체언을 수식하는 부속 성분이다.

③ 보어는 특정한 서술어를 필요로 하는 문장 성분이다.

④ 부속 성분은 주성분과 직접적인 관련을 맺지 않는다.

⑤ 독립 성분은 생략해도 문장의 의미에 영향을 미치지 않는다.

02 [보기 1]의 ㉠~㉤ 중 [보기 2]의 ⓐ에 해당하는 것은?

┌─ 보 기 1 ─┐
㉠ 막내가 ㉡ 중학생이 ㉢ 되자, ㉣ 삼촌도 ㉤ 무척이나 즐거워하셨다.

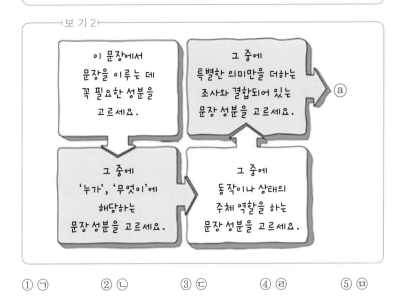

① ㉠ ② ㉡ ③ ㉢ ④ ㉣ ⑤ ㉤

> 참고해 봐!
>
> 문장에서 꼭 필요한 성분을 '주성분'이라고 한다. 이 중, 주어와 보어는 모두 조사 '이/가'가 붙는다. 그러나 주어에 붙는 '이/가'는 주격 조사이고, 보어에 붙는 '이/가'는 보격 조사이므로 조사의 성격이 서로 다르다. 주격 조사, 보격 조사와 같은 격 조사 외에 특별한 의미를 더하는 조사가 있는데, 이를 보조사라고 한다. 보조사는 의미를 한정하거나 덧붙이기 위해 사용된다.

03 각 문장의 밑줄 친 부분 중 문장을 이루는 데 꼭 필요한 성분이 <u>아닌</u> 것은?

① 까만 눈동자가 초롱초롱 <u>빛난다</u>.

② 내일 우리 학교에서 <u>중요한</u> 경기가 열린다.

③ 혁수는 갑자기 큰 목소리로 <u>노래를</u> 불렀다.

④ 그녀는 깔끔하게 일을 끝내고 여행을 떠났다.

⑤ 열심히 노력한 민혁이는 누구보다 빨리 <u>요리사가</u> 되었다.

04 [보기]의 ㉠~㉤에 대한 설명으로 적절한 것은?

이렇게 풀어 봐!

대화를 할 때에는 문장의 주성분이 생략되는 경우가 있어. 이것은 앞뒤 맥락을 통해 말하는 사람과 듣는 사람이 생략된 말이 무엇인지 알수 있기 때문이야. 이러한 문제를 만나게 되면 생략되기 전 문장을 써 보고 거기에서 생략된 문장 성분이 무엇인지 등을 따져 보는 것이좋아.

> ─ 보 기 ─
> 수희: ㉠어제 그 노래 끝까지 다 들었니?
> 지아: ㉡응, 어젯밤에 다 들었어.
> 수희: ㉢어, 진짜? ㉣다른 노래도 추천해 줄까?
> 지아: ㉤아니, 괜찮아.

① 주어가 생략된 문장은 ㉠, ㉡, ㉤이다.
② 목적어가 나타난 문장은 ㉠, ㉣이다.
③ 독립어가 포함된 문장은 ㉡, ㉢, ㉣이다.
④ 관형사가 관형어로 쓰인 문장은 ㉠, ㉢이다.
⑤ 서술어가 생략된 문장은 ㉢, ㉤이다.

05 [보기] 중 문장 성분의 연결이 잘못된 것끼리 묶인 것은?

> ─ 보 기 ─
> • 그녀는 학생들을 ㉠열심히 가르친다. – 관형어
> • 그녀는 유능한 ㉡선생님이 되었다. – 주어
> • 그녀는 나에게 ㉢선물을 주었다. – 목적어
> • 그녀는 어제 ㉣아주 푹 잤다. – 독립어
> • 그녀는 책을 ㉤가방에 넣었다. – 부사어

① ㉠, ㉡, ㉢ ② ㉠, ㉡, ㉣ ③ ㉡, ㉢, ㉣
④ ㉡, ㉣, ㉤ ⑤ ㉢, ㉣, ㉤

06 각 문장의 성분을 정리한 것으로 적절하지 않은 것은?

① 차가운 물이 얼음이 되었다. → 관형어＋주어＋보어＋서술어
② 현수는 수영이를 꽤 좋아한다. → 주어＋목적어＋부사어＋서술어
③ 어, 너 언제 서울로 돌아왔니? → 독립어＋주어＋부사어＋관형어＋서술어
④ 시인의 시가 우리의 마음을 울렸다. → 관형어＋주어＋관형어＋목적어＋서술어
⑤ 눈보라가 온 세상을 하얗게 뒤덮었다. → 주어＋관형어＋목적어＋부사어＋서술어

07 [보기]는 '문장의 종류'에 대한 학습 자료이다. ㉠~㉢에 들어갈 예문으로 적절하지 않은 것은?

> ── 보 기 ──
>
> 문장의 종류
> • 홑문장: 주어와 서술어가 한 번만 나타나는 문장.
>   예 _____㉠_____
> • 겹문장: 주어와 서술어가 두 번 이상 나타나는 문장.
>   ┌ 안은문장: 다른 문장 속에 들어가 하나의 문장 성분처럼 쓰이는 홑문장을 포함하고 있는 문장.
>   │ 예 _____㉡_____
>   └ 이어진문장: 둘 이상의 홑문장이 대등하거나 종속적으로 이어진 문장.
>   예 _____㉢_____

① ㉠: 현수는 운동장에서 농구를 했다.
② ㉡: 나는 책만 펼치면 잠이 온다.
③ ㉡: 인정이는 성격이 좋은 학생이다.
④ ㉢: 바람이 세차게 불어 과일이 떨어졌다.
⑤ ㉢: 수아는 노래를 부르고 민지는 춤을 춘다.

08 [보기]의 문장들을 겹문장이 만들어진 방식에 따라 바르게 나눈 것은?

이어진문장과 안은문장을 구별할 때에는 '주어 + 서술어'의 구조를 가지고 한 문장이 다른 문장 속에서 특정한 문장 성분의 역할을 하는지, 아니면 단순히 두 문장을 연결하고 있는 것인지를 생각해 봐.

> ── 보 기 ──
>
> ㉠ 하늘은 맑고 햇살은 뜨겁다.
> ㉡ 그는 본인이 직접 차를 운전한다.
> ㉢ 태연이는 갑자기 졸려서 잠이 들었다.
> ㉣ 나는 그것이 나의 전 재산임을 몰랐다.
> ㉤ 나는 그가 착한 사람이라는 생각이 들었다.

	안은문장	이어진문장
①	㉠, ㉡, ㉢	㉣, ㉤
②	㉡, ㉣, ㉤	㉠, ㉢
③	㉠, ㉡	㉢, ㉣, ㉤
④	㉡, ㉢	㉠, ㉣, ㉤
⑤	㉢, ㉣, ㉤	㉠, ㉡

09 [보기 1]을 참고하여 [보기 2]의 ㉠~㉤을 설명한 것으로 적절하지 <u>않은</u> 것은?

이렇게 풀어 봐! 🐶

대등하게 이어진 문장과 종속적으로 이어진 문장을 구별할 때에는 앞절과 뒤절의 위치를 바꾸어 봐. 대등하게 이어진 문장과 달리 종속적으로 이어진 문장은 일반적으로 앞 절과 뒤 절의 순서를 바꾸면 내용이 어색해지지.

┤보 기 1├

　　이어진문장은 둘 이상의 홑문장이 이어지는 방법이 어떠한가에 따라 대등하게 이어진 문장과 종속적으로 이어진 문장으로 나뉜다. 대등하게 이어진 문장은 앞 절이 뒤 절에 대해 나열, 대조 등의 의미를 가지며, 종속적으로 이어진 문장은 앞 절이 뒤 절에 대해 원인, 조건, 목적, 가정(양보) 등의 의미를 가진다.

┤보 기 2├

㉠ 아무리 길이 멀어도 우리는 출발한다.
㉡ 형도 학교에 갔고 누나도 회사에 갔다.
㉢ 진수는 숙제를 하려고 박물관에 갔다.
㉣ 네가 오지 않으면 동아리도 재미가 없다.
㉤ 새벽부터 비가 와서 소풍이 연기되었다.

① ㉠: 대조의 관계로 대등하게 이어진 문장이다.
② ㉡: 나열의 관계로 대등하게 이어진 문장이다.
③ ㉢: 목적의 관계로 종속적으로 이어진 문장이다.
④ ㉣: 조건의 관계로 종속적으로 이어진 문장이다.
⑤ ㉤: 원인의 관계로 종속적으로 이어진 문장이다.

10 [보기]의 문장에서 주성분, 부속 성분, 독립 성분을 찾아 쓰시오.

┤보 기├

네, 저는 도서관에서 재미있는 책을 읽었습니다.

• 주성분:
• 부속 성분:
• 독립 성분:

Break Time

'연필'은
깎지 않으면
쓸 수 없고 ...

kimyh@hani.co.kr

'사람'은 다듬지 않으면 쓸 데 없다...

기타 **IV**

개념 13 단어의 발음과 표기

모음의 발음

원래의 음을 살려 발음함.

예외 1) 'ㅚ', 'ㅟ'는 이중 모음으로 발음할 수 있음. 예 외가[외:가] / [웨:가]

예외 2) 다음의 경우 이중 모음을 단모음으로 발음할 수도 있음.

가져[가저], 고쳐[고처]	→ 용언의 활용형에 나타나는 '져, 쪄, 쳐'는 [저, 쩌, 처]로 발음함.
시계[시계 / 시게], 지혜[지혜 / 지헤]	→ '예, 례' 이외의 'ㅖ'는 [ㅔ]로도 발음함.
무늬[무니], 희망[히망]	→ 자음을 첫소리로 가지고 있는 음절의 'ㅢ'는 [ㅣ]로 발음함.
정의[정의 / 정이]	→ 단어의 첫음절 이외의 '의'는 [ㅣ]로 발음함도 허용함.
너의[너의 / 너에], 고의의[고:의의 / 고:이에]	→ 조사 '의'는 [ㅔ]로 발음함도 허용함.

받침의 발음 1: 홑받침의 발음(7종성)

받침소리로는 'ㄱ, ㄴ, ㄷ, ㄹ, ㅁ, ㅂ, ㅇ'의 7개 자음만 발음하고, 그 밖의 자음은 이 7개 자음 중 하나로 바꾸어 발음함(단어의 끝 또는 자음 앞의 홑받침).

- ㄱ, ㄲ, ㅋ → [ㄱ] / ㄴ → [ㄴ] / ㄷ, ㅌ, ㅅ, ㅆ, ㅈ, ㅊ, ㅎ → [ㄷ] / ㄹ → [ㄹ] / ㅁ → [ㅁ] / ㅂ, ㅍ → [ㅂ] / ㅇ → [ㅇ]

받침의 발음 2: 겹받침의 발음

겹받침은 단어의 끝 또는 자음 앞에서 두 자음 중 하나로만 발음함.

겹받침의 앞 자음이 발음되는 경우	겹받침의 뒤 자음이 발음되는 경우
넋[넉], 앉다[안따], 여덟[여덜], 외곬[외골], 핥다[할따], 값[갑] 등	흙[흑], 삶[삼], 읊다[읍따] 등

예외 1) 겹받침 'ㄼ': '밟-'은 자음 앞에서 [밥]으로 발음하고, '넓-'은 '-둥글다', '-죽(적)하다'와 결합하는 경우 [넙]으로 발음함. 예 밟다[밥따], 넓둥글다[넙뚱글다]

예외 2) 겹받침 'ㄺ': 용언의 어간에 쓰인 겹받침 'ㄺ'은 'ㄱ' 앞에서 [ㄹ]로 발음함. 예 맑게[말께]

받침의 발음 3: 받침 'ㅎ'의 발음

- 받침 'ㅎ(ㄶ, ㅀ)' 뒤에 'ㄱ, ㄷ, ㅈ'이 결합되는 경우 각각 [ㅋ, ㅌ, ㅊ]으로 소리 남. 예 놓고[노코], 많다[만타], 옳지[올치]
- 받침 'ㅎ(ㄶ, ㅀ)' 뒤에 'ㅅ'이 결합되는 경우 [ㅆ]으로 소리남. 예 닿소[다:쏘], 많소[만:쏘], 옳소[올쏘]
- 받침 'ㅎ' 뒤에 'ㄴ'이 결합되는 경우 [ㄴㄴ]으로 소리 남. 예 낳는[난는], 놓는[논는]
- 받침 'ㅎ(ㄶ, ㅀ)' 뒤에 모음으로 시작되는 어미나 접미사와 결합되는 경우 소리 나지 않음. 예 좋아[조아], 않은[아는], 닳아[다라]

[단모음과 이중모음]
단모음은 소리를 내는 도중에 혀의 위치나 입술 모양이 바뀌지 않는 모음. 'ㅏ, ㅐ, ㅓ, ㅔ, ㅗ, ㅚ, ㅜ, ㅟ, ㅡ, ㅣ (10개)'가 있다. 이중 모음은 소리를 내는 도중에 혀의 위치나 입술 모양이 달라지는 모음. 'ㅑ, ㅒ, ㅕ, ㅖ, ㅘ, ㅙ, ㅛ, ㅝ, ㅞ, ㅠ, ㅢ (11개)'가 있다.

[모음 앞에서의 받침의 발음]
① 받침 뒤에 모음으로 시작하고 문법적인 의미를 지닌 말(조사, 어미 등)이 올 때
- 홑받침의 경우: 홑받침을 뒤 모음의 첫소리로 옮겨 발음함. 예 빛이[비치]
- 겹받침의 경우: 겹받침 중 뒤엣것만을 뒤 모음의 첫소리로 옮겨 발음함. 예 앉을[안즐]

② 받침 뒤에 모음으로 시작하고 실질적인 의미를 지닌 말(명사 등)이 올 때
- 홑받침의 경우: 홑받침을 7종성 중 하나로 바꾼 후, 뒤 모음의 첫소리로 옮겨 발음함. 예 겉옷[거돋], 꽃 위[꼬뒤]
- 겹받침의 경우: 겹받침 중 하나만을 뒤 모음의 첫소리로 옮겨 발음함. 예 닭 앞에[다가페], 값있다[가빋따]

Step 1 문제로 연습하기

[01~05] 다음 설명이 맞으면 O표, 틀리면 X표 하시오.

01 국어의 단모음 중에는 다른 소리로 바꾸어 발음할 수 있는 모음도 있다. (   )

02 'ㅢ'는 이중 모음이므로 항상 이중 모음으로 소리 내야 한다. (   )

03 국어의 자음은 첫소리와 끝소리에서 모두 똑같이 발음된다. (   )

04 겹받침 'ㄺ'은 실제 발음할 때 [ㄹ]로도 소리 나고 [ㄱ]으로도 소리 난다. (   )

05 받침 'ㅎ'이 있는 말은 뒤에 오는 음운이 자음인지 모음인지에 따라 소리가 달라진다. (   )

[06~08] 다음 단어들의 받침의 발음을 바르게 연결하시오.

06 옷 ·   · ㉠ [ㄱ]

07 숲 ·   · ㉡ [ㄷ]

08 밖 ·   · ㉢ [ㅂ]

[09~16] 다음 밑줄 친 단어들의 받침의 발음을 [보기]를 참고하여 표시하시오.

> **보기**
>
> 닭 → ㄹ㉠

09 삶 → [   ]   **10** 읽게 → [   ]

11 값 → [   ]   **12** 앉다 → [   ]

13 넓다 → [   ]   **14** 넋 → [   ]

15 끊다 → [   ]   **16** 넓죽하다 → [   ]

01 [보기]를 바탕으로 각 단어를 발음한 것으로 적절하지 <u>않은</u> 것은?

┤ 보 기 ├
첫소리에 자음이 있을 경우 'ㅖ'의 발음은 [ㅖ], [ㅔ] 둘 다 허용한다. 다만, '예'나 '례'의 경우 원래 소리로 발음해야 한다.

① 은혜[은혜]   ② 경계[경게]   ③ 세례[세레]
④ 예절[예절]   ⑤ 혜택[헤택]

02 다음 밑줄 친 부분의 모음을 반드시 이중 모음으로 발음해야 하는 것은?

① <u>의</u>미   ② 가<u>져</u>   ③ 세<u>계</u>   ④ 살<u>쪄</u>   ⑤ <u>희</u>망

'ㅢ'의 발음
원칙 [민주주의의 의의]
허용1 [민주주이의 의의]
허용2 [민주주의의 의이]
허용3 [민주주의에 의의]
허용4 [민주주이에 의의]
허용5 [민주주의에 의이]
허용6 [민주주이의 의이]
허용7 [민주주이에 의이]

03 [보기]를 통해 알 수 있는 발음의 원칙으로 적절하지 <u>않은</u> 것은?

┤ 보 기 ├
• 무늬[무니]   • 주의[주의] / [주이]
• 나의[나의] / [나에]   • 의미[의미]

① 조사로 쓰인 '의'는 [ㅢ] 또는 [ㅔ]로 발음한다.
② 자음을 첫소리로 가지고 있는 'ㅢ'는 [ㅣ]로 발음한다.
③ 단어의 첫음절에 있는 '의'는 원래의 소리를 살려 발음한다.
④ 단어의 첫음절 이외에 쓰인 'ㅢ'는 [ㅣ] 또는 [ㅔ]로만 발음한다.
⑤ 단어의 첫음절 이외의 '의'가 조사가 아니면 [ㅢ] 또는 [ㅣ]로 발음한다.

04 다음 중 밑줄 친 단어의 발음을 바르게 나타낸 것은?

① 몸은 <u>늙고</u>[늑꼬] 마음은 젊다.
② 웃음을 <u>옮기는</u>[올기는] 사람이야.
③ 그 선을 <u>밟고</u>[발꼬] 뛰면 안 된다.
④ 지붕 위에 <u>수탉</u>[수탁] 한 마리가 있다.
⑤ 이제 너를 더 이상 만나기 <u>싫다</u>[실따].

IV

기
타

05 [보기]는 받침 'ㅎ'의 발음을 2가지로 나눈 것이다. 같은 사례로 제시할 수 없는 것은?

이렇게 풀어 봐!

[보기]에서 받침 'ㅎ'이 뒤에 오는 자음으로 인하여 다른 소리로 발음이 된다는 것을 고려해 봐!

┌── 보 기 ───────────────
│ ㉠ 닿고[다코], 좋게[조케]
│ ㉡ 넣다[너타], 낳도록[나토록]
└───────────────────────

① ㉠: 하얗게　　　② ㉡: 닳아　　　③ ㉠: 쌓고

④ ㉠: 조그맣게　　⑤ ㉡: 노랗다

06 각 단어의 발음에 대해 적절히 설명한 것은?

① 낳느냐: '낳'의 받침 'ㅎ'이 탈락하여 [나느냐]로 발음한다.

② 쌓아: '쌓'의 받침 'ㅎ'이 뒤로 옮겨져 [싸하]로 발음한다.

③ 놓지: '놓'의 받침 'ㅎ'이 [ㄷ]으로 바뀌면서 [녿찌]로 발음한다.

④ 옳은: '옳'의 받침에 있던 'ㄹ'은 받침으로, 'ㅎ'은 뒤로 옮겨져 [올흔]으로 발음한다.

⑤ 끊고: '끊'의 받침에 있던 'ㅎ'이 뒤의 'ㄱ'과 결합하여 [끈코]로 발음한다.

07 밑줄 친 부분의 발음이 다른 하나는?

① 맑다　　② 맑고　　③ 맑소　　④ 맑지　　⑤ 맑던

참고해 봐!

받침 'ㄺ'의 발음은 'ㄺ'이 용언의 받침으로 쓰인 경우에는 뒤에 어떤 자음이 오느냐에 따라 [ㄹ] 또는 [ㄱ]으로 발음된다.

08 밑줄 친 ㉠~㉤의 발음을 바르게 나타낸 것은?

┌── 보 기 ───────────────────────────
│ 친구의 ㉠의견을 듣고 '㉡옳소!'하며 일어서다가 ㉢넓적한 바위에
│ ㉣무릎을 ㉤찧었다.
└───────────────────────────────────

① ㉠[이견]　② ㉡[올쏘]　③ ㉢[널쩌칸]　④ ㉣[무릅]　⑤ ㉤[찌허따]

● 언어의 특성

- **자의성**: 언어의 의미(내용)와 말소리(형식)는 필연적으로 결합된 것이 아니라 우연히 결합된 것임. → 하나의 대상을 나타내는 말소리는 처음부터 한 가지로 정해져 있는 것이 아니라, 각 언어를 쓰는 사람들이 임의대로 정한 것임.

- **사회성**: 언어는 한 사회에 속한 사람들 사이의 '사회적 약속'이므로, 개인이 마음대로 바꿀 수 없음.
  - ㉖ 어떤 사회에서 '나무'를 '나무'라고 부르기로 약속했는데, 어떤 사람이 '나무'를 '무나'라고 부르면 다른 사람들과 원활하게 의사소통을 하기 어려움.
- **역사성**: 언어는 시간이 지남에 따라 새로운 말이 생겨나거나, 소리나 의미가 달라지거나, 없어지기도 함.

	새롭게 생겨난 말		스마트폰, 인터넷, 네티즌, 댓글 등
소리나 의미가 달라진 말	소리가 변화하는 경우		나모 → 나무, 불휘 → 뿌리, 가히 → 개 곳 → 꽃, 그리메 → 그림자, 녀름 → 여름
	의미가 달라지는 경우	확대	다리: (과거) 사람이나 짐승의 다리 → (현재) 무생물의 다리도 포함함.
		축소	미인: (과거) 재주나 용모가 뛰어나 매력적인 남녀 → (현재) 외모가 아름다운 여자
		이동	어리다: (과거) 어리석다 → (현재) 나이가 적다. 어여쁘다: (과거) 불쌍하다 → (현재) 예쁘다.
이제까지 쓰이다가 없어진 말	둘 이상의 단어가 경쟁하다 한 쪽이 소멸된 경우		온 → 백(百), 즈믄 → 천(千), 뫼 → 산(山), 가람 → 강(江)
	대상이 없어지면서 소멸된 경우		생원, 진사, 어사, 수라 등

- **창조성**: 인간은 이미 알고 있는 언어를 바탕으로 상황에 따라 단어나 문장을 새롭게 만들어 무한하게 표현할 수 있음.
  - ㉖ '나무가 크다.'라는 문장과 '과자가 좋다.'라는 말을 배운 사람은 '나무가 좋다.'라는 문장을 만들 수 있음.

[언어의 자의성과 사회성의 관계]
'나무'를 [나무]나 [트리]라고 부르게 된 것은 어떤 필연적인 이유가 있어서가 아니라, 우연히 그렇게 결정된 것임(자의성). 그러나 이 약속이 사회적으로 수용된 뒤에는 개인이 마음대로 바꾸어 사용할 수 없음(사회성).

[이외의 언어의 특성]
- **기호성**: 언어는 말하는 이가 표현하고자 하는 내용인 '의미'를 일정한 형식인 '말소리'로 나타내는 기호 체계임.
  - ㉖
   → [나무]
  (의미)　　(말소리)
- **규칙성**: 모든 언어에는 지켜야 할 일정한 규칙이 존재하며, 언어를 사용하는 사람들은 그 규칙을 따라야 함.
  - ㉖ 나는 심는다 나무를 (×) → 나는 나무를 심는다.(○)

Step 1 문제로 연습하기

[01~04] 다음 (　　) 안에 들어가기에 알맞은 말을 넣으시오.

01 언어의 (　　　　)이란, 언어의 내용과 형식은 우연히 결합한 것이라는 의미이다.

02 언어는 '(　　)적 약속'이기 때문에 개인이 함부로 바꿀 수 없는데, 이를 언어의 사회성이라고 한다.

03 시간이 지남에 따라 새로운 말이 생겨날 수 있다는 언어의 특성은 언어의 (　　　　)과 관련된다.

04 하나의 단어를 활용해 여러 개의 문장을 만들 수 있는 언어의 특성을 언어의 (　　　　)이라고 한다.

[05~08] 다음에 제시된 예와 그와 관련된 언어의 특성을 바르게 연결하시오.

05
> 과거에는 '계단'을 '버텅'이라고도 불렀으나, 지금은 '계단'이라고만 부른다.

· ㉠ 자의성

06
> '밥을 먹는다.'라는 문장과 '빵'이라는 단어를 알면 '나는 빵을 먹는다.'라는 문장도 만들 수 있다.

· ㉡ 창조성

07
> '물'이라는 단어를 프랑스에서는 'eau'[오]라고 하고, 일본에서는 'みず'[미즈]라고 한다.

· ㉢ 역사성

08
> 다 자라지 않은 닭을 '병아리'라고 부르지 않고 '강아지'라고 부르면 다른 사람과 의사소통이 어려워진다.

· ㉣ 사회성

[09, 10] [보기]를 읽고 옳은 것은 O표, 옳지 않은 것에는 X표 하시오.

> ─┤ 보 기 ├─
>
> 　고속도로를 가다 보면 고장 난 차를 세워 두거나 소방차, 경찰차가 다닐 수 있도록 도로 곁에 이어져 있는 길을 볼 수 있다. 이것은 얼마 전만 해도 '노견(路肩)'이라고 부르던 것으로, '노견(路肩)'은 영어 '(road) shoulder'를 일본 사람들이 한자로 옮겨 만든 말이다. 이 말은 일본에서 들어왔으며, 어색한 한자어라는 이유로 '길어깨'로 바뀐 적이 있었다. 그러나 '길어깨' 역시 길을 사람의 몸에 비유하고 그 의미가 무엇인지 바로 알기 어렵다는 등 문제점이 많아 다시 '갓길'로 바뀌었다. 지금은 '노견'이나 '길어깨'라는 말 대신 '갓길'이라는 말이 널리 쓰이고 있다.

09 똑같은 길을 영어로는 '(road) shoulder', 우리말로는 '길어깨'라고 서로 다르게 부르는 것은 언어의 자의성 때문이다. (　　　)

10 '노견'이나 '길어깨' 대신 '갓길'이라는 말이 사용된 것은 언어의 역사성 측면에서 볼 때, 단어의 의미가 확장된 것이다. (　　　)

01 언어의 특성에 대한 설명으로 알맞지 <u>않은</u> 것은?

① 언어의 의미와 말소리 사이에는 필연적인 관계가 없다.

② 언어는 그 언어를 사용하는 사람들 간의 일종의 약속이다.

③ 인간은 상황에 따라 무한하게 많은 문장을 만들어 낼 수 있다.

④ 한번 정해진 단어의 의미는 시간이 지나도 절대로 변하지 않는다.

⑤ 시간의 흐름에 따라 특정한 의미를 나타내는 단어의 말소리가 바뀌기도 한다.

02 [보기]에서 설명하고 있는 언어의 특성과 관련이 <u>없는</u> 것은?

> 보 기
>
> 새말이 생겨나는 경우로는 새로운 문물이 밖에서 들어오거나 사회 변화에 따라 새로운 개념이 생길 때 이를 표현하기 위한 새로운 말이 생긴다. 이와 달리 사용되던 말이 바뀌는 경우도 있다. 을 '나모'라고 불렀지만 지금은 '나무'라고 부르는 것처럼 한 대상을 부르는 말소리가 달라지거나, 의미가 변하는 경우이다. 또 사라진 말도 있는데 더 이상 사람들이 사용하지 않거나, 시대의 흐름에 따라 그것이 의미하는 대상이 없어지면서 소멸하는 말들이 있다.

① 오징어는 '오적어', '오즉어', '오증어'로 변하다가 오늘날 '오징어'라고 부르게 되었다.

② '네티즌', '스마트폰'과 같은 말은 현대 사회가 정보화 사회로 발돋움함에 따라 새로 만들어진 말이다.

③ 식당에서 밥을 주문할 때 "깡을 주세요."라고 이야기하면 상대방과 의사소통이 되지 않는다.

④ '수라', '대감', '어사' 등은 과거에 있던 대상이나 개념이 사라져 지금은 쓰이지 않게 된 말이다.

⑤ 과거에는 '백(百)'과 '온'이라는 말이 같이 쓰였지만, 사람들이 '온'이라는 말을 사용하지 않아 지금은 '백(百)'이라는 말만 쓰이고 있다.

참고해 봐!

다음과 같은 상황에서 '언어의 역사성'을 확인할 수 있다.

① 새말이 생겨나는 경우
② 소리가 달라지는 경우
③ 의미가 달라지는 경우
　─ 확대
　─ 축소
　─ 이동
④ 쓰이다가 없어지는 경우
　─ 둘 이상이 경쟁하다가 한 쪽이 소멸하는 경우
　─ 대상이 없어지면서 소멸하는 경우

03 [보기]의 '그'에 대한 평가로 가장 적절한 것은?

[보기]의 '그'가 모든 사물을 새로운 이름으로 부르다가 결국에는 혼자만의 언어를 사용했다는 점에 주목하고, 이와 관련된 언어의 특성을 생각해 보자.

> ─ 보기 ─
>
> 그는 의자를 자명종이라고 부르기로 하였다. 그는 벌떡 일어나서 옷을 입고 자명종에 앉아서 두 팔을 책상에 괴고 있었다. 하지만 이제 책상을 더 이상 책상이라고 불러서는 안 되었다. 그는 이제 책상을 양탄자라고 불렀다. 〈중략〉 그 뒤로 남자는 모든 사물을 부르는 새로운 이름을 익혀 가면서 차츰 원래의 명칭을 잊어버렸다. 그는 이제 완전히 혼자만 알고 있는 새로운 언어를 사용했다.
>
> – 피터 벡셀, 「책상은 책상이다」 중에서

① 언어의 규칙성을 지킴으로써 정확한 언어생활을 할 수 있게 되었어.
② 언어의 사회성을 무시해서 결국 의사소통에 어려움을 겪게 될 거야.
③ 언어의 역사성을 이해하지 못하고 언어의 변화를 인정하고 있지 않아.
④ 언어의 자의성을 고려하여 새로운 대상에 적절한 이름을 붙이고 있어.
⑤ 언어의 창조성을 활용하여 자신의 생각을 정확하게 전달할 수 있게 될 거야.

04 [보기]의 ㉠~㉿에 대한 설명으로 알맞지 <u>않은</u> 것은?

> ─ 보기 ─
>
> 승수는 손을 번쩍 들고 선생님이 이름을 부르기도 전에 질문을 던졌다. "그런데 왜 이 낱말은 이 뜻이고 저 낱말은 저 뜻인지 아직도 모르겠어요. 예를 들어 '㉠개'라는 말이 ㉡꼬리를 흔들며 왈왈 짖는 동물을 뜻한다고 누가 정했나요? 누가 그런 거지요?"
> 선생님이 승수가 던진 질문에 대답했다.
> ㉢"누가 개를 개라고 했냐고? 네가 그런 거야. 너와 나와 이 반에 있는 아이들과 이 학교와 이 마을과 이 나라의 모든 사람들이. 우리 모두 그렇게 하자고 약속한 거야. ㉣여기가 프랑스라면 그 털복숭이 네 발짐승은 '시엥'이라고 불렀을 거야. 우리 말로는 '개'이지, 독일어로는 '훈트'이고. 이렇게 전 세계에 다른 말이 있어. 하지만 ㉤이 교실에 있는 우리가 개를 다른 이름으로 부르기로 하면, 그리고 다른 사람들도 모두 그렇게 하면, 개는 그 이름으로 불릴테고, ㉿나중에는 사전에도 그 이름이 올라가게 될 거야."

① ㉠: ㉡의 의미를 표현하기 위한 말소리이다.
② ㉢: 언어의 사회성을 설명하고 있다.
③ ㉣: 언어의 내용과 형식 사이의 우연적 관계를 보여 주는 예이다.
④ ㉤: 새말이 사회적으로 인정받는 과정이 드러나 있다.
⑤ ㉿: 언어의 역사성 중, 한 단어의 의미가 확장되는 이유를 알 수 있다.

● 담화의 개념

다른 사람들과 의사소통을 위해 일정한 상황에서 말을 주고받을 때, 자신의 생각을 실제 문장으로 나타낸 것을 '발화'라고 하고, 이러한 발화가 모여 하나의 의미를 이룬 덩어리를 '담화'라고 함.

● 담화의 구성 요소

- 말하는 이(화자), 듣는 이(청자)
- 발화(내용): 말하는 이와 듣는 이 사이에 주고받는 것.
- 맥락: 상황 맥락과 사회·문화적 맥락
  ① 상황 맥락: 담화가 이루어지는 시간적·공간적 상황. 말하는 이의 의도와 목적, 말하는 이와 듣는 이의 위치와 관계 등과 관련됨.
  ② 사회·문화적 맥락: 담화를 둘러싼 사회·문화적 상황. 세대, 지역, 성별, 문화 등과 관련됨.

● 담화의 특성

- 상황 맥락에 따라 말하는 이의 의도와 목적을 파악해야 함.

- 말하는 이와 듣는 이의 위치와 관계에 따라 적절한 지시어와 높임 표현을 사용해야 함.

> 형: 선재야, 이거 어디다가 둘까? ──▶ 말하는 이(형)에게 가까이 있는 물건
> 동생: 아, 그거. 거기 형 앞 상자에 넣어줘.
> 형: 응, 알았어. 여기 둘게. ──▶ 듣는 이(형)에게 가까이 있는 장소
> ──▶ 말하는 이(형)에게 가까이 있는 장소
> 엄마: 아니야. 저기 밖에 있는 노란 상자에 두렴.
> ──▶ 말하는 이(어머니)와 듣는 이(형) 모두에게 멀리 있는 장소

- 세대, 지역, 문화 등의 차이에 따른 사회·문화적 맥락을 고려해야 함.

수진: 친구 생파 때문에 오늘 늦게 올 것 같아요. └─ 세대 간의 차이가 생기는 원인이 되는 말 할머니: 무슨 파? 갑자기 파는 왜?	세대 간의 언어 차이를 고려해야 함.
할아버지: 국이 식었네, 얼른 데파 주마. └─ '데워'의 지역 방언 진영: 괜찮아요. 전 대파 싫어해요.	지역 간의 언어 차이를 고려해야 함.
한국인: 차린 것이 없습니다. 편히 드세요. 외국인: 아니, 음식이 이렇게 많은데 차린 것이 없다니요.	문화에 따른 언어 차이를 고려해야 함.

[담화의 구성 요건]
① 통일성: 담화의 내용이 하나의 주제로 밀접하게 연결되는 것.
② 응집성: 지시어나 접속어 등을 적절하게 사용하여 담화를 이루는 각각의 발화들이 긴밀하게 연결되는 것.

[담화의 유형]

유형	말하는 이의 의도	예
성보제공 담화	지식, 정보를 제공하기 위해	강의, 뉴스 보도
호소 담화	상대방을 설득하여 무엇인가를 하도록 하기 위해	광고, 연설
친교 담화	인간관계를 원활하게 하기 위해	인사말, 잡담
약속 담화	약속을 지키겠다는 다짐을 하기 위해	선서, 맹세

[지시 표현]

말하는 이에게 가까이 있는 경우	이, 이것, 이분, 여기, 이쪽
듣는 이에게 가까이 있는 경우	그, 그것, 그분, 거기, 그쪽
말하는 이와 듣는 이 모두에게 멀리 있는 경우	저, 저것, 저분, 저기, 저쪽

Step 1 문제로 연습하기

[01~04] 다음 (　　　) 안에 들어가기에 알맞은 말을 넣으시오.

01 발화가 모여 하나의 의미를 이룬 덩어리를 (　　　　)(이)라고 한다.

02 담화의 구성 요소에는 화자, (　　　　), 발화, 맥락이 있다.

03 담화의 (　　　　)은/는 담화가 이루어지는 구체적인 시공간을 의미하며, 말하는 이와 듣는 이의 위치와 관계, 말하는 이의 의도와 목적 등과 관련된다.

04 담화의 사회·문화적 맥락은 (　　　　), 지역, 문화 등과 관련된다.

[05~08] 다음을 읽고 이에 대한 설명이 맞으면 O표, 틀리면 X표 하시오.

> 어머니: 어머, 아들! 오늘은 집에 일찍 왔네.
> ┌ 아들: 친구들하고 잠깐 수족관에 갔다 농구하고 왔어요.
> [A] 어머니: 뭐? 아니, 근처에 수족관이 어디에 있어?
> └ 아들: 참, 엄마. PC방의 발음이 Fish랑 비슷하잖아요.
> 어머니: 너희들은 그냥 말하면 되는 걸 왜 꼭 그렇게 못 알아듣게 말하니?
> 아들: 헤헤. 근데, 저 오늘 친구들하고 농구를 하다가 신발주머니를 잃어버렸어요.
> 어머니: ㉠잘했네, 잘했어.

05 이 담화의 상황 맥락 중 공간적 상황은 집이다. (　　　)

06 아들이 어머니에게 존댓말을 사용하는 이유는 자신과 청자의 관계를 고려했기 때문이다. (　　　)

07 [A]에서 아들과 어머니의 의사소통이 원활하게 이루어지지 않은 이유는 세대 간의 언어 차이 때문이다. (　　　)

08 ㉠에 대한 대답으로 아들이 "그렇죠?"라고 한다면, 어머니의 말의 의도를 제대로 파악했다고 볼 수 있다. (　　　)

09 다음 담화 상황에서 고려해야 할 사회·문화적 맥락의 요소를 (　　　) 안에 써 넣으시오.

> 할아버지: 이 짠지*가 맛이 잘 들었다.
> 외국인: 짠지가 뭐예요?
> * 짠지: 무를 통째로 소금에 짜게 절여서 묵혀 두고 먹는 김치.

→ (　　　　)에 따른 언어 차이를 고려해야 한다.

01 담화에 대한 설명으로 적절하지 <u>않은</u> 것은?

① 담화는 발화가 모여서 하나의 의미를 이룬 덩어리이다.

② 담화는 말하는 이, 듣는 이, 발화 내용, 맥락 등으로 구성된다.

③ 담화의 맥락은 상황 맥락과 사회·문화적 맥락으로 나눌 수 있다.

④ 의사소통 상황에서 담화의 맥락을 고려하지 못하면 오해와 갈등이 생길 수 있다.

⑤ 담화는 의사소통 과정에서 머릿속 생각이 음성을 통해 실제 문장 단위로 나타난 것이다.

02 담화의 사회·문화적 맥락에 대한 설명으로 적절하지 <u>않은</u> 것은?

① 세대에 따라 사용하는 어휘나 표현 방식이 달라지기도 한다.

② 자신이 자라온 문화에 따라 같은 표현을 다르게 이해하기도 한다.

③ 사회·문화적 맥락을 고려하지 못한 채 대화를 나누면 의사소통이 잘 되지 않을 수도 있다.

④ 말하는 이와 듣는 이 사이의 거리에 따라 같은 장소도 다른 지시어로 표현할 수도 있다.

⑤ 같은 언어라도 지역적으로 오랜 기간 동안 왕래하지 않게 되면 언어에 차이가 생기기도 한다.

> **참고해 봐!**
>
> 담화의 맥락을 고려하지 않고 말할 경우 생길 수 있는 문제점
> ① 오해가 생기거나, 의미를 해석하는 것이 어려울 수 있음.
> ② 예의에 어긋나거나 상대방의 마음을 불편하게 할 수 있음.

03 [보기]의 ㉠과 ㉡을 고려할 때, '지금 몇 시니?'라는 말이 의미하는 바를 바르게 짝지은 것은?

┌─── 보 기 ───┐
㉠ 친구가 약속 시간보다 한참 늦게 온 경우
㉡ 등굣길에 교문 앞을 뛰어가며 친구를 만난 경우

> **이렇게 풀어 봐!**
>
> 같은 말이라도, 상황 맥락과 사회·문화적 맥락에 따라 다르게 해석할 수 있다. 그렇기 때문에 하나의 발화를 해석할 때는 발화를 둘러싼 맥락을 파악하고 말하는 사람의 의도와 목적을 고려해야 한다.

	㉠	㉡
①	약속 시간을 다시 확인함.	친구를 만난 기쁨을 표현함.
②	약속 시간에 늦은 친구를 질책함.	자신에게 남은 시간을 확인함.
③	정확한 시간이 궁금함.	약속 시간에 늦은 친구를 질책함.
④	늦게라도 친구를 만난 기쁨을 표현함.	정확한 등교 시간이 궁금함.
⑤	지각하는 것을 걱정함.	정확한 시간이 궁금함.

04 [보기]의 ㉠과 ㉡에 대한 설명으로 적절한 것은?

> ── 보 기 ──
>
> 〈발표 전〉
>
> ┌ 선생님: 지금부터 강찬혁 학생의 발표가 있겠습니다. 강찬혁 학생
> ㉠ │ 은 발표해 주시기 바랍니다.
> └ 학생: 네. 그럼 지금부터 발표를 시작하겠습니다.
>
> 〈발표 후〉
>
> ┌ 선생님: 정말 잘했구나. 떨지도 않고 차분하게 잘했어. 발표문은
> ㉡ │ 여기에 두고 가렴.
> └ 학생: 네. 고맙습니다. 발표문은 거기에 두면 되나요?

① 선생님은 ㉡과 달리 공식적인 자리인 ㉠에서 학생에게 높임 표현을 사용하고 있다.

② ㉡의 선생님은 겉에 나타난 의미와 달리 학생의 잘못을 지적하는 의미의 발화를 하고 있다.

③ ㉡의 학생의 반응을 고려하면 선생님의 발화 의도가 학생에게 잘 전달되지 못했다고 볼 수 있다.

④ ㉡에서 선생님이 발표문을 두고 가라고 한 장소는 선생님과 가까운 곳이므로 학생은 '거기에' 대신 '저기에'라는 표현을 써야 한다.

⑤ ㉠과 ㉡을 통해 담화 상황에서 세대 간의 차이를 고려하는 것이 정확한 의미를 전달하는 데 중요하다는 것을 알 수 있다.

05 상황 맥락을 고려했을 때 밑줄 친 발화의 의미를 해석한 것으로 옳지 <u>않은</u> 것은?

① (책을 많이 들고 가는 아이가 친구에게) "앞이 안 보여." → 도움을 요청함.

② (방에서 뛰는 아이에게) "손님이 오셨어." → 뛰지 말 것을 요청함.

③ (극장에 들어갈 때) "휴대 전화를 확인해 주세요." → 휴대 전화를 끌 것을 요청함.

④ (밤늦게까지 휴대 전화를 사용하는 아이에게) "눈이 아프지 않니?" → 휴대 전화를 그만 사용할 것을 요청함.

⑤ (방과 후 집에 놀러온다는 친구에게) "오늘 할머니께서 오시기로 하셨어." → 자신의 집에 놀러 오라고 요청함.

● 자음의 창제 원리

- 상형: 발음 기관의 모양을 본떠서 기본자인 'ㄱ, ㄴ, ㅁ, ㅅ, ㅇ'을 만듦.
- 가획: 기본자에 획을 더하여 새 글자를 만듦. 기본자에 획을 더해 소리의 세기를 나타냄(획이 더해질수록 소리의 세기가 강해짐.). 예 ㄴ → ㄷ → ㅌ
- 이체: 상형이나 가획의 원리를 적용하지 않고 모양을 달리해 만듦.

기본자(상형)	창제 원리	한 획을 더함. (가획)	두 획을 더함. (가획)	이체
	혀뿌리가 목구멍을 막는 모양을 본뜸(어금닛소리).	ㅋ		ㆁ
	혀끝이 윗잇몸에 닿는 모양을 본뜸(혓소리).	ㄷ	ㅌ	ㄹ
	입의 모양을 본뜸(입술소리).	ㅂ	ㅍ	
	이의 모양을 본뜸(잇소리).	ㅈ	ㅊ	ㅿ
	목구멍의 모양을 본뜸(목구멍소리).	ㆆ	ㅎ	

- 병서*: 글자를 옆으로 나란히 쓰는 것. 예 ㄲ, ㄸ, ㅃ, ㅺ, ㅼ, ㅴ
- 연서: 글자를 위아래로 이어 쓰는 것. 예 ㅸ, ㅱ, ㆄ

● 모음의 창제 원리

- 상형: '천(天), 지(地), 인(人)'의 모양을 본떠 'ㆍ, ㅡ, ㅣ'이라는 기본자를 만듦.
- 합성: 모음의 기본자를 합쳐서 초출자와 재출자를 만듦.
  - ① 초출자: 기본자인 'ㆍ, ㅡ, ㅣ'를 서로 결합하여 만듦. 예 ㆍ+ㅡ=ㅗ
  - ② 재출자: 기본자와 초출자를 결합하여 만듦. 예 ㅏ+ㆍ=ㅑ

기본자	창제 원리	초출자	재출자
	하늘의 둥근 모양을 본뜸.		
	땅의 평평한 모양을 본뜸.	ㅗ, ㅏ ㅜ, ㅓ	ㅛ, ㅑ ㅠ, ㅕ
	사람이 서 있는 모양을 본뜸.		

[훈민정음]
백성을 가르치는 바른 소리라는 뜻으로, 1443년 세종대왕이 창제한 우리나라 고유의 글자를 이르는 말.

[이체자]
이체자는 '모양이 다른 글자'를 뜻함. 기본자에 획을 더한 것으로 보이지만 소리의 세기를 나타내지는 않음.

＊병서
① 각자 병서: 같은 자음 두 글자를 나란히 써서 만든 글자. 예 ㄲ, ㄸ, ㅆ
② 합용 병서: 다른 자음을 나란히 써서 만든 글자. 예 ㅺ, ㅼ, ㅴ

[한글의 우수성]

독창성	다른 나라의 문자를 모방하거나 변형하지 않고 독창적으로만 들었음.
과학성	발음 기관과 하늘·땅·사람의 모양을 본떠 기본자를 만들고 획을 더해 새로운 글자를 만들었음.
경제성	자음 17개와 모음 11개, 총 28개의 문자를 가지고 많은 소리를 표현할 수 있음.
실용성	한 글자가 한 소리로 발음되는 원리에 충실해 누구나 쉽게 읽고 쓸 수 있음.

[모음의 합용자]
초출자끼리 결합하거나 기본자인 'ㅣ'를 그 외의 글자와 결합하여 만든 글자. 이때 자음의 병서 원리와 같이 이어 쓰는 원리가 적용되며 합용자의 경우 기본자가 세 개 이상 결합한 것임.
예 ㅗ+ㅏ=ㅘ
ㅗ+ㅣ=ㅚ

[01~05] 다음 ( ) 안에 들어가기에 알맞은 말을 쓰시오.

01 자음의 기본자는 (   )이고, 상형의 원리에 따라 만들어졌다.

02 자음의 기본자에 한 획 또는 두 획을 추가하여 글자를 만드는 원리를 (   )(이)라고 하며, 획을 더하여 소리의 세기를 나타냈다.

03 글자를 옆으로 나란히 쓰는 것을 (   )(이)라고 하고 글자를 위아래로 이어 쓰는 것을 (   )(이)라고 한다.

04 모음의 기본자는 (   )이고, 하늘, 땅, 사람의 모습을 본뜬 상형의 원리에 따라 만들어졌다.

05 모음에는 기본자를 합쳐서 만든 (   )와 거기에 기본자를 더해 만든 (   )(이)가 있다.

[06~10] 다음 설명과 관련된 자음을 [보기]에서 모두 찾아 쓰시오.

> ┤ 보 기 ├
> ㄱ ㅋ ㆁ ㄴ ㄷ ㅌ ㄹ ㅁ ㅂ ㅍ ㅅ ㅈ ㅊ ㅿ ㅇ ㆆ ㅎ

06 혀뿌리가 목구멍을 막는 모양을 본뜬 글자의 기본자: (   )

07 목구멍소리의 기본자와 가획자 : (   )

08 기본자 'ㅁ'에 가획을 한 글자: (   )

09 상형이나 가획의 원리를 적용하지 않고 별도로 만든 글자: (   )

10 기본자에 한 획만 더해서 만든 글자: (   )

[11~16] 자음과 모음에 대한 설명으로 옳으면 O표, 틀리면 X표 하시오.

11 자음의 기본자에 두 획을 더한 글자에는 'ㅋ, ㄷ, ㅂ, ㅈ, ㅎ'이 있다. (   )

12 모음의 기본자는 하늘, 땅, 사람의 모양을 본떠 만든 것이고, 'ㅛ, ㅠ, ㅑ, ㅕ'와 같은 글자는 기본자에 발음 기관의 모양을 합성하여 만든 것이다. (   )

13 모음의 초출자는 모음의 기본자를 서로 결합하여 만든 것으로 'ㅗ, ㅏ, ㅛ, ㅑ'가 있다. (   )

14 모음의 재출자는 초출자에 기본자를 결합하여 만든 것으로 'ㅠ, ㅕ'가 있다. (   )

15 다른 기본자와 달리, 자음의 입술소리와 목구멍소리에는 이체자가 없다. (   )

16 자음 중 두 획을 더해 만든 가획자가 없는 소리는 어금닛소리와 잇소리이다. (   )

01 한글 창제 원리에 대한 설명으로 알맞지 <u>않은</u> 것은?

① 자음과 모음의 기본자에는 상형의 원리가 적용되었다.

② 모음의 기본자를 합쳐서 더 많은 모음을 만들었다.

③ 자음의 기본자에 획을 더해 더 많은 자음을 만들었다.

④ 자음 중 가획자는 소리의 세기를 반영하여 만든 것이다.

⑤ 자음은 모두 상형과 가획의 원리만으로 만들어진 글자이다.

02 다음에 대한 설명으로 옳은 것은?

> ㅇ → ㆆ → ㅎ

① 'ㅇ'은 입술이 맞닿아서 나는 소리이다.

② 'ㅇ'에 모음 'ㅡ'를 더해 'ㆆ'이 된 것이다.

③ 'ㅇ'는 하늘의 둥근 모습을 본뜬 것이다.

④ 획을 더할수록 소리의 세기는 더 강해진다.

⑤ 'ㅇ'이 'ㅎ'으로 되는 과정에는 이체의 원리가 적용되었다.

03 다음 중, 제자 원리가 <u>다른</u> 하나는?

① ㅋ   ② ㅌ   ③ ㅊ   ④ ㅍ   ⑤ ㅿ

04 [보기]의 자음들에 공통적으로 반영된 창제 원리는?

> ┤ 보 기 ├
>
> ㅋ, ㄷ, ㅌ, ㅂ, ㅍ, ㅈ, ㅊ, ㆆ, ㅎ

① 글자를 옆으로 나란히 쓰는 원리

② 발음 기관의 모양을 본떠 만든 원리

③ 글자를 나란히 위아래로 이어 쓰는 원리

④ 기본 글자에 한 획 혹은 두 획을 추가하여 만든 원리

⑤ 모양을 본뜨거나 획을 추가하지 않고 별도로 모양을 달리해 만든 원리

05 [보기]의 글자에 대한 설명으로 옳은 것은?

┌─ 보 기 ─────────────────────────────────┐

스

└──┘

이렇게 풀어 봐!

자음의 경우 그 자음이 소리 나는 위치를 생각해 보고, 모음의 경우 하늘, 땅, 사람 중 무엇을 본뜬 글자인지를 생각해 봐.

	ㅅ	ㅡ	ㄱ
①	이의 모양을 본뜸.	하늘의 둥근 모양을 본뜸.	입의 모양을 본뜸.
②	혀뿌리가 목구멍을 막는 모양을 본뜸.	땅의 모양을 본뜸.	혀끝이 윗잇몸에 닿는 모양을 본뜸.
③	목구멍의 모양을 본뜸.	사람이 서 있는 모양을 본뜸.	목구멍의 모양을 본뜸.
④	혀뿌리가 목구멍을 막는 모양을 본뜸.	하늘의 둥근 모양을 본뜸.	이의 모양을 본뜸.
⑤	이의 모양을 본뜸.	땅의 모양을 본뜸.	혀뿌리가 목구멍을 막는 모양을 본뜸.

06 모음의 창제 원리에 대한 질문과 그에 대한 답변으로 적절하지 <u>않은</u> 것은?

① ┌ 질문: 초출자의 창제 원리는 무엇인가요?
  └ 답변: 기본자인 'ㆍ, ㅡ, ㅣ' 중 두 개를 한 번씩 결합하는 것입니다.

② ┌ 질문: 'ㅣ'와 'ㆍ'가 한 번씩 사용되어 어울려 이루어진 모음은 무엇이 있나요?
  └ 답변: 'ㅣ + ㆍ'를 합하면 'ㅏ'가 되고, 'ㆍ + ㅣ'를 합하면 'ㅓ'가 됩니다.

③ ┌ 질문: 초출자와 재출자에 공통적으로 나타나는 창제 원리는 무엇인가요?
  └ 답변: 기본자를 합쳐 만들었기 때문에 합성의 원리가 적용되었습니다.

④ ┌ 질문: 'ㆍ'에 'ㅗ'를 결합하여 만든 글자는 무엇인가요?
  └ 답변: 재출자인 'ㅛ'입니다.

⑤ ┌ 질문: 'ㅗ'와 'ㅏ'를 결합하여 'ㅘ'를 만든 창제 원리는 무엇인가요?
  └ 답변: 기본자가 두 개를 결합한 것이므로 합성의 원리가 적용되었습니다.

01 국어의 발음과 표기에 대한 설명으로 적절한 것은?

① 단어에 쓰인 모든 겹받침은 둘 중 앞에 있는 자음으로 발음한다.

② 끝소리에 쓰인 자음 중 원래 소리 그대로 발음되는 것은 7개이다.

③ 모음은 뒤에 같은 모음이 오는 경우 이중 모음으로 바뀌어 발음된다.

④ 이중 모음은 원래 소리보다 단모음으로 발음되는 경우가 더 많다.

⑤ 자음은 첫소리에서 발음되는 개수가 끝소리에서 발음되는 개수보다 적다.

02 다음 선생님의 질문에 대한 답을 가장 바르게 쓴 사람은?

> 선생님: '회의'의 발음을 모두 쓰시오.

① 지영: [회의] / [회이]

② 민호: [회의] / [훼의]

③ 혜정: [회이] / [훼의] / [훼이]

④ 동수: [회의] / [훼의] / [훼이]

⑤ 채림: [회의] / [회이] / [훼의] / [훼이]

> **이렇게 풀어 봐!**
>
> 먼저 단모음인 'ㅚ'를 어떻게 발음해야 하는지를 생각해 보아야 해. 이때 'ㅢ'가 몇 번째 음절에 쓰였느냐, 자음과 결합되어 있느냐도 고려해야 해.

03 다음 중 밑줄 친 부분을 발음할 때 [보기] 같은 원칙이 적용되는 것은?

> ── 보 기 ──
>
> 신의, 주의

① 틔우다   ② 의견   ③ 정의   ④ 그들의   ⑤ 희망

04 각 문장의 밑줄 친 부분 중 두 가지로 발음할 수 없는 것은?

① 이 곳은 진작에 밀폐되었어.

② 오늘 강의는 정말 재미있었어.

③ 그 일과 이 일은 연계될 수 없어.

④ 그 책에는 많은 지혜가 담겨 있다.

⑤ 모든 시간을 바쳐 공부할 필요는 없지.

05 [보기]의 밑줄 친 부분의 예에 해당하지 않는 것은?

> ── 보 기 ──
>
> 받침 'ㅎ'은 뒤에 연결되는 자음과 결합하여 다른 자음으로 소리 나기도 하고, 완전히 탈락하여 소리가 나지 않기도 한다.

① 닳아[다라]   ② 쌓지[싸치]   ③ 끓어[끄러]

④ 놓은[노은]   ⑤ 많아[마:나]

받침 'ㄼ'은 뒤에 자음으로 시작하는 말이 오는 경우 [ㄹ]로 발음한다. 다만 '넓-'은 뒤에 '-적하다, -죽하다' 등 특정한 말이 붙는 경우에는 [ㅂ]으로 발음한다.

06 [보기]의 ㉠, ㉡의 발음을 바르게 연결한 것은?

┤ 보 기 ├

㉠ 넓디넓다   ㉡ 넓둥글다

	㉠	㉡
①	[널띠널따]	[널뚱글다]
②	[널띠넙따]	[널뚱글다]
③	[널띠널따]	[넙뚱글다]
④	[널띠넙따]	[넙뚱글다]
⑤	[넙띠넙따]	[넙뚱글다]

07 각 문장의 밑줄 친 단어의 발음을 바르게 나타낸 것은?

① 바람이 훑고[훌코] 간 백사장.
② 내가 같이 가도 괜찮지[괜찬찌]?
③ 유례[유:레]가 없던 일이 일어났다.
④ 나에게 먼저 귀띔[귀띰]을 해 주렴.
⑤ 멋진 시 한 편을 읊고[을꼬] 일어나자.

08 [보기]에서 설명하고 있는 언어의 특성과 관련된 예로 적절한 것은?

┤ 보 기 ├

언어마다 가리키는 내용은 같더라도 말소리나 문자와 같은 형식은 다른 경우가 많다. 이는 언어의 내용과 형식이 필연적으로 결합된 것이 아니라 임의적이고 우연적이기 때문이다.

① 전을 부칠 때 넣는 재료인 '부추'는 지역에 따라 '정구지', '솔'이라고 부르기도 한다.
② 정보와 통신이 발달하면서 '스마트폰', '인공위성' 등 정보와 통신과 관련된 다양한 어휘들이 생겨나고 있다.
③ '생원', '진사', '어사'와 같은 조선 시대의 벼슬 이름은 오늘날에는 사용되지 않는다.
④ 정부가 외래어를 순우리말로 바꾸려면 먼저 국민들에게 이를 충분히 홍보하고 국민의 이해를 이끌어내야 한다.
⑤ 인간은 자신의 의도를 정확히 표현하기 위해서 같은 의미를 나타내는 문장이라도 단어의 순서를 바꾸거나, 더 적절한 단어를 넣기도 한다.

09 [보기]의 ㉠, ㉡과 관련된 언어의 특성을 바르게 연결한 것은?

┤ 보 기 ├

㉠ 동생이 말을 못할 때는 편했는데, 말을 배우고 나니 너무 힘들다. 어제는 '밥 주세요.'라는 말을 배우더니 자기가 아는 '물', '장난감', '과자'라는 말을 이용해서 '물 주세요.', '장난감 주세요.', '과자 주세요.'라는 문장을 만들어 냈다. 문제는 그 말로 나를 들볶는다는 것이다.

㉡ 할아버지께서 뉴스를 보시더니 '미니멀리즘'이나 '빅데이터', '사물인터넷'과 같이 예전에는 없던 말들이 너무 많이 생기다보니 요즘 하는 말은 알아들을 수 없다고 하셨다.

	㉠	㉡
①	언어의 창조성	언어의 역사성
②	언어의 자의성	언어의 창조성
③	언어의 사회성	언어의 자의성
④	언어의 역사성	언어의 자의성
⑤	언어의 자의성	언어의 역사성

10 [자료]는 언어의 일반적 특성에 대해 조사한 결과이다. (가)와 (나)에 들어갈 언어의 일반적 특성을 각각 두 어절*로 쓰시오.

┤ 자 료 ├

(가) _____

언어는 개인이 마음대로 고칠 수 없다. 만약 어떤 개인이 마음대로 말을 만들어 내거나 이미 있던 말을 바꾸어 사용한다면 그 사회 구성원들 간에 의사소통이 제대로 이루어지지 않을 것이다.

(나) _____

언어는 시간의 흐름에 따라 형태와 의미가 변화한다.
- 새로 생긴 단어: 컴퓨터, 지하철, 신용카드, 아파트
- 뜻이 바뀐 단어: 어엿브다(불쌍하다 → 예쁘다)
- 사라진 단어: 즈믄(천), 슈룹(우산)

(가): _____

(나): _____

어절이란 문장에서 띄어쓰기가 되어 있는 말의 덩어리를 의미한다.
예 나는∨ 밥을∨ 먹었다. (3어절)

11 언어의 자의성과 관련된 예로 적절한 것은?

① 과거에 쓰이던 '가람'이라는 말이 현재에는 거의 쓰이지 않는다.

② 우리나라에서는 강아지가 짖는 소리는 '멍멍'이라고 하지만 미국에서는 'bowwow' 라고 한다.

③ 과거에는 종이로 만든 것만을 '지갑'이라고 하였지만 오늘날에는 가죽이나 천으로 만든 것도 지갑이라고 한다.

④ 인간은 자신이 아는 단어들을 조합해 다양한 문장을 만들 수 있으며, 이를 통해 자신의 의견을 표현할 수 있다.

⑤ '딴지'는 과거에는 표준어가 아니었지만, 국민들이 실생활에서 많이 사용함에 따라 표준어로 인정받게 되었다.

12 [보기]의 ㉠~㉥에 대한 설명으로 적절하지 <u>않은</u> 것은?

> ─┤ 보 기 ├─
>
> 민　준: 여기에 옷이 정말 ㉠많다. 뭘 사야 할지 ㉡모르겠어요.
>
> 어머니: 그래? 그럼 내가 하나 골라 줄까? ㉢저것은 어때?
>
> 민　준: (진열대 앞으로 가서) 이거 ㉣말하는거죠? 예쁘네요. 딱 제가 사고 싶던 옷이에요.
>
> 어머니: (뒤따라오며) 응, ㉤그거.
>
> 민　준: (가격표를 보고 혼잣말로) 너무 비싼데, (어머니를 바라보며) ㉥이 옷은 저에게 안 어울릴 것 같아요.

① ㉠은 혼잣말이라 높임 표현을 사용하지 않았지만, ㉡은 듣는 이인 '어머니'를 고려하여 높임 표현을 사용하였다.

② ㉢을 통해 옷이 '민준'과 '어머니'에게서 멀리 있는 장소에 있음을 알 수 있다.

③ ㉣은 '말씀하시는'으로 바꾸어야 한다.

④ ㉤은 '민준'보다 '어머니'에게 가까이 있는 사물을 가리키는 표현이다.

⑤ ㉥의 숨어 있는 의미는 '옷이 너무 비싸서 살 수 없다.'이다.

13 다음의 질문에 대한 답으로 적절하지 <u>않은</u> 것은?

> 담화의 의미는 왜 고정되어 있지 않고 여러 가지로 해석될까?

① 같은 말이라도 문화적 배경에 따라 다르게 해석될 수 있기 때문이다.

② 같은 말이라도 지역이나 세대에 따라 다른 의미로 해석될 수 있기 때문이다.

③ 같은 말이라도 담화의 시간적 · 공간적 배경에 따라 다르게 해석될 수 있기 때문이다.

④ 같은 말이라도 듣는 사람이 그 말을 어떻게 받아들이는지만이 기준이 되기 때문이다.

⑤ 같은 말이라도 말하는 사람의 의도와 목적에 따라 다양하게 해석될 수 있기 때문이다.

1. 상황 맥락, 사회 · 문화적 맥락을 고려하지 않고 의사소통할 때의 문제점
① 오해가 생기거나 담화의 의미를 해석하는 것이 불가능할 수도 있음.
② 예의에 어긋나거나 상대방의 마음을 불편하게 할 수 있음.
2. 상황 맥락, 사회 · 문화적 맥락을 고려하여 의사소통을 하는 방법
① 말하는 목적을 분명히 하고, 상대방이 오해나 혼동을 일으키지 않도록 유의하며 말하기
② 시간과 장소를 고려하여 말하기
③ 듣는 이의 관심과 반응을 고려하여 말하기

14 (가)와 (나)의 구성 요소에 대한 설명으로 적절하지 <u>않은</u> 것은?

> (가) '아버지'가 휴대 전화로 '진영'과 통화를 하고 있다.
> 아버지: 진영아, 지금 문구점에 왔는데, 네가 전에 필요한 준비물이 뭐라고 했지?
> (나) '진영'이 휴대 전화로 '아버지'와 통화를 하고 있다.
> 진영: 저는 50센티미터짜리 자가 필요해요. 또 지우개도 부탁드려요.

① (가)에서 말하는 이는 '아버지'이고 듣는 이는 '진영'이다.

② (가)에서 '아버지'가 있는 공간이 어디인지를 알 수 있다.

③ (나)에서 말하는 이는 '진영'이고 듣는 이는 '아버지'이다.

④ (가)와 (나)의 공간적 상황은 동일하지 않지만, 시간적 상황은 동일하다.

⑤ (가)와 (나)에서 '아버지'와 '진영'은 서로의 발화 의도를 파악하지 못하고 있다.

15 다음은 한글 모음의 창제 원리를 나타낸 것이다. ㉠~㉣에 들어갈 글자로 바르게 짝지어진 것은?

'제자 원리'는 글자를 만드는 원리를 의미한다. 자음의 기본자, 가획자, 이체자는 각각 서로 다른 제자 원리를 바탕으로 만들어졌다는 점을 기억해야 한다.

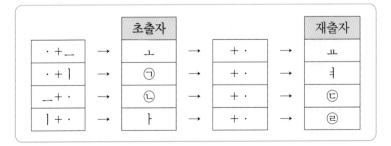

		초출자				재출자
· + ㅡ	→	ㅗ	→	ㅏ + ·	→	ㅛ
· + ㅣ	→	㉠	→	ㅏ + ·	→	ㅕ
ㅡ + ·	→	㉡	→	ㅏ + ·	→	㉢
ㅣ + ·	→	ㅏ	→	ㅏ + ·	→	㉣

	㉠	㉡	㉢	㉣
①	ㅓ	ㅖ	ㅠ	ㅑ
②	ㅓ	ㅜ	ㅠ	ㅑ
③	ㅓ	ㅜ	ㅑ	ㅠ
④	ㅜ	ㅓ	ㅝ	ㅒ
⑤	ㅜ	ㅓ	ㅘ	ㅢ

16 [보기]를 바탕으로 '훈민정음 자음의 제자 원리'에 대해 탐구한 내용으로 적절하지 <u>않</u>은 것은?

┤ 보 기 ├

훈민정음의 자음은 발음 기관을 상형하여 기본자 'ㄱ, ㄴ, ㅁ, ㅅ, ㅇ'을 만들고, 기본자에 획을 더하여 기본자보다 소리가 더 세게 나는 가획자를 만들었다. 각각의 기본자와 가획자는 같은 위치에서 나는 소리를 나타낸다.

그런데 'ㆁ, ㄹ, ㅿ'은 각각 'ㄱ, ㄴ, ㅅ'과 소리 나는 위치는 같지만, 가획의 방법에 따라 만든 글자가 아니기 때문에 '이체자'라고 한다. 이를 표로 정리하면 다음과 같다.

구분	어금닛 소리	혓소리	입술소리	잇소리	목구멍 소리
기본자	ㄱ	ㄴ	ㅁ	ㅅ	ㅇ
가획자	ㅋ	ㄷ, ㅌ	ㅂ, ㅍ	ㅈ, ㅊ	ㆆ, ㅎ
이체자	ㆁ	ㄹ		ㅿ	

① 'ㅋ'은 기본자 'ㄱ'에 가획을 한 것이군.

② 'ㄴ, ㄹ'은 같은 위치에서 소리 나는 글자군.

③ 이체자 'ㅿ'은 기본자 'ㅅ'에 가획하여 만들었군.

④ 'ㅎ'은 가획자이므로 'ㅇ'보다 소리가 더 세게 나겠군.

⑤ 자음의 기본자는 모두 모양을 본뜨는 원리를 적용하여 만들었군.

17 ㉠~㉢을 반영한 글자를 모두 쓰시오.

┤ 보 기 ├
㉠ 초성*은 혓소리의 이체자야.
㉡ 중성*은 'ㆍ'와 'ㅡ'가 결합된 초출자야.
㉢ 종성*은 입술소리의 기본자에 한 획을 더한 가획자야.

(   )

* 초성(첫소리)
한 음절에서 처음 소리인 자음. 예 '밤'의 'ㅂ' 등
* 중성(가운뎃소리)
한 음절에서 중간 소리인 모음. 예 '땅'의 'ㅏ', '들'의 'ㅡ' 등
* 종성(끝소리)
한 음절에서 마지막 소리인 자음. 예 '감'의 'ㅁ' 등

18 [보기]의 ㉠~㉣ 중 모음에 관한 설명으로 옳은 것을 모두 골라 쓰시오.

┤ 보 기 ├
㉠ 'ㅏ'와 'ㅗ'는 기본자이다.
㉡ 현재는 사용하지 않은 모음도 창제되었다.
㉢ 모음을 만들고 확장한 원리도 자음에 적용된 원리와 완전히 같다.
㉣ 기본자는 하늘, 땅, 사람의 모양을 본떠 만들었다.

(   )

10분 테스트

제1회~제18회

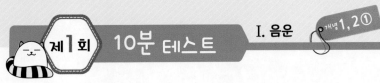

[01~04] 다음 설명이 맞으면 O표, 틀리면 X표 하시오.

01 국어의 모음은 발음할 때 혀의 앞뒤 위치에 따라 단모음과 이중 모음으로 나뉜다. (   )

02 'ㅓ'를 발음할 때에는 'ㅏ'보다 혀가 낮게 위치한다. (   )

03 모음과 달리 국어의 자음은 모두 목청이 울리면서 소리 난다. (   )

04 자음을 예사소리, 된소리, 거센소리로 분류하는 것은 자음의 소리의 세기에 따른 것이다.

(   )

[05~09] 다음 빈칸에 들어가기에 적절한 숫자를 쓰시오.

05 '가'는 ☐개의 자음과 ☐개의 모음이 결합하였다.

06 국어의 단모음은 혀의 높낮이에 따라 ☐가지로 나뉜다.

07 국어의 단모음 중 혀의 앞부분에서 소리 나는 것은 모두 ☐개이다.

08 국어의 자음 중 목청을 울리면서 소리 나는 것은 모두 ☐개이다.

09 국어의 자음 중 여린입천장과 혀의 뒷부분 사이에서 소리 나는 것은 모두 ☐개이다.

[10~15] 각각의 모음과 자음에 해당하는 것을 [보기]에서 모두 골라 쓰시오.

> ┤ 보 기 ├
>
> 고모음, 중모음, 저모음, 원순 모음, 평순 모음
> 예사소리, 된소리, 거센소리, 파열음, 파찰음, 마찰음, 비음, 유음

10 ☐ ㅗ ☐ – _____

11 ☐ ㅣ ☐ – _____

12 ☐ ㅅ ☐ – _____

13 ☐ ㄲ ☐ – _____

14 ☐ ㅁ ☐ – _____

15 ☐ ㅊ ☐ – _____

[16~19] 다음 빈칸에 들어가기에 알맞은 모음을 쓰시오.

16 'ㅏ, ㅔ, ㅣ, ㅗ' 중 소리 날 때 혀의 높이가 가장 낮은 것은 ☐ 이다.

17 'ㅣ, ㅐ, ㅜ, ㅟ' 중 소리 날 때 혀의 높이가 다른 것은 ☐ 이다.

18 'ㅡ, ㅓ, ㅏ, ㅗ, ㅚ' 중 소리 날 때 혀의 앞뒤 위치가 다른 것은 ☐ 이다.

19 'ㅣ, ㅗ, ㅚ, ㅏ, ㅐ' 중 소리 날 때 혀의 앞뒤 위치와 입술 모양의 분류가 같은 것은 ☐ 와 ☐ 이다.

[20~25] 다음 빈칸에 들어가기에 알맞은 모음이나 자음을 쓰시오.

20 거센소리 ☐ 센입천장 소리

21 울림소리 ☐ 여린 입천장 소리

22 된소리 ☐ 입술 소리

23 저모음 ☐ 전설 모음

24 중모음 ☐ 원순 모음 / 후설 모음

25 고모음 ☐ 평순 모음 / 전설 모음

몇 문제 맞혔나요? ( ) / 25문항

맞힌 개수	20개 이상	13~19개	12개 이하
결과	다음 회로 넘어가도 되겠어요!	이번 회 한 번만 더 읽고 갈까요?	복습하고 넘어가야겠어요.

[01~05] 다음 빈칸에 들어가기에 알맞은 자음을 쓰시오.

01 'ㄱ, ㄴ, ㄷ, ㅂ, ㅅ' 중 울림소리는 ☐ 이다.

02 'ㄸ, ㅆ, ㅇ, ㅋ, ㅊ' 중 마찰음에 해당하는 것은 ☐ 이다.

03 'ㄷ, ㅅ, ㅈ, ㅌ, ㄴ' 중 소리 나는 위치가 다른 것은 ☐ 이다.

04 'ㄴ, ㄹ, ㅁ, ㅇ, ㅎ' 중 목청 울림 여부에 따라 묶을 때 다른 하나는 ☐ 이다.

05 'ㄱ, ㄷ, ㅂ, ㅈ, ㅎ' 중 입술에서 소리 나는 자음은 ☐ 이다.

06 [보기]의 설명 중 맞는 것끼리 묶인 것은?

> ── 보 기 ──
> ㉠ 모음은 발음할 때 입 안에서 장애를 받지 않는다.
> ㉡ 모음은 발음의 길이에 따라 의미가 달라지기도 한다.
> ㉢ 모음은 자음과 결합해야만 소리 낼 수 있다.
> ㉣ 국어에 쓰이는 단모음이 이중 모음보다 더 많다.

① ㉠　　　　② ㉠, ㉡　　　　③ ㉡, ㉢　　　　④ ㉢, ㉣　　　　⑤ ㉡, ㉢, ㉣

07 다음 단어에 쓰인 모음을 발음할 때 혀의 앞뒤 위치가 <u>다른</u> 하나는?

① 학　　　　② 공　　　　③ 밀　　　　④ 국　　　　⑤ 절

08 다음 중 설명이 적절한 것은?

① '뱀'과 '실'의 모음은 모두 혀의 앞쪽에서 발음된다.

② '들'과 '북'의 모음은 모두 입술을 둥글게 하여 소리 낸다.

③ '강'과 '쇠'의 모음은 모두 혀가 입천장 쪽에 있을 때 발음된다.

④ '셋'과 '내'의 모음은 모두 혀가 입의 바닥 가까이 있을 때 발음된다.

⑤ '휘'와 '성'의 모음은 모두 혀가 입의 중간 높이에 있을 때 발음된다.

09 [보기]의 단어에 쓰인 모음과 발음할 때 혀의 앞뒤 위치와 입술 모양의 분류가 같은 것은?

┌─── 보 기 ├───┐
│   쥐   │
└───┘

① ㅜ   ② ㅚ   ③ ㅣ   ④ ㅏ   ⑤ ㅔ

10 [보기]에 제시된 모음과 같은 관계에 있는 모음의 쌍은?

┌─── 보 기 ├───┐
│   ㅣ - ㅔ - ㅐ   │
└───┘

① ㅐ - ㅏ - ㅗ   ② ㅡ - ㅓ - ㅏ
③ ㅓ - ㅚ - ㅔ   ④ ㅚ - ㅓ - ㅗ
⑤ ㅣ - ㅟ - ㅡ

11 [보기]의 단어에 쓰인 자음과 모음에 대한 설명으로 잘못된 것은?

┌─── 보 기 ├───┐
│   복   │
└───┘

① 첫소리는 두 입술 사이에서 소리 난다.

② 가운뎃소리는 혀의 뒤쪽 부분에서 소리 난다.

③ 가운뎃소리는 입술을 둥글게 하여 소리 낸다.

④ 끝소리는 목청이 울리면서 소리 난다.

⑤ 끝소리는 여린입천장과 혀의 뒷부분 사이에서 소리 난다.

12 [보기]의 단어에 쓰인 자음과 소리 나는 위치가 같은 것은?

┌─── 보 기 ├───┐
│   일   │
└───┘

① ㄱ   ② ㄴ   ③ ㅁ   ④ ㅈ   ⑤ ㅎ

13 [보기]의 단어에 쓰인 자음과 소리 내는 방법이 완전히 <u>다른</u> 하나는?

┌─ 보 기 ─────────────────────────────┐

대

└──────────────────────────────────┘

① ㅍ   ② ㅇ   ③ ㄲ   ④ ㅂ   ⑤ ㅋ

14 [보기]의 단어에 쓰인 음운에 대한 설명으로 적절하지 <u>않은</u> 것은?

┌─ 보 기 ─────────────────────────────┐

장구

└──────────────────────────────────┘

① 된소리로 발음하는 자음은 2개이다.

② 모음은 모두 혀의 뒷부분에서 소리 난다.

③ 자음 중 목청의 울림이 있는 자음은 1개이다.

④ 자음 중 같은 위치에서 소리 나는 자음은 2개이다.

⑤ 두 음절을 발음할 때 입을 벌리는 정도가 점점 작아진다.

15 [보기]의 설명에 해당하는 것은?

┌─ 보 기 ─────────────────────────────┐
- 첫소리는 잇몸소리이다.
- 가운뎃소리는 고모음이다.
- 끝소리는 울림소리이다.
└──────────────────────────────────┘

① 탄   ② 썸   ③ 통   ④ 담   ⑤ 들

16 [보기]의 ㉠, ㉡에 대한 설명으로 적절한 것은?

> ┤ 보 기 ├
>
> ㉠ 불 → 벌 　　　㉡ 불 → 풀

① ㉠은 중모음이 저모음으로 바뀌었으며 ㉡은 예사소리가 된소리로 바뀌었다.

② ㉠은 고모음이 중모음으로 바뀌었으며, ㉡은 예사소리가 거센소리로 바뀌었다.

③ ㉠은 평순 모음이 원순 모음으로 바뀌었으며, ㉡은 울림소리가 안울림소리로 바뀌었다.

④ ㉠은 전설 모음이 후설 모음으로 바뀌었으며, ㉡은 입술소리가 잇몸소리로 바뀌었다.

⑤ ㉠은 후설 모음이 전설 모음으로 바뀌었으며 ㉡은 파열음이 마찰음으로 바뀌었다.

몇 문제 맞혔나요? (　　) / 16문항

맞힌 개수	13개 이상	10~12개	9개 이하
결과	다음 회로 넘어가도 되겠어요!	이번 회 한 번만 더 읽고 갈까요?	복습하고 넘어가야겠어요.

01 다음 중 발음할 때 혀의 위치나 입술 모양이 변화하는 모음은?

① ㅔ　　　② ㅡ　　　③ ㅗ　　　④ ㅠ　　　⑤ ㅣ

02 다음은 혀의 높낮이에 따른 모음의 종류를 나타낸 표이다. ㉮, ㉯, ㉰에 들어갈 모음을 잘못 연결한 것은?

혀의 위치를 입천장 가까이에 두고 발음하는 모음	혀의 위치를 입천장과 입의 바닥 중간쯤 두고 발음하는 모음	혀의 위치를 입의 바닥 근처에 두고 발음하는 모음
㉮	㉯	㉰

① ㉮: ㅣ　　　② ㉮: ㅜ　　　③ ㉯: ㅔ

④ ㉯: ㅓ　　　⑤ ㉰: ㅚ

03 [보기]의 단어에 쓰인 모음들의 공통점을 바르게 설명한 것은?

> ─ 보 기 ─
>
> 글, 정, 밥, 물, 볼

① 혀의 뒷부분에서 소리 난다.

② 혀의 모양을 둥글게 하여 발음한다.

③ 혀가 높았다가 낮아지면서 소리 난다.

④ 입술 모양을 평평하게 하여 발음한다.

⑤ 혀가 입의 바닥에 가까이 있을 때 소리 난다.

04 모음과 그에 대한 설명으로 적절한 것은?

① ㅐ: 입술을 둥글게 하여 혀가 낮게 위치할 때 소리 난다.

② ㅟ: 입술을 둥글게 하여 혀가 높게 위치할 때 소리 난다.

③ ㅓ: 입술을 둥글게 하여 혀가 중간에 위치할 때 소리 난다.

④ ㅜ: 입술을 평평하게 하여 혀가 낮게 위치할 때 소리 난다.

⑤ ㅣ: 입술을 평평하게 하여 혀가 중간에 위치할 때 소리 난다.

05 다음 중 [보기]의 모음을 발음할 때와 같은 변화가 일어나는 것은?

┤ 보 기 ├

ㅏ → ㅔ

① ㅏ → ㅓ   ② ㅟ → ㅚ   ③ ㅡ → ㅜ

④ ㅔ → ㅗ   ⑤ ㅓ → ㅡ

06 다음 중 평순 모음을 원순 모음으로 바꾼 예가 아닌 것은?

① 달 → 돌   ② 설 → 술   ③ 김 → 금

④ 해 → 회   ⑤ 게 → 귀

07 다음 중 자음의 발음 위치와 모음의 혀의 높낮이가 [보기]와 같은 것은?

┤ 보 기 ├

무

① 가   ② 비   ③ 소   ④ 뒤   ⑤ 패

08 밑줄 친 단어의 자음 중 비음을 포함하고 있는 것은?

① 학기가 끝나 간다.

② 회의가 금세 끝났다.

③ 달빛이 참 아름답다.

④ 역사를 열심히 공부했다.

⑤ 생쥐가 고양이에게 잡혔다.

09 [보기]의 조건에 부합하는 자음끼리 묶인 것은?

┤ 보 기 ├
- 소리 나는 위치가 같다.
- 목청의 울림 여부가 다르다.

① ㄱ – ㅋ   ② ㄴ – ㄷ   ③ ㄹ – ㅁ

④ ㅂ – ㅅ   ⑤ ㅈ – ㅇ

10 다음 중 ㉮에 들어가기에 적절한 것은?

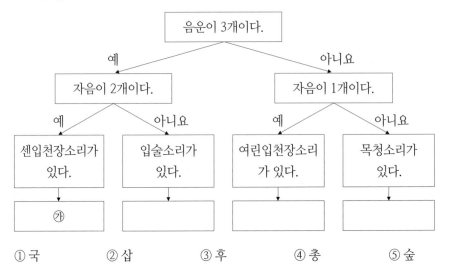

① 국   ② 삽   ③ 후   ④ 총   ⑤ 숲

11 단어에 쓰인 첫소리가 파찰음에 해당하는 것은?

① 후   ② 쇠   ③ 띠   ④ 베   ⑤ 창

12 [보기 2]의 지시 사항에 따라 [보기 1]의 단어를 바꾸어 쓰시오.

┤보 기 1├

절

┤보 기 2├

• 첫소리는 같은 위치에서 소리 나는 된소리로 바꾸시오.
• 가운뎃소리는 혀의 앞뒤 위치는 같되, 저모음으로 바꾸시오.
• 끝소리는 울림소리이면서 입술에서 나는 소리로 바꾸시오.

몇 문제 맞혔나요? (   ) / 12문항

맞힌 개수	10개 이상	7~9개	6개 이하
결과	다음 회로 넘어가도 되겠어요!	이번 회 한 번만 더 읽고 갈까요?	복습하고 넘어가야겠어요.

[01~07] 다음 설명이 맞으면 O표, 틀리면 X표 하시오.

01 체언, 수식언, 독립언은 문장에서 사용될 때 형태가 변하지 않는다. (　　　)

02 체언은 조사와 결합하여 주체의 동작이나 상태 등을 설명하는 역할을 한다. (　　　)

03 동사는 사람이나 사물의 상태나 성질을 나타내고, 형용사는 사람이나 사물의 움직임을 나타낸다. (　　　)

04 수식언을 사용하면 문장의 의미를 좀 더 자세하고 구체적으로 전달할 수 있다. (　　　)

05 수식언, 독립언, 용언은 조사와 결합하지 않고 단독으로만 쓰인다. (　　　)

06 관계언은 주로 용언 뒤에 붙어서 다른 말과의 관계를 나타낸다. (　　　)

07 독립언은 문장에서 쓰일 때 다른 단어와 관계를 맺지 않고 독립적으로 쓰이므로, 생략해도 문장은 성립한다. (　　　)

[08~09] 다음 (　　　) 안에 들어가기에 알맞은 말을 [보기]에서 찾아 쓰시오.

> ─── 보 기 ───
>
> 용언　이다　부사　감탄사　체언　이름　순서
> 대명사　수식언　활용　관계언　독립언

08 (　　　　　)은/는 명사, 대명사, 수사를 묶어서 일컫는 말이다.

09 명사는 구체적인 대상이나 추상적인 대상의 (　　　　　)을/를 나타내는 단어이다.

10 (　　　　　)은/는 사람이나, 사물, 장소의 이름을 대신하여 가리키는 단어이다.

11 용언은 문장에서 쓰임에 따라 형태가 변하는데, 이를 (　　　　　)(이)라고 한다.

12 문장에서 관형사는 체언을 꾸며 주고, 부사는 주로 (　　　　　)을/를 꾸며 준다.

13 관계언 가운데 '(　　　　　)'은/는 형태가 변한다.

14 (　　　　　)은/는 말하는 이의 놀람, 느낌, 부름이나 대답 등을 나타낸다.

15 **다음 문장에 나타난 품사의 개수를 잘못 파악한 것은?**

> "글쎄, 나는 그 말이 무엇을 의미하는지 한마디도 못 알아듣겠어."

① 조사: 4개　　　　② 동사: 2개　　　　③ 관형사: 2개

④ 대명사: 2개　　　⑤ 감탄사: 1개

[16~22] 단어의 묶음과 그 단어들이 해당하는 품사를 바르게 연결하시오.

16 첫째, 둘째, 하나, 둘 ·

17 이순신, 국어, 행복 ·　　　　　　　　　　·㉠ 체언

18 빨리, 매우, 늘　　·　　　　　　　　　　·㉡ 용언

19 이/가, 을/를　　·　　　　　　　　　　·㉢ 수식언

20 예, 아니오, 어머나 ·　　　　　　　　　　·㉣ 관계언

21 뛰다, 높다, 예쁘다 ·　　　　　　　　　　·㉤ 독립언

22 새, 어떤, 옛　　·

[23~26] 각 문장에 쓰인 관계언을 모두 찾아 쓰시오.

23 우리는 모두 성실한 학생이다.

　　→ (　　　　　　　　　　)

24 민수가 올 때까지 여기에서 기다려야 한다.

　　→ (　　　　　　　　　　)

25 동생과 나는 소리를 지르고 말았다.

　　→ (　　　　　　　　　　)

26 밥만 먹지 말고 반찬도 먹어라.

　　→ (　　　　　　　　　　)

몇 문제 맞혔나요? (　　　) / 26문항

맞힌 개수	22개 이상	17~21개	16개 이하
결과	다음 회로 넘어가도 되겠어요!	이번 회 한 번만 더 읽고 갈까요?	복습하고 넘어가야겠어요.

[01~06] [보기]의 단어들을 품사들의 특성에 따라 분류하시오.

┌─ 보기 ┐
과연　　움직이다　　제주도　　셋째　　모든　　슬프다
뜨겁다　　쿵쿵　　너희　　특히　　거기　　헌
└────────────────────────────┘

01　[보기] 중 체언에 해당하는 단어를 모두 찾아 쓰시오.

(　　　　　　　　　　　　　　　　　)

02　01에서 분류한 단어들을 명사, 대명사, 수사로 각각 나누어 쓰시오.

명사	대명사	수사

03　[보기] 중 용언에 해당하는 단어를 모두 찾아 쓰시오.

(　　　　　　　　　　　　　　　　　)

04　03에서 분류한 단어들을 동사와 형용사로 각각 나누어 쓰시오.

동사	형용사

05　[보기] 중 수식언에 해당하는 단어를 모두 찾아 쓰시오.

(　　　　　　　　　　　　　　　　　)

06　05에서 분류한 단어들을 부사와 관형사로 각각 나누어 쓰시오.

부사	관형사

[07~10] 각 문장의 밑줄 친 감탄사와 그 감탄사에 대한 설명을 바르게 연결하시오.

07　<u>우와</u>, 신난다! 빨리 가자.　·

08　<u>여보게</u>, 제발 정신 차리게.　·

09　<u>그래</u>, 잘 알아들었어.　·

10　<u>이런</u>, 코피가 나는군.　·

·　㉠ 말하는 이의 느낌이나 놀람 등의 감정 상태를 나타낸다.

·　㉡ 말하는 이의 부름이나 대답을 나타낸다.

[11~19] 각 문장 속 밑줄 친 부분의 품사를 바르게 연결하시오.

11 <u>아무</u> 연필이라도 가져와 주렴. •   • 명사

12 네가 말한 <u>거기</u>가 어디냐. •   • 대명사

13 첫째도 안전, <u>둘째</u>도 안전이다. •   • 수사

14 <u>국어</u> 선생님은 꼼꼼하시다. •   • 관형사

15 이 강아지는 <u>큰</u> 편에 속한다. •   • 부사

16 그 사람을 <u>안</u> 만날 거야. •   • 동사

17 학교로 <u>가는</u> 길은 많다. •   • 형용사

18 이게 정말 <u>얼마만</u>이니? •   • 감탄사

19 <u>허허</u>, 별 일이 다 있구먼. •   • 조사

[20~22] 각 문장에서 체언과 용언, 수식언을 찾아 체언에는 ○표, 용언에는 △표, 수식언에는 □표를 하시오.

20 나는 새 신을 신고 기분이 좋아서 폴짝 뛰었다.

21 그 강은 너무 깊어서 헤엄칠 때는 주의해야 한다.

22 호수에 하얀 안개가 뭉게뭉게 피어올랐다.

몇 문제 맞혔나요? (   ) / 22문항

맞힌 개수	20개 이상	15~19개	14개 이하
결과	다음 회로 넘어가도 되겠어요!	이번 회 한 번만 더 읽고 갈까요?	복습하고 넘어가야겠어요.

[01~07] 각 문장을 구성하고 있는 단어 중 해당 품사의 총 개수를 쓰시오.

01   저기 걸려 있는 저것이 우리 누나가 사 준 옷이다.   대명사 → (   )개

02   과연 이 일은 앞으로 어떻게 진행될 것인가?   부사 → (   )개

03   너무 힘이 들어서 뛰다 걷다를 반복했다.   동사 → (   )개

04   이 음식은 짜고 매워서 더 이상 먹을 수가 없다.   형용사 → (   )개

05   오늘은 날씨가 화창해서 소풍 가기에 제격이다.   조사 → (   )개

06   온갖 종류의 꽃들이 이 박람회에 출품될 예정이다.   관형사 → (   )개

07   나는 미래에 최고의 축구 선수가 되고 싶다.   명사 → (   )개

08 다음 문장 중 부사가 쓰이지 <u>않은</u> 것은?

① 딱히 할 말이 없다.

② 갑자기 다가와서 놀랐다.

③ 그 가게는 나날이 번창하고 있다.

④ 급히 떠나는 모습이 불안해 보였다.

⑤ 한 조에 네 사람씩 앉으면 되겠다.

09 [보기]에서 설명하고 있는 품사를 포함하고 있는 문장은?

┤ 보 기 ├
• 문장 속에서 체언을 꾸며 주는 역할을 한다.
• 문장에서 쓰일 때 활용을 하지 않는다.

① 어서 빨리 일어나!

② 그가 어떤 옷을 입었니?

③ 갑자기 잠이 확 달아났어.

④ 나뭇잎이 살랑살랑 춤을 춘다.

⑤ 영희가 나무에 기대어 얌전히 앉아 있다.

10 다음에 제시된 두 문장의 의미를 다르게 하는 품사에 대한 설명으로 알맞은 것은?

> • 개가 소를 물었다.
> • 소가 개를 물었다.

① 문장에서 활용을 한다.

② 사물의 상태나 성질을 나타낸다.

③ 두 단어를 같은 자격으로 이어 준다.

④ 문장에 쓰인 단어들의 관계를 나타낸다.

⑤ 주로 용언 뒤에 붙어서 특별한 뜻을 더해 준다.

11 각 문장의 밑줄 친 단어와 그 품사가 잘못 연결된 것은?

① 저 가방이 마음에 든다. – 관형사

② 이번이 벌써 두 번째이다. – 수사

③ 네가 오늘 멋지게 보인다. – 형용사

④ 자네는 여기에서 기다리고 있게. – 대명사

⑤ 어른들은 조용한데, 아이들은 떠든다. – 동사

12 [보기]의 ㉠~㉤ 중 수식언이 아닌 것은?

> ┤ 보기 ├
> ㉠벌써 날씨가 쌀쌀해졌다. 가을이 ㉡속절없이 가고, 서리가 ㉢차가운 벌판을 덮으며 겨울의 옷자락이 ㉣살며시 다가오면, 도시의 길가 ㉤한 구석에 군밤이나 군고구마 장수들이 나타나게 된다.

① ㉠   ② ㉡   ③ ㉢   ④ ㉣   ⑤ ㉤

13 [보기]에 사용되지 않은 품사는?

> ┤ 보기 ├
> 소년은 자기도 모르게 돌아섰다. 소녀의 맑고 검은 눈과 마주쳤다. 얼른 소녀의 손바닥으로 눈을 떨구었다.

① 명사   ② 동사   ③ 부사   ④ 형용사   ⑤ 관형사

14 다음 중 수사가 쓰이지 <u>않은</u> 문장은?

① 필통에서 연필 하나를 꺼냈다.

② 우리 집엔 고양이 둘과 강아지 셋이 있다.

③ 우리 가게는 매월 첫째 주 월요일에 쉰다.

④ 초대한 친구들 중에서 다섯이 오지를 않았다.

⑤ 시간이 흘렀지만 둘의 우정은 여전히 변함이 없다.

15 다음 중, 감탄사가 쓰이지 <u>않은</u> 문장은?

① 우와, 그 노래는 정말 듣기 좋군요.

② 네, 그럼 학교에 다녀오겠습니다.

③ 아이쿠, 챙겨둔 물건을 놓고 왔네.

④ 청춘, 이 얼마나 아름다운 말인가!

⑤ 어흥! 떡을 하나 주면 안 잡아먹지.

16 단어의 묶음과 그에 대한 설명으로 알맞지 <u>않은</u> 것은?

① 모든, 헌 – 체언을 꾸며 준다.

② 하나, 셋째 – 수량이나 순서를 나타낸다.

③ 그대, 너희 – 대상의 이름을 대신하여 가리킨다.

④ 더욱, 냉큼 – 사람이나 사물의 성질이나 상태를 나타낸다.

⑤ 에, 을/를, 만 – 문법적 관계를 나타내거나 특별한 뜻을 더해 준다.

17 각 문장의 밑줄 친 단어 중, 품사가 <u>다른</u> 하나는?

① 언제나 잘 <u>웃는</u> 그가 부럽다.

② 그와 나는 서로 <u>모르는</u> 사이야.

③ 눈이 와서 길이 <u>얼었으니</u> 조심하렴.

④ 나는 늦은 시간까지 친구를 <u>기다렸다</u>.

⑤ 우리나라에서 가장 <u>높은</u> 산은 백두산이다.

18 다음 문장의 ㉠~㉤의 품사가 <u>잘못</u> 연결된 것은?

> 영어만 ㉠<u>열심히</u> 하면 성공한다는 ㉡<u>믿음</u>에 ㉢<u>온</u> 나라가 ㉣<u>야단법석</u>이다. 배워서
> ㉤<u>나쁠</u> 것은 없으나, 영어보다 더 중요한 것은 우리말과 우리글임을 잊지 말아야 한다.

① ㉠ : 부사   ② ㉡ : 동사   ③ ㉢ : 관형사   ④ ㉣ : 명사   ⑤ ㉤ : 형용사

01 품사의 기능에 대한 설명으로 알맞은 것은?

① 체언은 문장에서 반드시 조사와 결합하여 쓰이며 문장 안에서 의미의 중심이 된다.

② 용언은 문장에서 주체의 동작이나 상태, 성질을 설명하며, 관형어의 꾸밈을 받는다.

③ 수식언은 다른 단어를 꾸며 주는 역할을 하고, 문장에서 쓰일 때 형태가 변하지 않으며 조사와는 결합하지 않는다.

④ 관계언은 주로 용언 뒤에 붙어서 다른 말과의 문법적 관계를 나타내거나, 앞말에 특별한 뜻을 더해 주는 역할을 한다.

⑤ 독립언은 문장에서 쓰일 때 위치가 비교적 자유롭고, 다른 단어와 관계를 맺지 않고 쓰이기 때문에 생략해도 문장 성립에 영향을 주지 않는다.

02 다음 단어들을 두 가지로 분류할 때, 그 기준으로 가장 알맞은 것은?

포도   앗   마시다   뛰다   자존심   그것   예쁘다   둘째

① 형태가 변하는가, 변하지 않는가.

② 구체적인 의미를 가지는가, 추상적인 의미를 가지는가.

③ 문장에서 다른 단어를 꾸며주는가, 다른 단어의 꾸밈을 받는가.

④ 대상의 이름을 나타내는가, 대상의 이름을 대신하여 가리키는가.

⑤ 대상의 움직임을 나타내는가, 대상의 상태나 성질을 나타내는가.

03 품사의 분류 기준과 그에 따른 예를 바르게 정리한 것은?

기능에 따른 분류	의미에 따른 분류	예
체언	명사	설악산, 사랑, 나라
	대명사	너희, 이것, 여기
	수사	① 한, 두, 셋
용언	동사	붙다, 놀다, 모르다
	형용사	② 푸르다, 사다, 곱다
수식언	관형사	③ 모든, 무슨, 큰
	부사	④ 많이, 조용히, 아주
관계언	조사	께서, 까지, 에게
독립언	감탄사	⑤ 우와, 어머, 지수야

04 다음 문장에 쓰인 단어들을 기능에 따라 분류하여 쓰시오.

> 어머나, 온갖 음식이 다 맛있네! 여기에 친구와 함께 와야겠다.

체언	
용언	
수식언	
관계언	
독립언	

05 다음 중 명사, 대명사, 수사가 모두 쓰인 문장은?

① 너는 어디가 제일 좋니?

② 영재가 여기에 첫째로 왔다.

③ 그녀는 둘째 줄에 서 있었다.

④ 나는 나비 한 마리를 보았다.

⑤ 우리 동네 목욕탕은 매월 첫째 주 화요일에 쉰다.

06 다음 문장에 쓰인 품사에 대한 설명으로 옳은 것은?

> 투명한 유리병에 쪽지를 넣고 뚜껑을 빨리 막았다.

① 6개의 품사가 쓰였다.

② 용언 중에는 동사만 쓰였다.

③ 용언을 꾸며 주는 부사가 쓰였다.

④ 체언을 꾸며 주는 관형사가 쓰였다.

⑤ 앞말에 특별한 뜻을 더해 주는 조사가 쓰였다.

07 ⊙과 ⓒ에 들어가기에 적절한 품사가 바르게 짝지어진 것은?

> • 내 동생의 (⊙) 옷은 정말 멋지다.
> • 내 동생은 (ⓒ) 빨리 달렸다.

	⊙	ⓒ
①	동사	명사
②	형용사	대명사
③	부사	관형사
④	관형사	부사
⑤	감탄사	부사

08 각 문장의 밑줄 친 단어 중, [보기]의 특징을 모두 갖춘 것은?

> ┤ 보 기 ├
> • 형태가 변하지 않는다.
> • 조사와 결합하여 쓰이기도 한다.
> • 문장에서 쓰일 때 다른 단어를 꾸며 준다.
> • 문장의 의미를 자세하고 구체적으로 전달한다.

① 이 나무는 정말 크구나.

② 강물이 고요하게 흘러간다.

③ 일요일인데 일찍 일어났구나.

④ 여기에서 잠을 자는 사람이 많아.

⑤ 나의 눈에는 수진이가 예쁘게 보였다.

09 다음 중 동사가 사용되지 않은 문장은?

① 작은 고추가 더 맵다.

② 내일 시사회에 갈 거니?

③ 나는 더 이상 걸을 수 없었다.

④ 내 동생은 수건으로 얼굴을 가렸다.

⑤ 우리나라는 축구 결승전에서 일본을 이겼다.

10 다음 문장에서 밑줄 친 단어의 품사가 같은 것끼리 연결된 것은?

① ┌ <u>그</u>는 고향을 그리워한다.
　└ <u>저</u> 사람은 고향을 그리워한다.

② ┌ 모두 <u>일곱</u>이 소풍을 왔다.
　└ <u>다섯</u> 사람은 아직 도착하지 않았다.

③ ┌ <u>흰</u> 눈이 펑펑 내린다.
　└ <u>헌</u> 옷을 함부로 버리지 마라.

④ ┌ 그는 항상 옷을 <u>말끔히</u> 차려 입는다.
　└ <u>과연</u> 이 일을 처리할 수 있을까?

⑤ ┌ <u>앗</u>, 너무 시간이 늦었어.
　└ <u>청춘</u>, 얼마나 가슴이 설레는 말인가!

11 다음 설명에 해당하는 예를 바르게 제시한 것은?

┌─────── 보 기 ───────┐
ㄱ. 용언: 문장에서 활용을 하며, 동사와 형용사를 통틀어 이르는 말.
ㄴ. 체언: 조사와 결합하여 문장에서 다양한 기능을 수행하는 명사, 대명사, 수사를 통틀어 이르는 말.
└─────────────────────┘

① ┌ ㄱ. 그는 <u>어떤</u> 사람일까?
　└ ㄴ. 나는 사과 <u>하나</u>를 사 왔다.

② ┌ ㄱ. <u>틀린</u> 것은 꼭 복습해야 한다.
　└ ㄴ. 여행의 <u>첫째</u> 날이 밝았다.

③ ┌ ㄱ. 오늘은 <u>열심히</u> 청소하자.
　└ ㄴ. <u>무엇</u>을 생각하고 있니?

④ ┌ ㄱ. 이것과 저것은 <u>다른</u> 책이야.
　└ ㄴ. 나 <u>어디</u> 좀 다녀올게.

⑤ ┌ ㄱ. 이제 <u>새롭게</u> 시작하자.
　└ ㄴ. <u>그런</u> 경우에는 어떻게 해?

12 다음 문장의 ㉠~㉤과 같은 성질을 가진 단어로 알맞지 <u>않은</u> 것은?

> 여기보다 별이 더 빛나는 곳은 없어.
> ㉠   ㉡ ㉢ ㉣ ㉤

① ㉠: 우리, 나, 저것

② ㉡: 다행히, 그리고, 뒤뚱뒤뚱

③ ㉢: 웃다, 읽다, 기다리다

④ ㉣: 이곳, 오늘날, 다음

⑤ ㉤: 아니다, 아프다, 빠르다

13 다음 문장의 ㉠~㉤을 동사와 형용사로 구분한 것으로 적절한 것은?

> ㉠지루한 오후, 비 ㉡내리는 창밖으로 ㉢바쁘게 ㉣움직이는 사람들의 모습이 하나 둘 ㉤지나간다.

	동사	형용사
①	㉠, ㉡, ㉢	㉣, ㉤
②	㉡, ㉣, ㉤	㉠, ㉢
③	㉡, ㉢, ㉣	㉠, ㉤
④	㉡, ㉤	㉠, ㉢, ㉣
⑤	㉡, ㉣	㉠, ㉢, ㉤

14 다음 문장 중, 관계언의 총 개수가 <u>다른</u> 하나는?

① 꽃이 피고 새가 우는 봄이 되었다.

② 그곳에서 둘은 크게 소리를 질렀다.

③ 그는 타향에서 밤마다 고향을 그리워했다.

④ 학교에 가려고 집을 나서다가 잊은 것이 생각났다.

⑤ 할아버지께서 사과 하나와 바나나 두 개를 사 오셨다.

15 [보기]의 각 문장에 사용된 부사가 꾸며 주는 말이 <u>아닌</u> 것은?

> ┤ 보 기 ├
> • 아기가 방긋 웃는다.
> • 과연 너는 착한 아이로구나.
> • 우리 집은 도서관 바로 옆이다.
> • 이것은 정말 새 신발이다.
> • 그동안 많이 컸구나.

① 체언   ② 용언   ③ 관계언
④ 관형사   ⑤ 문장 전체

16 다음 중, 앞말에 특별한 뜻을 더해 주는 조사가 사용되지 <u>않은</u> 문장은?

① 너마저 춤을 추는구나!

② 이분들이 나의 부모님이시다.

③ 밥만 먹지 말고 반찬도 먹어라.

④ 1번부터 10번까지 청소 당번이야.

⑤ 나는 노래를 부를테니, 너는 춤을 추어라.

17 각 문장의 밑줄 친 단어 중, 품사가 <u>다른</u> 하나는?

① 흠이 있어서 <u>새</u> 물건으로 바꾸었어.

② 마당에 <u>온갖</u> 종류의 꽃들이 피었다.

③ <u>헌</u> 신문지를 모으고 있는 거니?

④ 생일 케이크에 초를 <u>몇</u> 개나 꽂아야 할까?

⑤ <u>이러한</u> 가운데에도 일은 예정대로 진행되었다.

 몇 문제 맞혔나요?(   ) / 17문항

맞힌 개수	15개 이상	11~13개	11개 이하
결과	다음 회로 넘어가도 되겠어요!	이번 회 한 번만 더 읽고 갈까요?	복습하고 넘어가야겠어요.

01 우리말 어휘에 대한 설명으로 적절하지 <u>않은</u> 것은?

① 고유어는 민족 고유의 정서나 감각을 다양하게 표현할 수 있다.

② 외래어나 한자어는 우리말 어휘의 부족한 점을 보완할 수 있다.

③ 한자어는 고유어에 비해 좀 더 정확하고 분화된 의미를 가지고 있다.

④ 사회 방언은 참신하고 개성적인 느낌을 주므로 일상생활에서 자주 활용해야 한다.

⑤ 지역 방언에는 옛 문화와 풍습이 담겨 있어서 전통문화를 전승하는 데에 도움을 준다.

[02~04] [보기]의 어휘를 어원에 따라 분류하여 쓰시오.

┌─ 보기 ─────────────────────────────┐

잔디　　버스　　우유　　깔개　　시나브로　　공원

빵　　세상　　고생　　생각　　모니터　　샌드위치

└──────────────────────────────────┘

02 고유어: _____

03 한자어: _____

04 외래어: _____

[05~09] 다음 설명이 맞으면 O표, 틀리면 X표 하시오.

05 사회 방언은 특정한 시기에 짧게 나타났다가 사라지는 특성이 있다. (　　　)

06 지역 방언을 쓰면 표준어로는 표현할 수 없는 미묘한 감성과 정서를 드러낼 수 있다. (　　　)

07 사회가 발달함에 따라 새로운 사물이나 개념을 가리킬 말이 필요해졌고, 이 때문에 사회 방언이 생겨났다. (　　　)

08 지역 방언은 공식적인 상황에서 주로 쓰이는데, 지역 방언을 사용하면 같은 지역 방언을 사용하는 사람들끼리 친밀감을 느낄 수 있다. (　　　)

09 사회 방언은 같은 사회 방언을 쓰는 집단 내 구성원들끼리 사용하면 의사소통의 효율성을 높일 수 있다는 장점이 있다. (　　　)

10 다음 글에 쓰인 밑줄 친 어휘를 고유어, 한자어, 외래어로 분류했을 때, 각각의 개수는 몇 개
    인지 쓰시오.

> 스포츠 마케팅은 운동 경기를 이용하여 제품 판매의 확대를 목표로 하는 마케팅 기법
> 이다. 이 마케팅의 장점은 특정 스포츠 종목이나 이벤트를 통해 좀 더 쉽게 시청자 또는
> 독자에게 접근할 수 있다는 것이다. 기업들은 스포츠의 페어플레이 정신, 도전, 열정, 희
> 생, 감동 등 스포츠가 갖는 긍정적인 이미지가 기업 브랜드에 대한 믿음을 높여서 제품
> 판매량 증가 등의 긍정적인 효과로 이어지기를 바라고 있다.

고유어: (   )개, 한자어: (   )개, 외래어: (   )개

11 다음 신문 기사에서 밑줄 친 어휘를 사용한 이유로 적절한 것은?

> 지수 선물*, 이틀째 하락 … 20일 이평선* 하회
> 　지수 선물이 외국인 매물 출회* 등의 여파로 이틀째 하락했다. 16일 코스피* 200지수
> 선물 12월물은 전날보다 5.20포인트(2.11퍼센트) 떨어진 241.50으로 장을 마쳤다. 15일
> (현지 시간) 뉴욕 증시가 미국 경제 지표 개선 등에 힘입어 상승 마감한 가운데 지수 선물
> 도 오름세로 장을 출발했다.
>
> 　　　　　　　　　　　　　　　　　　　　　　　　　　　　　　　　　　- ○○ 일보
>
> * 지수 선물: 주가 지수에 따른 선물 거래
> * 이평선: 이동 평균선
> * 매물 출회: 매물을 시장에 파는 것
> * 코스피: 국내 종합주가지수

① 글을 한층 더 품격 있어 보이게 하기 위해서이다.

② 집단만이 아는 어휘를 통해 비밀을 유지하기 위해서이다.

③ 독자들에게 신선하며 재치 있다는 느낌을 주기 위해서이다.

④ 해당 분야의 대상이나 개념을 명확하게 전달하기 위해서이다.

⑤ 독자들에게 글의 내용을 좀 더 쉽게 이해할 수 있게 하기 위해서이다.

몇 문제 맞혔나요? (   ) / 11문항

맞힌 개수	9개 이상	6~8개	5개 이하
결과	다음 회로 넘어가도 되겠어요!	이번 회 한 번만 더 읽고 갈까요?	복습하고 넘어가야겠어요.

10분 테스트 • 131

[01~07] 무엇에 대한 설명인지를 [보기]에서 골라 쓰시오.

┌ 보기 ┐

고유어   한자어   외래어

01 우리 민족 특유의 문화나 정서를 효과적으로 표현하는데 도움을 준다. (　　　　)

02 외국에서 들어온 말로 우리말처럼 쓰인다. (　　　　)

03 예부터 조상들이 써온 단어들과 그것에 기초하여 새로 만들어진 말이다. (　　　　)

04 중국이나 일본에서 들어온 말도 있지만, 우리 스스로 만들어 낸 말도 있다. (　　　　)

05 우리말 어휘에서 차지하는 비중이 가장 높다. (　　　　)

06 지나치게 많이 사용하면 우리말을 어지럽힐 수도 있다. (　　　　)

07 추상적인 개념을 간략하고 좀 더 정확하게 표현하기에 적합하다. (　　　　)

08 [보기]의 어휘를 어원에 따라 분류하여 쓰시오.

┌ 보 기 ┐

| 빵 | 마음 | 감기 | 무지개 | 편지 | 버스 |
| 사과 | 앙코르 | 누나 | 우유 | 인생 | 길잡이 |

고유어	
한자어	
외래어	

09 각 문장에서 밑줄 친 고유어를 한자어로 바꾼 것으로 적절하지 <u>않은</u> 것은?

① 나는 선생님께서 하신 말씀의 의미를 정확히 <u>알아차렸다.</u> → 이해(理解)했다

② 그리스 로마 신화는 인간의 범위를 <u>뛰어넘은</u> 신들의 이야기이다. → 초월(超越)한

③ 자동 변속기의 경우 브레이크를 밟을 때 기어를 중립으로 <u>바꾸는</u> 것이 좋다. → 변형(變形)하는

④ 반려동물도 사람과 같이 등록 번호를 갖게 하는 제도는 반려동물을 <u>내다 버리는</u> 것을 막는데 도움을 준다. → 유기(遺棄)하는

⑤ 왕건은 예성강 하구의 중간 세력에 <u>지나지 않았던</u> 자신의 세력 기반을 성공적으로 확대시켜 나갔고, 결국 고려를 건국했다. → 불과(不過)했던

10 지역 방언에 대한 설명으로 적절하지 <u>않은</u> 것은?

① 지역 방언에는 옛말의 모습이 많이 남아 있어서 국어의 역사 연구에 도움을 줄 수 있다.

② 지역 방언은 그 방언을 사용하는 사람들 사이에 친밀감을 높여 주기 때문에 전국 방송에서 적극적으로 활용해야 한다.

③ 지역 방언은 그 지역의 생활 언어로, 예부터 전해 오는 다양한 문화와 전통 및 역사, 그 지역 사람들의 독특한 정서가 깊이 배어 있다.

④ 지역 방언에는 지역민의 정서나 감정을 더욱 정확하게 표현할 수 있는 다양한 표현이 많으므로, 각 지역의 고유한 방언을 계승하려고 노력해야 한다.

⑤ 특정 지역을 배경으로 하는 문학 작품에서 지역 방언을 사용하면 작품의 토속적인 분위기를 효과적으로 드러낼 수 있고, 등장인물의 정서를 생생하게 표현할 수 있다.

11 다음 대화에 제시된 밑줄 친 어휘들의 공통적인 특징으로 알맞지 <u>않은</u> 것은?

> 의사 1: 이 상황이면 <u>로컬 엔세이드</u>* 쓰면 되는 거 아닌가?
> 의사 2: <u>텐돈 럽처</u>*는 아닌 것 같다는 거지? 그래도 아이스팩이 낫지 않나?
> 의사 1: 뭐? 로컬 엔세이드가 낫다니까?
> 환자: 나 죽는 거유? 응? 심각한 병이야?
> * 로컬 엔세이드: 파스
> * 텐돈 럽처: 아킬레스건의 파열

① 같은 집단의 구성원이 아니면 알아듣기 어렵다.

② 같은 직업을 가진 사람들이 대화를 나눌 때 사용하는 경우가 많다.

③ 집단 내 구성원들끼리 사용하면 의사소통의 효율성을 높일 수 있다.

④ 집단 내 구성원들끼리 사용하면 소속감과 동료 의식을 심어 줄 수 있다.

⑤ 당시의 시대적 상황을 상세하게 반영하며 구성원 간의 비밀을 유지하기 위해 사용한다.

몇 문제 맞혔나요?( ) / 11문항

맞힌 개수	9개 이상	6~8개	5개 이하
결과	다음 회로 넘어가도 되겠어요!	이번 회 한 번만 더 읽고 갈까요?	복습하고 넘어가야겠어요.

[01~04] 각 문장의 문장 성분을 분류하시오.

01　저 강아지는 정말 귀엽다.

→ 주성분:

부속 성분:

02　작은 애벌레가 화려한 나비가 되었다.

→ 주성분:

부속 성분:

03　신욱이가 도서관에서 책을 읽고 있다.

→ 주성분:

부속 성분:

04　아이야, 커다란 꿈을 반드시 이루어라.

→ 주성분:

부속 성분:

독립 성분:

[05~08] 각 문장의 밑줄 친 부분에 대한 설명으로 적절한 것을 [보기]에서 찾아 기호를 쓰시오.

┌─── 보 기 ├─
㉠ 문장에서 동작, 성질, 상태의 주체가 되는 성분.
㉡ 주어의 동작이나 상태 성질 등을 풀이하는 성분.
㉢ 서술어의 동작 대상이 되는 성분.
㉣ 서술어 '되다', '아니다'가 사용된 문장에서 불완전한 의미를 보충하는 성분.
└─

05　그는 과일을 아주 좋아한다.

06　따뜻한 봄바람이 산 너머에서 불어온다.

07　놀랍게도 거미는 곤충이 아니다.

08　현수가 내 옷을 빌려갔어.

[09~12] **각 문장에서 부속 성분을 찾아 밑줄을 그으시오.**

09   승철이는 헌 신을 깨끗하게 빨았다.

10   네, 이 일을 빨리 끝내겠습니다.

11   태성아, 저 고양이 정말 귀엽지 않니?

12   나는 어제 재미있는 영화를 봤다.

[13~18] **각 문장에서 안긴문장을 찾아 밑줄을 긋고, 그 절의 종류를 쓰시오.**

13   재래시장은 가격이 저렴하다.

14   그것은 오빠가 사용하던 물감이다.

15   그는 우리 팀이 이겼다고 말했다.

16   우리는 그가 지나가도록 길을 비켜 주었다.

17   파스칼은 "사람은 생각하는 갈대이다."라고 말했다.

18   모두가 너의 일이 잘 되기를 바란다.

몇 문제 맞혔나요?(   ) / 18문항

맞힌 개수	15개 이상	11~14개	10개 이하
결과	다음 회로 넘어가도 되겠어요!	이번 회 한 번만 더 읽고 갈까요?	복습하고 넘어가야겠어요.

[01~06] 각 문장의 밑줄 친 부분에 대한 설명으로 적절한 것을 [보기]에서 찾아 기호를 쓰시오.

┤ 보 기 ├
㉠ 문장에서 체언을 꾸며 주는 문장 성분.
㉡ 서술어나 관형어, 다른 부사어, 문장 전체를 꾸며 주는 문장 성분.
㉢ 문장의 어느 성분과도 직접적인 관련을 맺지 않는 문장 성분.

01　지원이는 <u>모범적인</u> 학생이다.

02　<u>과연</u> 연우가 반장이 될까?

03　<u>야호</u>, 내일이면 여행을 간다.

04　나는 <u>동물원에서</u> 친구를 만났다.

05　나는 <u>민정이의</u> 생일을 축하했다.

06　<u>우와</u>, 그 강아지 진짜 크구나.

[07~11] 대등하게 이어진 문장에는 '대'를, 종속적으로 이어진 문장에는 '종'을 쓰시오.

07　천둥이 치고 비가 내린다. (　　　)

08　우리는 점심을 먹으려고 식당으로 내려갔다. (　　　)

09　그 빵의 크기는 크지만 내용물은 적었다. (　　　)

10　나는 아이들을 좋아해서 선생님이 되었다. (　　　)

11　오늘은 이 책을 읽거나 다른 책을 읽어라. (　　　)

12　[보기]의 ㉠~㉤ 중 주성분이 <u>아닌</u> 것을 모두 고르시오.

┤ 보 기 ├
나는 그 과자를 빨리 먹었다.
㉠　㉡　㉢　㉣　㉤

①㉠　　　　②㉡　　　　③㉢　　　　④㉣　　　　⑤㉤

13 [보기]의 ㉠~㉣에 대한 설명으로 적절한 것은?

┤ 보 기 ├

㉠ 아이들이 운동장에서 마음껏 뛰논다.
㉡ 동네 아이들이 강에서 개구리를 애타게 찾는다.
㉢ 이 꽃은 향기가 정말 좋다.
㉣ 가게 문이 언제 열릴지 아무도 모른다.

① ㉠에서 사용된 주성분은 3개이다.
② ㉡에 쓰인 주성분은 주어와 서술어이다.
③ ㉢에 쓰인 관형어는 생략할 수 없다.
④ ㉣에서 '열릴지'의 주어는 있지만, '모른다'의 주어는 없다.
⑤ ㉠~㉣ 모두 부사어가 쓰였다.

14 다음 중 밑줄 친 부분의 문장 성분이 다른 하나는?

① 은아는 빨리 뛰어갔다.
② 우리 반은 질서를 잘 지킨다.
③ 그녀는 잽싸게 앞으로 나갔다.
④ 선호는 정말 바쁜 하루를 보냈다.
⑤ 과연 그의 생각은 남보다 깊다.

15 [보기]에서 안긴문장을 찾고, 안은문장의 종류를 쓰시오.

┤ 보 기 ├

농민들은 태풍 피해가 없게 대비해야 한다.

① 안긴문장:

② 안은문장의 종류:

16 [보기]의 밑줄 친 부분과 같은 문장 성분이 모두 사용된 문장은?

┌─ 보 기 ├─
- 나는 물을 못 먹었어.
- 지후가 어느새 청년이 되었네.
└─────────────────┘

① 수아는 오늘만 지각을 했다.

② 애벌레는 자라서 나비가 된다.

③ 나와 희진이는 공예부에 들었다.

④ 겨울이 오자 강물은 얼음이 되었다.

⑤ 서은이가 범인이 아니라는 말을 들었어.

17 다음 중 이어진문장이 아닌 것은?

① 봄이 오고 꽃이 핀다.

② 축구를 하면 신이 난다.

③ 잠을 자면 정신이 맑아진다.

④ 오늘 수영을 하는 선수를 보았다.

⑤ 바람은 불었지만 비는 오지 않았다.

18 이어진문장의 종류가 다른 하나는?

① 집에 가든지 학교에 가든지 해라.

② 비가 오지 않아서 땅이 갈라진다.

③ 민희는 친절하고 현아는 다정하다.

④ 은우는 집에 있지만 태헌이는 산에 갔다.

⑤ 나는 귤은 좋아하지만 토마토는 좋아하지 않는다.

19 [보기]에 대한 설명으로 적절하지 <u>않은</u> 것은?

```
┤ 보 기 ├
            나는 [눈이 빠지게] 그를   기다렸다.
            주어  주어 ( ㉠ )  ( ㉡ )   서술어
                      ( ㉢ )
```

① 전체 문장의 주어는 '나는'이다.

② ㉠의 문장 성분은 '서술어'이다.

③ ㉡의 문장 성분은 '목적어'이다.

④ ㉢은 부사절이다.

⑤ '눈이 빠지게'는 '그를' 수식한다.

20 ㄱ~ㅁ의 문장 성분을 바르게 분석한 것을 모두 고르면?

```
ㄱ. 와,     둥근  달이  정말  예쁘다.
   독립어 관형어 주어 부사어 서술어

ㄴ. 강아지는  변온 동물이  아니다.
    주어        주어      서술어

ㄷ. 소녀의  눈동자가  환하게  빛났다.
   관형어    주어     부사어  서술어

ㄹ. 눈부시게   하얀   눈이  마을에  내렸다.
   관형어    관형어  주어  부사어  서술어

ㅁ. 텔레비전은 청소년들에게 그릇된 인식을 심어 준다.
    주어        부사어     관형어 목적어  서술어
```

① ㄱ, ㄷ   ② ㄱ, ㄹ   ③ ㄱ, ㄴ, ㄷ

④ ㄱ, ㄷ, ㄹ   ⑤ ㄱ, ㄷ, ㅁ

 몇 문제 맞혔나요?(　　　) / 20문항

맞힌 개수	17개 이상	13~16개	12개 이하
결과	다음 회로 넘어가도 되겠어요!	이번 회 한 번만 더 읽고 갈까요?	복습하고 넘어가야겠어요.

01 다음 문장의 밑줄 친 문장 성분에 대한 설명으로 적절한 것은?

> 네, 제가 그 <u>친구들을</u> 만났습니다.

① 서술어가 표현하는 행위의 대상이 된다.

② 주로 명사, 대명사 등 체언을 꾸며 주는 말이다.

③ 특정한 서술어 앞에서 주어의 의미를 보충해 준다.

④ 문장 전체나 용언, 다른 부사어, 관형어를 수식해 준다.

⑤ 다른 문장 성분과 직접적인 관계를 맺지 않고 독립적으로 쓰인다.

02 다음 문장의 ㉠~㉤에 대한 설명으로 적절한 것은?

> ㉠드디어 ㉡진수는 ㉢세계적인 ㉣화가가 ㉤되었다.

① ㉠: 체언을 꾸며 주는 문장 성분으로, 주성분이다.

② ㉡: 서술어의 주체가 되는 문장 성분으로, 주성분이다.

③ ㉢: 용언을 꾸며 주는 문장 성분으로, 부속 성분이다.

④ ㉣: '되다', '아니다' 앞에서 의미를 보충하는 문장 성분으로, 부속 성분이다.

⑤ ㉤: 관형어나 문장 전체를 꾸며 주는 문장 성분으로, 주성분이다.

03 다음 문장에 쓰인 문장 성분이 모두 쓰인 문장은?

> 제가 어제 공을 잃어버렸어요.

① 아아, 하늘이 무척 맑구나.

② 고래는 정말 어류가 아니구나.

③ 예쁜 꽃이 화단에 가득 피었다.

④ 우리 연못에 많은 물고기가 산다.

⑤ 소년이 소녀에게 꽃다발을 주었다.

04 다음은 [보기]의 ㉠~㉤을 분류하여 정리한 것이다. (1)~(2)에 들어가기에 알맞은 말을 쓰시오.

┤ 보 기 ├
- 시간이 ㉠정말 빨리 간다.
- ㉡그 그림은 정말 아름답다.
- ㉢과연 그는 훌륭한 예술가이다.
- 어제 친구를 ㉣오래간만에 만났다.
- ㉤친절한 그를 다시 보고 싶다.

(1) 같은 문장 성분의 기호를 쓰시오.

　① 부사어: _____

　② 관형어: _____

(2) 각 문장 성분이 꾸며 주는 대상을 문장에서 찾아 쓰시오.

　① ㉠: _____

　② ㉡: _____

　③ ㉢: _____

　④ ㉣: _____

　⑤ ㉤: _____

05 다음 중 홑문장만을 골라 묶은 것으로 가장 적절한 것은?

ㄱ. 민영이는 오빠와 닮았다.
ㄴ. 우리는 비가 그치기를 기다렸다.
ㄷ. 드디어 지영이가 경기에서 골을 넣었다.
ㄹ. 강물이 맑아서 강바닥까지 잘 보인다.

① ㄱ, ㄴ　　　　　② ㄱ, ㄷ　　　　　③ ㄴ, ㄷ

④ ㄴ, ㄹ　　　　　⑤ ㄷ, ㄹ

06 ㄱ~ㅁ을 이어진문장의 종류에 따라 분류하시오.

> ㄱ. 성호는 키가 크지만 지수는 키가 작다.
> ㄴ. 유정이는 요리 재료를 사러 마트에 갔다.
> ㄷ. 길이 미끄러워서 우리는 차를 두고 나갔다.
> ㄹ. 비가 억수같이 내리고 바람이 세차게 분다.
> ㅁ. 비가 오지 않으면 논에 심은 작물이 타죽게 된다.

(1) 대등하게 이어진 문장:

(2) 종속적으로 이어진 문장:

07 ㉠과 ㉡에 대한 설명으로 알맞은 것은?

> ㉠토끼는 귀가 길고 ㉡생쥐는 귀가 짧다.

① ㉠과 ㉡의 주어가 같아서 하나가 생략되었다.

② ㉠과 ㉡ 각각에는 서술어의 역할을 하는 안긴문장이 들어 있다.

③ ㉠과 ㉡은 각각 홑문장으로, 주성분과 이를 꾸며 주는 성분으로 구성되어 있다.

④ ㉠은 ㉡ 속에 안겨 하나의 문장 성분처럼 쓰이고 있다.

⑤ ㉠과 ㉡은 인과 관계로 종속적으로 이어져 있다.

08 다음 문장을 간접인용절을 안은 문장으로 고치시오.

> 수지는 "나는 뜨개질을 좋아해"라고 말했다.

---

09 각 문장 속 안긴문장의 종류를 연결한 것으로 적절하지 <u>않은</u> 것은?

① 눈이 예쁜 아이가 웃고 있다. – 관형절

② 우리는 바람이 잘 통하도록 창문을 열었다. – 부사절

③ 농구 선수 민식이는 누구보다 시야가 넓다. – 서술절

④ 연구팀은 백신의 효과가 있음을 증명하였다. – 인용절

⑤ 나는 동생이 읽었던 책을 도서관에 반납했다. – 관형절

10 다음 중 ㄱ~ㄷ의 설명에 해당하는 것으로 모두 포함하고 있는 문장은?

┌──── 보 기 ────┐

ㄱ. 절이 서술어 동작의 주체가 된다.

ㄴ. 주어와 서술어의 관계가 두 번 이상 나타난다.

ㄷ. 뒤에 어떤 조사가 결합하느냐에 따라 절이 문장 속에서 다양한 역할을 한다.

① 민호는 아직 학교에서 오지 않았다.

② 진수가 숙제를 하러 가자고 말했다.

③ 우리는 그가 다시 돌아오기를 바라고 있다.

④ 주은이는 나와 다르게 운동을 아주 잘 한다.

⑤ 소현이가 내기에서 이기기는 사실상 불가능하다.

몇 문제 맞혔나요? ( ) / 10문항

맞힌 개수	8개 이상	6~7개	5개 이하
결과	다음 회로 넘어가도 되겠어요!	이번 회 한 번만 더 읽고 갈까요?	복습하고 넘어가야겠어요.

[01~07] 다음 설명이 맞으면 O표, 틀리면 X표 하시오.

01 단모음인 'ㅚ, ㅟ'는 경우에 따라 이중 모음으로 발음할 수 있다. (　　　)

02 '제례'의 '례'는 원래 소리를 살려 발음해야 한다. (　　　)

03 '안팎'은 표기와 발음이 같은 단어이다. (　　　)

04 '낫, 낟, 날, 낮, 낯'은 표기가 다르지만 소리는 같다. (　　　)

05 '맑다'는 [막따] 또는 [말따]로 발음할 수 있다. (　　　)

06 '넓다'의 'ㄼ'은 뒤에 오는 음운이 'ㄷ'일 때 'ㄹ'이 탈락하여 [ㅂ]로 소리 난다. (　　　)

07 받침 'ㅎ'이 'ㄴ'으로 시작하는 말과 결합하는 경우 [ㄴㄴ]으로 소리 난다. (　　　)

[08~11] 올바른 발음에 O표 하시오.

08 '의의'의 올바른 발음은 [으:이] / [의:이]이다.

09 '예매'의 올바른 발음은 [에:매] / [예:매]이다.

10 '넣은'의 올바른 발음은 [너:은] / [너:흔]이다.

11 '읽지'의 올바른 발음은 [일찌] / [익찌]이다.

[12~15] 밑줄 친 부분의 받침의 발음이 같은 것끼리 연결하시오.

12 흙과　　•　　　　　　　　•늙다

13 넓둥글다 •　　　　　　　　•삶

14 앎　　　•　　　　　　　　•밟지

15 겉　　　•　　　　　　　　•받다

16 다음 중 발음의 원칙이 <u>다른</u> 하나는?

　① 옳고　　　② 끊은　　　③ 넣을　　　④ 쌓인　　　⑤ 긇은

17 다음 밑줄 친 단어의 발음이 적절한 것은?

① 민수가 <u>의장</u>[이장]이 되었다.

② 망가진 의자를 <u>고쳐</u>[고쳐] 쓰자.

③ 부모님의 <u>은혜</u>[으녜]를 잊지 말자.

④ 연 <u>띄우기</u>[띠우기] 행사에 참가했다.

⑤ 그분의 <u>무예</u>[무에]를 보고 놀랄 수밖에 없었다.

18 다음 대화의 ㉠~㉤ 중 받침의 발음이 <u>다른</u> 하나는?

┌── 보기 ──┐
수민: 저 호수 ㉠물빛 좀 봐.

지호: 응. 참 ㉡좋다.

수민: 물결도 가지런한 게 ㉢빗질한 것 같아.

지호: 하하. 표현이 ㉣멋지다.

수민: 햇빛 때문에 반짝거리니까 마치 보석 ㉤같지?
└────────┘

① ㉠   ② ㉡   ③ ㉢   ④ ㉣   ⑤ ㉤

몇 문제 맞혔나요? (   ) / 18문항

맞힌 개수	15개 이상	11~14개	10개 이하
결과	다음 회로 넘어가도 되겠어요!	이번 회 한 번만 더 읽고 갈까요?	복습하고 넘어가야겠어요.

01 [보기]를 고려할 때 밑줄 친 부분의 발음으로 적절한 것은?

┤ 보기 ├

표준 발음법
제5항 'ㅑ, ㅒ, ㅕ, ㅖ, ㅘ, ㅙ, ㅛ, ㅝ, ㅞ, ㅠ, ㅢ'는 이중 모음으로 발음한다.
　다만 1. 용언의 활용형에 나타나는 '져, 쪄, 쳐'는 [저, 쩌, 처]로 발음한다.
　다만 2. '예, 례' 이외의 'ㅖ'는 [ㅔ]로도 발음한다.

① 그가 장난감을 고쳐[고쳐] 주었다.

② 의례[의레]가 끝나고 자리에 앉았다.

③ 참 재미있는 주례사[주례사]를 들었다.

④ 그 시합에서 우리가 결국 져[져] 버렸다.

⑤ 요즘 학교에서는 예절[에절] 교육을 강화하고 있다.

02 [보기]의 단어 중 모음 'ㅢ'가 두 가지로 발음될 수 있는 것끼리 묶인 것은?

┤ 보기 ├

유희, 의견, 자유주의, 정의, 틔다, 협의

① 유희, 의견, 자유주의　　　　② 의견, 자유주의, 정의

③ 자유주의, 정의, 협의　　　　④ 정의, 틔다, 협의

⑤ 의견, 정의, 협의

03 밑줄 친 부분의 받침의 발음이 다른 하나는?

① 있다　　　② 뱉다　　　③ 빗다　　　④ 쫓다　　　⑤ 덮다

04 각 단어를 발음한 것으로 적절한 것은?

① 곪다[골:따]　　② 읊고[을꼬]　　③ 핥다[할따]　　④ 없다[업:따]　　⑤ 외곬[외곧]

05 [보기]를 참고하여 겹받침의 발음의 원리를 바르게 파악한 사람은?

> ┤ 보 기 ├
>
> 수탉[수탁], 맑다[막따], 늙지[늑찌]
> 맑게[말께], 묽고[물꼬], 얽거나[얼꺼나]

① 재우: 겹받침 'ㄺ'은 [ㄱ]으로만 발음되는군.

② 미진: 겹받침 'ㄺ'은 개인의 성향에 따라 발음을 달리해도 되는군.

③ 중현: 겹받침 'ㄺ'은 단어의 끝에 있을 때에만 [ㄱ]으로 발음되는군.

④ 수영: 겹받침 'ㄺ'은 첫음절에 온 경우와 그 외의 경우에 따라 발음이 달라지는군.

⑤ 하빈: 겹받침 'ㄺ'은 용언의 어간에 쓰인 경우 뒤에 오는 음운에 따라 발음이 달라지는군.

06 다음 중 받침의 발음 원리가 [보기]와 같은 것은?

> ┤ 보 기 ├
>
> 많아

① 않네   ② 않은   ③ 않고   ④ 않던   ⑤ 않지

07 다음 중 두 단어의 발음이 <u>다른</u> 것은?

① 나은 – 낳은   ② 옳은 – 오른   ③ 업다 – 엎다

④ 묵다 – 묽다   ⑤ 앉다 – 않다

08 다음 중 겹받침 'ㄼ'의 발음이 [보기]와 같은 것은?

> ┤ 보 기 ├
>
> 넓적하다

① 넓다   ② 밟고   ③ 엷게   ④ 얇고   ⑤ 떫지

09 [보기]의 밑줄 친 부분의 발음으로 잘못된 것은?

─ 보 기 ├─

　최근 새끼 세 마리를 낳은 암사자가 새끼 표범에게 ㉠젖을 물리고 있어 화제다. 새끼 표범은 어미를 ㉡잃어버리고 떠돌고 있었는데, ㉢넓은 초원에서 자칫 목숨을 잃을 수도 있는 상황에서 암사자는 모성애를 발휘하여 새끼 표범을 계속 ㉣돌봤던 것이다. 평소 '㉤만만찮은 엄마'로 알려진 암사자가 앞으로도 새끼 표범의 엄마 노릇을 이어갈지가 주목된다.

① ㉠: [젇]　　　　　　② ㉡: [이러버리고]　　　　　③ ㉢: [널븐]

④ ㉣: [돌봗떤]　　　　　⑤ ㉤: [만만찬흔]

10 밑줄 친 부분의 발음이 올바른 것은?

① 소금을 많이 넣지[너찌] 마라.

② 오늘은 읽기[일끼] 시험이 있어.

③ 이제부터 연락을 끊겠습니다[끈껟씀니다].

④ 날씨가 좋으면[조흐면] 밖으로 나가자.

⑤ 송편을 빚다가[빋따가] 말고 뛰어나갔다.

11 다음 중 [보기]의 사례에 해당하지 않는 것은?

─ 보 기 ├─

　어말 위치에서 또는 자음 앞에서 겹받침 'ㄺ, ㄻ, ㄿ'은 'ㄹ'을 탈락시키고 각각 [ㄱ, ㅁ, ㅂ]으로 발음한다.

① 묽고　　　　② 늙다　　　　③ 삶다　　　　④ 닭고　　　　⑤ 읊지

12 다음 중 밑줄 친 부분의 발음이 적절하지 <u>않은</u> 것은?

① 마당을 한 바퀴 <u>훑고</u>[훌꼬] 왔다.

② <u>앎과</u>[암:과] 모름을 제대로 알고 있다.

③ <u>굵디굵은</u>[국:따굴:근] 대추알이 달려 있었다.

④ <u>밥값</u>[밥깝]을 하며 살기란 무척 어렵다.

⑤ 장난감 칼이 <u>흙더미</u>[흘떠미]에 묻혀 버렸다.

13 [보기]의 ㉠~㉤의 발음에 대한 설명으로 적절하지 <u>않은</u> 것은?

> ─── 보 기 ───
>
> ㉠ <u>햇살</u> ㉡ <u>좋은</u> 날, 하늘도 ㉢ <u>새파랗고</u> ㉣ <u>물빛</u>도 ㉤ <u>맑다</u>.

① ㉠: '햇'의 받침 'ㅅ'은 음절의 끝소리에서 [ㄷ]으로 소리 나므로 [핻쌀]로 발음한다.

② ㉡: '좋'의 받침 'ㅎ'은 모음 앞에서 탈락하여 소리 나지 않으므로 [조은]으로 발음한다.

③ ㉢: '랗'의 받침 'ㅎ'은 자음 앞에서 [ㄷ]으로 소리 나므로 [새파랃꼬]로 발음한다.

④ ㉣: '빛'의 받침 'ㅊ'은 음절의 끝소리에서 [ㄷ]으로 소리 나므로 [물삗]으로 발음한다.

⑤ ㉤: '맑다'의 받침 'ㄹㄱ'은 자음 앞에서 [ㄱ]으로 소리 나므로 [막따]로 발음한다.

[01~05] 다음 설명이 맞으면 O표, 틀리면 X표 하시오.

01 언어는 내용과 일정한 형식이 우연히 결합한 것이다. (   )

02 동일한 대상을 나타내는 여러 개의 다른 언어가 존재한다. (   )

03 인간은 언어를 사용하여 새로운 단어나 문장을 무한히 만들 수 있다. (   )

04 언어는 시간에 따라 소리는 변하지만, 정해진 의미는 변하지 않는다. (   )

05 언어는 사회적 약속이므로 한 번 정해진 이후에는 절대 바뀌지 않는다. (   )

[06~09] 다음의 예를 통해 알 수 있는 언어의 특성을 쓰시오.

06 '바가지'는 무언가를 퍼내는 그릇으로 처음에는 박을 쪼갠 것만을 의미했지만, 지금은 플라스틱이나 쇠로 만든 것도 '바가지'라고 한다. → 언어의 (   )

07 '머리 부분에 다섯 쌍의 다리가 있고, 그중 한 쌍의 다리 사이에 있는 빨판으로 먹이를 잡는 동물'을 '오징어'라고 부르기로 약속했다. 이후, 어떤 사람이 이를 '낙지'라고 말한다면 다른 사람들은 알아들을 수 없다. → 언어의 (   )

08 '배'는 '먹는 배', '사람이나 짐 따위를 싣고 움직이는 배', '사람의 몸 부위인 배' 등 여러 가지 의미가 있다. 이는 말소리는 같고 의미가 다른 경우로, 말소리와 의미의 관계가 필연적이라면 생길 수 없는 일이다. → 언어의 (   )

09 '나는 빵을 좋아한다.'라는 문장을 바탕으로 꾸미는 말을 다양하게 넣어 서로 다른 문장을 만들게 하면, 모둠별로 수많은 문장을 만들어 낼 수 있다. → 언어의 (   )

10 [보기]의 설명과 관련된 언어의 특성은?

┤ 보 기 ├
　　언어는 표현하고자 하는 '내용'과 그것을 표현하는 '형식'으로 이루어져 있는 기호 체계이다. 언어의 내용은 '의미'이고 형식은 '말소리'이다. 그런데 언어의 내용과 형식, 즉 의미와 말소리 사이에는 필연적인 관계가 없다. 예를 들어, 국어에서는 '사람이나 동물이 그 속에 들어 살기 위하여 지은 건물'이라는 의미가 있는 말을 '집'이라는 말소리로 표현하지만 영어에서는 'house(하우스)'라는 말소리로 표현한다.

① 자의성　　　② 사회성　　　③ 역사성　　　④ 규칙성　　　⑤ 창조성

11 [보기]의 설명과 관련된 언어의 특성은?

> ─┤ 보 기 ├─
>
> 앵무새는 '주무세요.'라는 말을 배우면 그 말 밖에 할 수 없다. 그러나 인간은 '주무세요.'라는 말을 바탕으로 '편히', '어서' 라는 말을 결합하여 상황에 맞게 '편히 주무세요.', '어서 주무세요.'라는 다양한 의미를 가진 문장을 만들어 낼 수 있다.

① 창조성   ② 기호성   ③ 역사성   ④ 사회성   ⑤ 규칙성

12 언어의 특성을 바르게 이해하지 <u>못한</u> 사람은?

① 승현: '나무'가 필연적으로 [나무]라는 말소리를 갖게 된 것은 아니야.

② 진웅: '나무'는 오랫동안 [나무]라고 했으니 영원히 [나무]라고 불러야만 해.

③ 수지: '나무'를 [나무]라고 표현하기로 한 약속을 어기면 다른 사람과 의사소통이 어려울 거야.

④ 선호: '줄기나 가지가 목질로 된 여러해살이 식물'이라는 의미가 [나무]라는 말소리와 결합한 거야.

⑤ 효진: '나무'가 들어간 문장을 만들 때 끝없이 만들 수 있는 것은 언어의 창조성 때문이야.

몇 문제 맞혔나요?(   ) / 12문항

맞힌 개수	10개 이상	7~9개	6개 이하
결과	다음 회로 넘어가도 되겠어요!	이번 회 한 번만 더 읽고 갈까요?	복습하고 넘어가야겠어요.

[01~05] (   ) 안에 들어가기에 알맞은 말을 [보기]에서 찾아 쓰시오.

보 기

담화   상황 맥락   의미   지시어   높임 표현   사회·문화적 맥락

01 머릿속의 생각이 실제 문장으로 나타난 것이 모여 의미 덩어리를 이루는 것을 (   )
(이)라고 한다.

02 같은 물건이라도 말하는 사람과 듣는 사람과 물건의 거리에 따라 (   )을/를 다르
게 사용해야 한다.

03 같은 말이라도 어떤 상황에 있느냐에 따라 그 (   )이/가 달라질 수 있다.

04 대화에 참여한 사람의 관계에 따라 웃어른과 말할 때는 적절한 (   )을/를 사용해
야 한다.

05 말하는 이와 듣는 이가 처한 시·공간적 상황은 (   )에 속한다.

[06~08] 담화에 관한 설명으로 맞으면 O표 , 틀리면 X표 하시오.

06 담화가 이루어지는 공간적인 상황은 담화에 영향을 끼칠 수 있다. (   )

07 말하는 이와 듣는 이 사이의 사회적 맥락에 따라 담화의 의미는 달라질 수 있다. (   )

08 담화를 해석할 때는 말하는 이, 듣는 이, 발화, 맥락 중에서 한 가지 요소만을 골라 그것을 기
준으로 삼아야 한다. (   )

[09~11] 다음의 예와 관련이 있는 사회 · 문화적 맥락의 구성 요소를 바르게 연결하시오.

09 전라남도에서는 '고구마'를 '진감자'라고 부른다. ·

· ㉠ 세대

10 외국인은 한국인 친구가 식당에서 종업원을 '이모'라
고 부르는 것을 이해하지 못했다. ·

· ㉡ 문화

11 어른 세대는 젊은 세대가 흔히 쓰는 '엄카', '심쿵'이라
는 말을 잘 알지 못한다. ·

· ㉢ 지역

12 [보기]의 ㉠과 ㉡에 대한 설명으로 가장 적절한 것은?

> ─┤ 보 기 ├─
> ㉠ (병원에서 의사가 수술한 환자에게) 식사하셨어요?
> ㉡ (아침에 직장에서 출근한 동료들에게) 식사하셨어요?

① ㉠과 ㉡에서 말하는 사람의 발화 의도는 같다.

② ㉠은 의사들이 사용하는 전문 용어를 포함하고 있다.

③ ㉡은 사람들이 많이 사용하는 일상적인 인사말이다.

④ ㉠은 ㉡과 달리 상대방의 기분을 고려하지 않고 있다.

⑤ ㉡은 ㉠과 달리 특수한 상황 맥락을 고려하여야 한다.

13 [보기]의 (가)와 (나)에 대한 설명으로 적절하지 <u>않은</u> 것은?

> ─┤ 보 기 ├─
> (가) 아버지가 어린 동생을 맡기고 외출하며
>   아버지: 잘 봐라.
>   진영: 네, 잘 볼게요.
> (나) 아버지가 시험장에 들어가는 진영에게
>   아버지: 잘 봐라.
>   진영: 네, 잘 볼게요.

① (가)의 '아버지'의 말에는 '동생을 잘 보살펴라.'라는 의미가, (나)의 '아버지'의 말에는 '시험을 잘 치러라'.라는 의미가 담겨 있다.

② (가)에서 '진영'의 말에는 '동생을 잘 보살필게요.'라는 의미가, (나)의 '진영'의 말에는 '시험을 잘 치를게요.'라는 의미가 담겨 있다.

③ (가)와 (나)는 동일한 발화 내용이기 때문에 늘 같은 의미로만 해석된다.

④ (가)와 (나)의 '진영'은 '아버지'의 발화에 담긴 의도를 이해하고 적절하게 반응하고 있다.

⑤ (가)와 (나)는 담화의 구체적인 상황 맥락에 따라 발화의 내용을 파악해야 함을 보여 준다.

몇 문제 맞혔나요? (   ) / 13문항

맞힌 개수	10개 이상	7~9개	6개 이하
결과	다음 회로 넘어가도 되겠어요!	이번 회 한 번만 더 읽고 갈까요?	복습하고 넘어가야겠어요.

[01~05] ( ) 안에 들어가기에 적절한 말에 O표 하시오.

01 자음의 창제 원리에 적용되지 않은 원리는 (상형, 가획, 이체, 합성)이다.

02 모음의 기본자 중 '·'은 (하늘, 땅, 사람)의 모양을 본뜬 것이고, '一'는 (하늘, 땅, 사람)의 모양을 본뜬 것이며, 'ㅣ'는 (하늘, 땅, 사람)의 모양을 본뜬 것이다.

03 'ㄱ'은 (어금닛소리, 잇소리)로 (혀뿌리, 혀끝)가(이) 목구멍을 막는 모양을 본뜬 것이다.

04 'ㅁ → ㅂ → ㅍ'으로 변하는 것은 기본자에 획을 더했기 때문이며, 이때 (소리의 세기, 억양)는(은) 점점 강해진다.

05 모음의 기본자를 합쳐서 초출자를 만들고, 거기에 다시 기본자를 더해 재출자를 만든 것은 (합성, 가획)의 원리가 적용된 것이다.

[06~09] 다음 설명이 맞으면 O표, 틀리면 X표 하시오.

06 'ㅆ', 'ㅃ'에는 글자를 나란히 쓰는 병서의 원리가 적용된 것이다. (   )

07 'ㄹ'은 기본자 'ㄴ'에 획을 더한 글자이고, 'ㅌ'은 기본자인 'ㄷ'에 획을 더한 글자이다. (   )

08 'ㅊ'은 'ㅈ'보다 더 세게 발음해야 하지만, 'ㅿ'은 'ㅅ'에 획을 더한 것이 아니기 때문에 'ㅅ'보다 세게 발음하지 않아도 된다. (   )

09 모음의 초출자에는 'ㅗ, ㅏ, ㅜ, ㅓ'가 있고 재출자에는 'ㅛ, ㅑ, ㅠ, ㅕ'가 있다. (   )

[10, 11] ( ) 안에 들어가기에 적절한 말을 [보기]에서 찾아 쓰시오.

```
┌──── 보 기 ├────────────────────────────────┐
          연서    병서    ㄹ    ㅋ    ㅌ    ㅍ    ㅊ    ㅎ
└──────────────────────────────────────────┘
```

10 'ㅸ, ㅱ, ㆄ'와 같은 글자에는 (   )의 원리가 적용되어 있다.

11 자음 중 기본자에 두 획을 더한 글자에는 (   )가 있다.

12 다음 글자에 대한 설명으로 알맞은 것은?

민

① '자음 + 모음'으로 구성되어 있다.

② 제시된 글자의 초성은 목구멍의 모양을 본뜬 글자이다.

③ 제시된 글자의 중성은 하늘의 높이를 상형한 것이다.

④ 제시된 글자의 중성에 'ㆍ'가 결합하면 'ㅓ'나 'ㅏ'가 된다.

⑤ 제시된 글자의 종성의 가획자는 'ㅂ, ㅍ'이다.

13 [보기]에 제시된 한글의 창제 원리와 관련이 <u>없는</u> 자음은?

보 기

ㄱ. 혀뿌리가 목구멍을 막는 모양을 본떴다.

ㄴ. 혀가 윗잇몸에 닿는 모양을 본떴다.

ㄷ. 입의 모양을 본떴다.

ㄹ. 이의 모양을 본떴다.

① ㄱ   ② ㄴ   ③ ㅁ   ④ ㅅ   ⑤ ㅇ

 몇 문제 맞혔나요?(   ) / 13문항

맞힌 개수	10개 이상	7~9개	6개 이하
결과	다음 회로 넘어가도 되겠어요!	이번 회 한 번만 더 읽고 갈까요?	복습하고 넘어가야겠어요.

01 언어의 특성에 대한 설명으로 적절하지 <u>않은</u> 것은?

① 언어의 의미와 말소리의 관계는 필연적이다.

② 언어는 시간의 흐름에 따라 끊임없이 생성, 성장, 소멸한다.

③ 언어는 그 언어를 사용하는 사람들 사이의 사회적 약속이다.

④ 인간은 한정된 음운과 단어를 가지고 무한히 많은 문장을 만들 수 있다.

⑤ 인간은 말하는 목적이나 상황에 맞게 스스로 다양한 문장을 만들어 사용할 수 있다.

02 언어의 특성과 관련된 예로 적절하지 <u>않은</u> 것은?

	언어의 특성	예
①	사회성	우유를 사면서 "이 토끼 얼마예요?"라고 물으면 가게 주인은 알아듣지 못한다.
②	역사성	'온'과 '즈믄'이라는 말은 한자어의 '백(百)'과 '천(千)'에 밀려 사라지고 말았다.
③	역사성	'영감'이라는 말은 과거에는 '벼슬아치'를 의미했지만, 지금은 '나이가 많아 중년이 지난 남자'를 의미한다.
④	자의성	★을 한국어로는 '별[별:]'이라고 하고, 영어에서는 star[스타]라고 하며, 프랑스 어는 étoile[에뜨왈르]라고 한다.
⑤	창조성	'바람이 시원한 분다.'라는 문장은 어색하게 느껴지지만, '시원한 바람이 분다.'라는 문장은 자연스럽게 느껴진다.

03 [보기]의 대화를 통해 알 수 있는 언어의 특성을 쓰시오.

> ┤ 보 기 ├
>
> 선생님: 세종 대왕께서는 '어린 백성을 위하여 훈민정음을 만드노라.'라고 훈민정음의 창제 의도를 밝히셨단다.
> 진　영: 어린 백성? 저와 같은 어린 학생들을 위해 만드신 거예요?
> 선생님: 조선 시대에는 '어리다'는 말이 '어리석다'라는 뜻으로 쓰였단다.

04 [보기]에 드러나 있는 언어의 특성은? (정답 2개)

> ┤ 보기 ├
>
> 프랑스 사람들은 침대를 '리'라고 하고 책상을 '타블', 그림을 '타블로', 그리고 의자를 '쉐즈'라고 한다. 그러면서도 서로 다 알아듣는다. 그리고 중국 사람들도 이런 식으로 자기들끼리 말이 통한다.
>
> "어째서 '침대'를 '사진'이라고 부르지 않느냐 말야." 남자는 그렇게 생각하며 미소를 지었다. 그런 다음 웃음을 터뜨렸는데, 이웃들이 벽을 두드리며 "조용히 합시다." 하고 고함 지를 때까지 그는 웃고 또 웃었다.
>
> "이제는 달라질 거야." 이렇게 외치면서 그는 이제부터 침대를 '사진'이라고 부르기로 했다.
>
> – 페터 빅셀, 「책상은 책상이다」 중에서

① 사회성   ② 역사성   ③ 자의성   ④ 규칙성   ⑤ 창조성

05 담화에 대해 바르게 설명한 것은?

① 말과 글이 이루어지는 구체적 상황이다.

② 글에서 하나의 주제를 담고 있는 문단이다.

③ 일정한 상황 속에서 문장 단위로 실현된 말의 집합체이다.

④ 머릿속 생각이나 감정을 완결된 내용으로 표현하는 최소한의 언어 형식이다.

⑤ 발음 기관을 통하여 만들어지는 모든 소리로, 말의 뜻을 구별해주는 가장 작은 단위이다.

06 다음 중 상황 맥락을 고려하지 못한 담화는?

① ┌ 경은: 오늘은 어제 새로 산 옷을 입어 봤어. 어떠니?
   └ 인아: 너랑 잘 어울려. 예뻐.

② ┌ 진영: 오늘 나랑 영화 보러 가지 않을래?
   └ 유진: 미안해. 내일 영어 시험이 있어서 못 가겠네.

③ ┌ 서영: 오늘 너희 집에 가서 함께 숙제를 해도 될까?
   └ 윤정: 그러자. 서로 도움이 되겠는걸!

④ ┌ 민희: 생일 축하해. 이건 내 선물이야.
   └ 지은: 우와, 정말 멋진 선물이네. 고마워.

⑤ ┌ 선생님: 이 녀석, 지금 몇 시야? 매일 지각이구나.
   └ 재범: 네, 선생님. 9시 40분입니다.

07 다음 담화의 구성 요소에 대한 설명으로 적절하지 <u>않은</u> 것은?

> 아버지: ㉠(전화기에 대고) 진호야, 서재에 있는 노란 봉투 속에 들어 있는 메모지의
> 내용 좀 읽어줄래?
> 진호: ㉡(전화를 들고) 네, 컴퓨터 옆에 있는 이 봉투 맞지요?
> 아버지: (고개를 끄덕이며) 그래.

① ㉠을 통해 '아버지'가 전화를 건 목적이 무엇인지 알 수 있다.

② ㉡에서 청자는 '아버지'이다.

③ ㉡에서 화자는 '진호'이다.

④ ㉠과 ㉡의 공간적 상황은 추측할 수 없다.

⑤ ㉠과 ㉡의 시간적 상황은 동일하다.

08 [보기]에 대한 설명으로 가장 알맞은 것은?

> ──── 보 기 ────
> 할머니: 지민아, 출출할 텐데 주전부리 좀 내 줄까?
> 지 민: 네? 주전부리가 뭐예요? 저는 배가 고파서 안습인데. 할머니, 레알 맛있는 간식
> 없을까요?
> 할머니: 안습? 레알은 무슨 말이니?

① 화자의 의도와 목적에 따라 달라지는 발화의 기능을 보여 주고 있다.

② 시간과 공간에 따라 같은 발화가 다르게 해석되는 상황을 보여 주고 있다.

③ 화자와 청자의 관계에 따라 적절한 높임 표현이 필요한 상황을 보여 주고 있다.

④ 세대에 다른 언어 차이로 인해 의사소통이 원활하지 않은 상황을 보여 주고 있다.

⑤ 한 공간 안에서 거리의 차이로 인해 의사소통이 원활하지 않은 상황을 보여 주고 있다.

09 훈민정음의 창제 원리를 정리한 것으로 바르지 <u>않은</u> 것은?

자음의 창제 원리	상형의 원리	① 발음 기관의 모양을 본뜸.
	가획의 원리	② 기본자에 획을 더함.
	이체의 원리	③ 기본자와 모양을 달리한 후 획을 더함.
모음의 창제 원리	상형의 원리	④ 하늘, 땅, 사람의 모양을 본뜸.
	합성의 원리	⑤ 기본자를 합성하여 초출자와 재출자를 만듦.

10 훈민정음의 창제 원리에 대한 탐구 활동의 결과로 적절하지 <u>않은</u> 것은?

	탐구 자료	탐구 결과
①	ㄱ → ㅋ	기본자인 'ㄱ'에 획을 더해 'ㅋ'을 만들었으니, '가획의 원리'가 적용되었구나.
②	ㅅ → ㅆ	같은 자음을 가로로 나란히 써서 만들었으니, '병서의 원리'가 적용되었구나.
③	사람 → ㅣ	사람이 서 있는 모양을 본떠 'ㅣ'를 만들었으니, '상형의 원리'가 적용되었구나.
④	·+ㅡ→ㅗ	하늘을 본떠 만든 '·'와 땅을 본떠 만든 'ㅡ'를 합성하여 'ㅗ'를 만들었으니, '합성의 원리'가 적용되었구나.
⑤	ㄴ → ㄹ	기본자인 'ㄴ'에 획을 더한 'ㄷ'을 만든 후 획을 더 더해 'ㄹ'을 만들었으니, '가획의 원리'가 적용되었구나.

11 다음은 훈민정음의 자음 체계를 정리한 것이다. ㉠~㉢에 들어갈 자음로 적절하지 <u>않은</u> 것은?

	어금닛소리	혓소리	입술소리	잇소리	목구멍소리
기본자	ㄱ	ㄴ	ㅁ	ㅅ	ㅇ
가획자	㉠	ㄷ, ㅌ	ㅂ, ㅍ	㉡	㉢
이체자	㉣	ㄹ		㉤	

① ㉠: ㄲ   ② ㉡: ㅈ, ㅊ   ③ ㉢: ㆆ, ㅎ   ④ ㉣: ㆁ   ⑤ ㉤: ㅿ

12 훈민정음 창제 원리에 대한 설명으로 적절한 것끼리 묶은 것은?

ⓐ 자음의 기본자 중, 'ㄱ'은 혀뿌리가 목구멍을 막는 모양을, 'ㄴ'은 혀끝이 윗잇몸에 닿는 모양을 본뜬 것이다.
ⓑ 자음의 이체자는 기본자와 모양을 달리해 만든 말로, 소리의 세기가 반영되어 있다.
ⓒ 모음 중 상형의 원리로 만들어진 글자는 총 3개이다.
ⓓ 'ㅏ, ㅓ, ㅜ, ㅗ'는 초출자이고, 'ㅘ, ㅝ, ㅠ, ㅛ'는 재출자이다.

① ⓐ, ⓑ   ② ⓐ, ⓒ   ③ ⓐ, ⓓ   ④ ⓑ, ⓒ   ⑤ ⓑ, ⓓ

몇 문제 맞혔나요? (   ) / 12문항

맞힌 개수	10개 이상	7~9개	6개 이하
결과	다음 회로 넘어가도 되겠어요!	이번 회 한 번만 더 읽고 갈까요?	복습하고 넘어가야겠어요.

Break Time

한 권의
책은
'성냥'
한 갑과 같다...

'불장난' 치면 정신을 태우고 '불씨'로 쓰면 정신을 밝힌다...

kimyh@hani.co.kr

부록

01 형태소

● 형태소의 개념

뜻을 가진 가장 작은 말의 단위. 더 나눌 경우 본래의 의미가 없어짐.

실질적인 의미와 문법적인 의미를 포함함.

㉮ '길'을 'ㄱ, ㅣ, ㄹ'로 나누거나 '바다'를 '바'와 '다'로 나누면 본래의 의미가 사라짐. → '길', '바다'는 각각 하나의 형태소임.

● 형태소의 분류

● 자립성의 유무에 따라

자립 형태소	• 홀로 쓰일 수 있는 형태소. • 명사, 대명사, 수사, 관형사, 부사, 감탄사는 자립 형태소임. ㉮ 하늘, 일찍, 아이고 등.
의존 형태소	• 다른 형태소와 결합하여 쓰이는 형태소. • 조사, 용언의 어간* · 어미* 등은 의존 형태소임. ㉮ 높-, -다, -면, 이/가 등.

● 실질적인 의미의 유무에 따라

실질 형태소	• 실질적인 의미를 가진 형태소. • 모든 자립 형태소(명사, 대명사, 수사, 관형사, 부사, 감탄사)와 용언의 어간은 실질 형태소임. ㉮ 하늘, 높-, 앗, 어머니 등.
형식 형태소	• 문법적인 의미(말과 말 사이의 관계 등)를 가진 형태소. • 조사, 용언의 어미 등은 형식 형태소임. ㉮ -다, -면, -는, 이/가 등.

● 형태소 분석의 예

> 얼굴이 매우 밝다.

형태소 분석: 얼굴, 이, 매우, 밝-, -다(5개의 형태소)

자립 형태소	의존 형태소	실질 형태소	형식 형태소
얼굴, 매우	이, 밝-, -다	얼굴, 매우, 밝-	이, -다

> 어제 팥죽을 먹었다.

형태소 분석: 어제, 팥, 죽, 을, 먹-, -었-, -다(7개의 형태소)

자립 형태소	의존 형태소	실질 형태소	형식 형태소
어제, 팥, 죽	을, 먹-, -었-, -다	어제, 팥, 죽, 먹-	을, -었-, -다

[여러 가지 문법 단위]
• 음운: 뜻을 구별해 주는 소리의 최소 단위.
• 음절: 하나의 종합된 음의 느낌을 주는 말소리의 단위.
• 단어: 뜻을 가지면서 자립성이 있는 말의 단위.
• 어절: 문장에서 띄어 쓰는 단위.

*어간: 활용할 때 형태가 변하지 않는 부분.
㉮ 먹고, 먹어, 먹니
*어미: 활용할 때 형태가 변하는 부분.
㉮ 먹고, 먹어, 먹니

[형태소와 단어]
• 자립 형태소인 명사, 대명사, 수사, 관형사, 부사, 감탄사는 각각 자립 형태소인 동시에 단어임. → 자립 형태소는 단어의 단위와 일치함.
㉮ 마음, 우리, 하나, 새, 빨리, 응 → 모두 자립 형태소이면서 단어임.
• 의존 형태소인 조사와 용언의 어간 · 어미는 홀로 쓰일 수 없으므로 다른 형태소와 결합하여 단어를 이룸.
㉮ 울었다 → '울-+-었('과거'를 나타내는 어미)-+-다'라는 3개의 형태소로 이루어진 1개의 단어임.

Step 1 문제로 연습하기

정답 및 해설 50쪽

[01~05] 다음 설명이 맞으면 O표, 틀리면 X표 하시오.

01 하나의 형태소는 하나의 의미를 담고 있다. (　　　)

02 형태소는 실제로 발음할 수 있는 가장 작은 단위이다. (　　　)

03 형태소는 자립성의 유무에 따라 의존 형태소와 자립 형태소로 나눌 수 있다. (　　　)

04 자립 형태소는 문장에서 다른 형태소와 결합해서만 쓰인다. (　　　)

05 실질 형태소는 실질적인 의미를 가지고 있는 형태소로, 용언의 어간이 이에 해당한다. (　　　)

[06~10] 다음에 제시된 단어를 [보기]와 같이 분류하시오.

> **보 기**
>
> 아침 → (자립 형태소) 의존 형태소 | (실질 형태소) 형식 형태소

06 서른　→ 자립 형태소　의존 형태소 | 실질 형태소　형식 형태소

07 높-　→ 자립 형태소　의존 형태소 | 실질 형태소　형식 형태소

08 하늘　→ 자립 형태소　의존 형태소 | 실질 형태소　형식 형태소

09 -이/가 → 자립 형태소　의존 형태소 | 실질 형태소　형식 형태소

10 고구마 → 자립 형태소　의존 형태소 | 실질 형태소　형식 형태소

[11~20] 다음에 제시된 단어들을 [보기]와 같이 분석하시오.

> **보 기**
>
> 손바닥 → [손] + [바닥]
>
> 배추 → [배추] + [×]
>
> 기쁘다 → [기쁘-] + [-다]

11 우리말 → [　　] + [　　]

12 들꽃 → [　　] + [　　]

13 좋다 → [　　] + [　　]

14 다리 → [　　] + [　　]

15 웃는 → [　　] + [　　]

16 짐승 → [　　] + [　　]

17 파랗다 → [　　] + [　　]

18 사과 → [　　] + [　　]

19 토끼 → [　　] + [　　]

20 걷고 → [　　] + [　　]

부록 • **163**

02 어근과 접사

말씀 어(語), 뿌리 근(根)
● 어근과 접사

붙을 접(接), 말씀 사(辭)
- **어근의 개념**: 한 단어에서 실질적인 의미를 나타내는 중심 부분(실질 형태소임.)으로, 하나의 단어는 1개 이상의 어근으로 이루어짐.

단어	어근	단어	어근	단어	어근
맨발	발(1개)	하늘	하늘(1개)	물병	물, 병(2개)
나무꾼	나무(1개)	많다	많−(1개)	오가다	오−, 가−(2개)

- **접사의 개념**: 한 단어에서 어근의 앞뒤에 붙어 특정한 의미나 문법적 기능을 더하는 주변 부분(의존 형태소이자 형식 형태소임.).

단어	접사	의미와 기능
맨발	맨−	'다른 것이 없는'의 뜻을 더함.
길이	−이	형용사나 동사를 명사로 만듦.

접할 접(接), 꼬리 미(尾), 말씀 사(辭)
● 접사의 분류: 어근에 결합하는 위치에 따라 접두사와 접미사로 분류함.

접할 접(接), 머리 두(頭), 말씀 사(辭)
- **접두사**: 어근의 앞에 붙는 접사를 말하며 특정한 의미를 더해 주지만, 어근의 품사를 바꾸지는 못함.

접두사	의미	예
풋−	'처음 나온' 또는 '덜 익은'의 의미를 더함.	풋사과
햇−	'그 해에 새로 난'의 의미를 더함.	햇과일
군−	'쓸데없는'의 의미를 더함.	군말
짓−	'마구', '함부로', '몹시'의 의미를 더함.	짓누르다
설−	'충분하지 못하게'의 의미를 더함.	설익다
빗−	'기울어지게', '잘못'의 의미를 더함.	빗대다, 빗나가다
새−	'매우 짙고 선명하게'의 의미를 더함.	새하얗다

- **접미사**: 어근의 뒤에 붙는 접사를 말하며 특정한 의미를 더하거나 어근의 품사를 바꾸기도 함.

접미사	의미, 기능	예
−쟁이	'그것의 속성을 많이 가진 사람'의 의미를 더함.	심술쟁이
−들	'둘 이상의 수'의 의미를 더함.	너희들
−개	'그러한 행위를 하는 간단한 도구'의 의미를 더함. 동사를 명사로 만듦.	지우개
−히−	사동*이나 피동*의 의미를 더함.	읽히다, 닫히다
−하다	명사를 동사나 형용사로 만듦.	생각하다, 행복하다

[어근과 어간]
① 어근
- 단어의 실질적인 의미를 갖고 있는 부분.
- '접사'와 함께 단어의 형성법, 즉 단일어와 복합어(합성어, 파생어) 등의 분석에 사용함.
② 어간
- 용언(동사, 형용사)과 조사 '−이다'가 활용할 때 변하지 않는 부분.
- '어미'와 함께 주로 용언의 활용을 설명할 때 사용함.
  예 '먹이다'의 어근은 '먹−'이고, 어간은 '먹이−'임.

[접미사와 어미]
① 접미사
- 어근 뒤에 붙어 어근의 품사를 바꾸기도 함.
- 특정한 어근에만 붙는 경우가 많음.
  예 접미사 '−개': 덮다(동사) → 덮개(명사)
② 어미
- 용언(동사, 형용사)과 조사 '−이다'가 활용할 때 변하는 부분.
- 품사 변화와 무관하고 어간에 자유롭게 붙을 수 있음.
  예 어미 '−고': 덮고, 먹고, 아름답고

*사동
주체가 다른 사람에게 어떤 동작이나 행동을 하도록 시킴.
*피동
주체가 다른 사람에 의해 어떤 동작을 당하게 됨.

[01~05] 다음 설명이 맞으면 O표, 틀리면 X표 하시오.

01 모든 단어는 어근과 접사로 구성된다. (   )

02 어근과 접사는 각각 하나의 형태소이다. (   )

03 어근은 한 단어 안에서 의미를 가지고 있는 부분이다. (   )

04 접사는 어근의 앞이나 뒤에 결합하여 특별한 기능을 수행한다. (   )

05 접사는 단어를 형성하는 필수적인 요소이며, 홀로 쓰일 수 있다. (   )

[06~11] 각 단어들의 어근을 찾아 [보기]와 같이 밑줄을 그으시오.

> ┤ 보 기 ├
>
> 형님   높다   손발(손 / 발)

06 동그라미   **07** 아프다   **08** 햇감자

09 헛발질   **10** 열다   **11** 보름달

[12~16] [보기]를 참고하여 각 단어를 분석하시오.

> ┤ 보 기 ├
>
> | | 접두사 | 어근 | 접미사 |
> |--------|--------|------|--------|
> | 군소리 | 군− | 소리 | 없음. |

12 헛소리

접두사	어근	접미사

13 치솟다

접두사	어근	접미사

14 녹음기

접두사	어근	접미사

15 날개

접두사	어근	접미사

16 덧저고리

접두사	어근	접미사

단일어와 복합어

● **단어의 분류**

● **단일어**

하나의 어근, 즉 하나의 실질 형태소로 이루어진 말.

⑩ 어머니, 슬프다 등

● **복합어**

어근과 접사가 결합하거나 어근과 어근이 결합하여 이루어진 단어. 즉, 하나의 실질 형태소에 접사가 붙거나 두 개 이상의 실질 형태소가 결합된 말.

⑩ 손수건, 헛소문 등

● **복합어의 분류**

① 파생어: 어근과 접사가 결합하여 만든 단어.

접두사가 결합된 파생어	접미사가 결합된 파생어
⑩ • 햇병아리: 어근 '병아리' 앞에 접두사 '햇'이 결합함. • 풋과일: 어근 '과일'의 앞에 접두사 '풋'이 결합함.	⑩ • 출렁거리다: 어근 '출렁'에 접미사 '거리'가 결합함. • 넓이: 어근 '넓'에 접미사 '이'가 결합함.

② 합성어: 둘 이상의 어근이 결합하여 만든 단어.

통사적 합성어	국어 문법 규정에 맞게 합성된 합성어. ⑩ 힘+들다 = 힘들다 → '힘이 들다'라는 문장에서 조사 '이'가 생략되었으며, 조사는 문법적으로 생략될 수 있음.
비통사적 합성어	우리 문법에 맞지 않게 합성된 합성어. ⑩ 열(다)+닫다 = 여닫다 → 국어 문법에 맞게 연결하면 '열고 닫다'가 되는데, 어미 '고'는 문법적으로는 생략될 수 없음.

[품사를 바꾸는 접미사의 결합]
• 명사로 바꾸는 접미사: 먹이, 웃음, 먹보, 달리기
• 동사로 바꾸는 접미사: 사랑하다, 꿈틀거리다
• 부사로 바꾸는 접미사: 멀리, 깨끗이, 나란히
• 형용사로 바꾸는 접미사: 사랑스럽다, 학생답다, 멋지다, 자유롭다

[합성어의 종류]
• 대등 합성어: 어근들이 본래의 의미를 유지하면서 대등하게 결합된 합성어.
⑩ 손발: 어근 '손'과 어근 '발'이 결합하여 '손과 발'을 의미함.
• 종속 합성어: 한쪽의 어근이 다른 한쪽의 어근을 수식하는 관계인 합성어.
⑩ 손바닥: 어근 '손'과 어근 '바닥'이 결합하여 '손의 안쪽 바닥'을 의미함.
• 융합 합성어: 어근들의 원래 의미가 사라지고 완전히 새로운 의미를 나타내는 합성어.
⑩ 종이호랑이: 어근 '종이'와 어근 '호랑이'가 결합하여 '보기엔 힘 있어 보이지만 실상 아무런 힘이 없는 존재'를 의미함.

[01~05] ( ) 안에 들어갈 말로 적절한 것에 O표 하시오.

01 단어는 형태소 하나로 구성되어 있는지 아닌지에 따라 (단일어와 복합어 / 파생어와 합성어)로 나뉜다.

02 단일어란 하나의 단어가 하나의 (접사 / 어근)(으)로만 이루어진 단어이다.

03 어근에 접사가 결합하거나 어근과 어근이 결합하여 만들어진 단어는 (단일어 / 복합어)이다.

04 어근과 어근이 결합한 단어는 (단일어 / 복합어)이면서 (합성어 / 파생어)이다.

05 파생어는 (어근과 어근 / 어근과 접사)로 이루어진 단어이다.

[06, 07] [보기]에 제시된 단어들을 단일어와 복합어로 나누어 쓰시오.

┤ 보기 ├
부채질   바다   물   강물   나무   욕심쟁이

06 단일어:

07 복합어:

[08~14] [보기]를 참고하여 각 단어의 종류에 O표를 하시오.

┤ 보기 ├

| 돌다리 | 단일어 | 파생어 | (합성어) |
| 하늘 | (단일어) | 파생어 | 합성어 |

08 옷맵시

| 단일어 | 파생어 | 합성어 |

09 즐겁다

| 단일어 | 파생어 | 합성어 |

10 소나기

| 단일어 | 파생어 | 합성어 |

11 새파랗다

| 단일어 | 파생어 | 합성어 |

12 집안

| 단일어 | 파생어 | 합성어 |

13 한겨울

| 단일어 | 파생어 | 합성어 |

14 웃음

| 단일어 | 파생어 | 합성어 |

04 유의 관계, 반의 관계, 상하 관계

● **유의 관계**
- 개념: 말소리는 다르지만 의미가 서로 비슷한 단어들의 관계를 유의 관계라고 하고, 유의 관계에 있는 단어들을 유의어라고 함.
  - 예 메아리 – 산울림, 참다 – 견디다
- 특징: 유의 관계에 있는 단어들이라고 할지라도 의미가 완전히 같지는 않으며, 문맥에 따라 서로 대체할 수 없는 경우도 있음.
  - 예 공을 잡다.(○) – 공을 쥐다.(○)
    도둑을 잡다.(○) – 도둑을 쥐다.(×)

● **반의 관계**
- 개념: 의미가 서로 짝을 이루어 대립하는 단어들의 관계를 반의 관계라고 하고, 반의 관계에 있는 단어들을 반의어라고 함.
  - 예 높다 ↔ 낮다, 쉽다 ↔ 어렵다
- 특징
  ① 단어들 사이에 반의 관계가 성립하려면 나머지 의미 요소는 같고 하나의 의미 요소만 차이가 있어야 함.
  - 예 할아버지[+사람][+노인][+남성] ↔ 할머니[+사람][+노인][−남성]
  ② 하나의 단어에 여러 개의 반의어가 존재하기도 함.
  - 예 뛰다 ⟨ 걷다(동작의 대립)
    내리다(물가 등의 오르내림의 대립)

● **상하 관계**
- 개념: 둘 이상의 단어 중 한 쪽이 의미상 다른 쪽을 포함하거나 다른 쪽에 서로 포함되는 관계를 상하 관계라고 함. 상하 관계에 있는 단어 중 다른 단어의 의미를 포함하는 단어를 상의어라고 하며, 포함되는 단어를 하의어라고 함.
  - 예 학교 – 초등학교, 중학교, 고등학교, 대학교
       상의어   하의어
- 특징: 상의어는 일반적이고 포괄적인 의미를, 하의어는 개별적이고 한정적인 의미를 가짐.

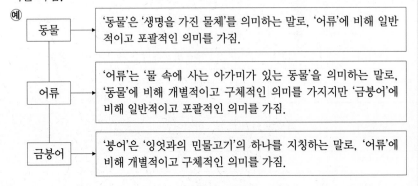

예

동물 → '동물'은 '생명을 가진 물체'를 의미하는 말로, '어류'에 비해 일반적이고 포괄적인 의미를 가짐.

어류 → '어류'는 '물 속에 사는 아가미가 있는 동물'을 의미하는 말로, '동물'에 비해 개별적이고 구체적인 의미를 가지지만 '금붕어'에 비해 일반적이고 포괄적인 의미를 가짐.

금붕어 → '붕어'는 '잉엇과의 민물고기'의 하나를 지칭하는 말로, '어류'에 비해 개별적이고 구체적인 의미를 가짐.

[유의어의 의의]
유의어를 사용하면 자신의 생각을 정확하게 표현하는 데 도움이 되며, 다양하고 풍요로운 언어생활을 하는 데에도 도움이 됨.

[국어에서 유의어가 발달한 이유]
① 한자어, 외래어의 유입으로 인한 유의어가 많음. 예 나이 – 연세
② 경어법의 사용으로 유의어가 많음. 예 밥 – 진지
③ 색상을 표현하는 어휘가 발달하여 유의어가 많음. 예 노랗다 – 노르스름하다

[반의 관계의 성립 요건]
① 동시에 떠올릴 수 있는 단어들의 쌍이어야 함.
  예 '하얗다'와 '까맣다'
② 하나의 상위 개념에 의해 묶이는 동등한 위치의 개념이어야 함.
  예 '하얗다'와 '까맣다'는 '색'이라는 상위 개념으로 묶임.
③ 서로 배타적인 의미를 담고 있어야 함.
  예 '하얗다'는 '까맣다'의 의미에 포함될 수 없으며 서로 대립됨.

부록

[01~05] 다음 설명이 맞으면 O표, 틀리면 X표 하시오.

01 유의 관계에 있는 단어들은 항상 서로 대체하여 쓸 수 있다. (   )

02 반의 관계에 있는 단어들은 여러 가지 면에서는 같지만 한 가지 요소가 서로 대립된다. (   )

03 어떤 단어는 여러 개의 반의어를 가지기도 한다. (   )

04 상의어는 상하 관계에 있는 두 단어 중 다른 단어의 의미를 포함하고 있는 단어이다. (   )

05 하의어는 상의어에 비해 대체로 일반적이고 포괄적인 의미를 가진다. (   )

[06~09] [보기]를 참고하여 (   ) 안에 유의어나 반의어를 쓰시오.

┌─ 보 기 ├─

(껍질) – 껍데기 – (알맹이)
└── 유의 관계 ──┘ └── 반의 관계 ──┘

06 모친 – 어머니 – (   )

07 희다 – 하얗다 – (   )

08 (   ) – 달리다 – 걷다

09 판이하다 – 다르다 – (   )

[10~14] [보기]를 참고하여 (   ) 안에 들어가기에 알맞은 단어를 쓰시오.

┌─ 보 기 ├─

악기 – (현악기) – 첼로

10 동물 – (   ) – 참새

11 방언 – (   ) – 경상도 방언

12 스포츠 – (   ) – 평영

13 학교 – (   ) – 특성화 고등학교

14 가전제품 – (   ) – 노트북

많을 다(多), 뜻 의(義), 말씀 어(語)

● 다의어
- 개념: 두 가지 이상의 뜻을 가진 단어를 다의어라고 함.
  - 예) '머리'의 의미 ┌ 1. 사람이나 동물의 목 위의 부분.
    - ├ 2. 생각하고 판단하는 능력.
    - └ 3. 머리털.
- 특징: 중심적 의미와 주변적 의미로 구별됨.
  - ① 중심적 의미: 다의어의 의미 중 가장 기본적이고 핵심적인 의미.
  - ② 주변적 의미: 중심적 의미가 확장된 의미.
  - 예) 손 ┌ 따뜻한 물로 손을 씻어라. (중심적 이미: 사람의 팔목 끝에 달린 부분.)
    - └ 그 일에서 손을 떼어라. (주변적 의미: 어떤 사람의 영향력이나 권한이 미치는 범위.)

같을 동(同), 소리 음(音), 다를 이(異), 뜻 의(議), 말씀 어(語)

● 동음이의어
- 개념: 소리는 같으나 의미는 서로 다른 단어를 동음이의어라고 함.
  - 예) 벽지를 바르다−생선 가시를 바르다−행동이 바르다
- 특징: 문맥이나 소리의 길이 등을 통해 의미가 구별됨.
  - 예) 말(言)[말:]이 많다. − 말(馬)[말]이 많다.
    - 비가 내렸다. − 넓적한 비로 마당을 쓸었다.

● 다의어와 동음이의어의 구별
- 의미 사이의 유사성 여부

> 다리 ① 축구를 하다가 다리를 다쳤다.
>
> ② 의자 다리가 하나 부러졌다.
>
> ③ 우리 동네에 새로운 다리가 생겼다.

①, ②는 '물체의 아래쪽에서 윗부분을 받치고 있는 것'이라는 의미의 유사성이 있으므로 다의어야. ①과 ③, ②와 ③의 경우 서로 의미의 유사성이 없으므로 동음이의어야.

- 사전에 실리는 형식의 차이
  다의어는 하나의 단어로 실리면서 여러 가지의 뜻이 동시에 제시되지만 동음이의어는 서로 다른 단어이므로 따로 실림.

> **발**[01] 「명사」
> ─ 다의어
> 1. 사람이나 동물의 다리 맨 끝부분.
> 2. 가구 따위의 밑을 받쳐 균형을 잡고 있는, 짧게 도드라진 부분.
> 3. '걸음'을 비유적으로 이르는 말.

> **눈**[01] 「명사」 빛의 자극을 받아 물체를 볼 수 있는 감각 기관. 척추동물의
> ─ 동음이의어
> 경우 안구·시각.
> **눈**[02] 「명사」 [같은 말] 눈금

[다의어와 언어생활]
다의어를 쓰면 적은 수의 단어로 다양한 의미를 표현할 수 있어서 경제적이라는 장점이 있음. 그러나 단어의 의미가 모호하여 의사 소통에 혼란을 주기도 함.

[언어의 자의성과 동음이의어]

언어의 자의성
하나의 의미와 그것을 나타내는 말소리 사이에는 필연적인 관계가 없음.

↓

하나의 의미를 나타내는 여러 개의 말소리가 존재할 수 있고, 하나의 말소리로 서로 다른 의미를 나타낼 수도 있음.

↓

동음이의어의 발생
서로 다른 의미를 나타내는 말소리가 우연히 일치하는 경우 동음이의어가 됨.

Step 1 문제로 연습하기

부록

[01~04] 다음 설명이 맞으면 O표, 틀리면 X표 하시오.

01 다의어란 소리는 같지만 의미는 서로 관련이 없는 단어를 의미한다. (　　　)

02 다의어의 의미는 핵심이 되는 중심적 의미와 중심적 의미가 확장된 주변적 의미로 나눌 수 있다.

(　　　)

03 동음이의어는 일반적으로 소리는 다르지만 의미가 같은 단어들을 의미한다. (　　　)

04 소리의 길이에 따라 동음이의어의 의미가 구별되기도 한다. (　　　)

[05~08] 다음 단어가 중심적 의미로 쓰인 문장을 찾아 동그라미 하시오.

05 배
아침을 못 먹어서 배가 홀쭉해졌다. (　　　)
그 항아리는 배가 나왔다. (　　　)

06 가다
우리가 가는 곳이 바로 박물관이야. (　　　)
어느새 중학생 시절도 다 갔어. (　　　)

07 타다
해수욕장에 갔다가 팔이 시커멓게 탔다. (　　　)
벽난로에서 장작이 활활 탔다. (　　　)

08 아침
아침이 되자 비가 그쳤다. (　　　)
아침을 먹고 다니는 학생들이 많지 않다. (　　　)

[09~13] 각 문장의 밑줄 친 단어가 다의어이면 '다', 동음이의어이면 '동'이라고 쓰시오.

09
많이 걸어서 다리가 아프다.
우리 동네 강 위로 새 다리를 놓았다.
(　　　)

10
동생의 손을 깨끗이 씻겼다.
농번기 농촌에 손이 부족하다.
(　　　)

11
그곳으로 가는 길은 매우 위험하다.
그는 지금 학생의 길을 걷고 있다.
(　　　)

12
글씨를 예쁘게 쓰자.
햇빛이 강하니 모자를 쓰자.
(　　　)

13
우리 모두 건강하게 살자.
동물들의 우리를 깨끗이 청소해라.
(　　　)

 **부록** 단원 종합 문제

01 단어에 대한 설명으로 적절한 것은?

① 단어는 하나의 형태소로만 이루어진다.

② 단일어는 어근과 접사가 결합한 단어이다.

③ 복합어는 어근과 조사가 결합한 단어이다.

④ 모든 국어의 단어는 반드시 접사가 있어야 만들어진다.

⑤ 어근은 단어를 형성할 때 실질적 의미를 가지는 부분이다.

02 다음 중 형태소의 수가 가장 많은 단어는?

① 도라지　　② 밤하늘　　③ 예쁘다　　④ 먹구름　　⑤ 맛있다

03 다음 문장의 형태소를 가장 적절하게 분석한 것은?

> 하늘이 매우 맑다

① 하늘이 / 매우 / 맑다

② 하늘이 / 매우 / 맑 / 다

③ 하늘 / 이 / 매우 / 맑다

④ 하늘 / 이 / 매우 / 맑 / 다

⑤ 하 / 늘 / 이 / 매우 / 맑 / 다

04 다음 문장의 형태소를 분석한 것으로 적절하지 <u>않은</u> 것은?

> 꽃과 나무가 많다.

① 모두 7개의 형태소로 구성되어 있다.

② 자립 형태소는 모두 2개이다.

③ 의존 형태소는 모두 4개이다.

④ 실질 형태소는 모두 3개이다.

⑤ 형식 형태소는 모두 3개이다.

05 다음 중 실질 형태소로만 이루어진 단어는?

① 앞뒤   ② 지우개   ③ 날고기   ④ 웃다   ⑤ 먹다

06 다음 중 어근이 하나인 단어는?

> 달빛이 예뻐서 뒷마당을 어슬렁어슬렁 걸어다녔다.
>   ①   ②   ③   ④   ⑤

07 다음 중 접사의 위치가 다른 하나는?

① 먹보   ② 치뜨다   ③ 사람들   ④ 가난뱅이   ⑤ 덮개

08 각 문장의 밑줄 친 단어의 형성 방법이 [보기]에 제시된 단어와 같은 것은?

> ┤ 보 기 ├
>
> 기와집

① 그 아이는 참 어른스럽다.
② 화살이 빗나가서 나무에 박혔다.
③ 마침내 돌다리를 건너 가게 되었다.
④ 시간이 시나브로 흘러 밤이 되었다.
⑤ 운동장에서 뒹굴다 먼지투성이가 되었다.

단어는 어근 하나로 형성되거나, 어근과 어근이 결합하여 형성되기도 하고, 어근과 접사가 결합하여 형성되기도 한다.

09 [보기]의 (   ) 안에 공통적으로 들어갈 수 있는 접사에 대한 설명으로 적절한 것은?

> ┤ 보 기 ├
>
> 마음(   ), 말(   )

① '도구'의 의미를 더함.
② 동사를 명사로 바꾸어 줌.
③ 형용사를 부사로 바꾸어 줌.
④ '태도' 또는 '모양'의 의미를 더함.
⑤ '정확한' 또는 '한창인'의 의미를 더함.

10 다음 중 단어의 성격이 <u>다른</u> 하나는?

① 알밤   ② 알사탕   ③ 알토란

④ 알부자   ⑤ 알몸

참고해 봐!

접사 '알-'의 의미
① 겉을 덮어 싼 것이나 딸린 것을 다 제거한.
② 작은.
③ 진짜, 알짜.

11 [보기]의 설명에 해당하는 단어는?

┌─ 보 기 ─┐
- 어근에 접미사가 결합되었음.
- 동사에서 명사로 품사가 바뀜.
└─────────┘

① 꿈   ② 정답다   ③ 멀리   ④ 출렁거리다   ⑤ 멋쟁이

이렇게 풀어 봐!

각 단어가 어근과 접사로 나누어지는지 확인하고, 그 접사가 접미사인지를 확인해 봐. 그 후 해당 단어가 동사에서 명사로 바뀌있는지를 생각해 보자.

12 [보기]의 밑줄 친 단어들의 공통점으로 가장 적절한 것은?

┌─ 보 기 ─┐
- 어제 우리 가족은 <u>노래방</u>에서 즐거운 시간을 보냈다.
- 우리 학교 <u>누리집</u>에는 유익한 정보가 많다.
└─────────┘

① 하나의 어근으로 이루어진 단어들이다.
② 접사와 접사가 결합하여 만들어진 단어들이다.
③ 두 개의 어근이 결합하여 만들어진 단어들이다.
④ 하나의 어근에 접두사가 결합하여 만들어진 단어들이다.
⑤ 하나의 어근에 접미사가 결합하여 만들어진 단어들이다.

13 다음 중 [보기]에 제시된 단어와 같은 의미의 접사가 쓰이지 <u>않은</u> 것은?

┌─ 보 기 ─┐
날고기
└─────────┘

① 날것   ② 날개   ③ 날김치   ④ 날기와   ⑤ 날장작

14 다음 중 단어의 성격이 <u>다른</u> 하나는?

① 밥도둑   ② 도둑질   ③ 도둑놈

④ 밤도둑   ⑤ 도둑고양이

이렇게 풀어 봐!

'도둑'이라는 어근과 결합한 다른 부분들의 의미를 생각해 보고, 그 의미로 문장에서 쓰일 때 자립할 수 있는지 여부를 생각해 보면 답을 찾을 수 있어.

15 단어의 의미 관계에 대한 설명으로 적절하지 <u>않은</u> 것은?

① 하의어는 상의어의 의미를 포함하고 있다.

② 상의어는 하의어에 비해 일반적인 의미를 가진다.

③ 반의 관계의 단어들은 의미상 모든 요소에서 차이가 있다.

④ 유의 관계의 단어들은 말소리는 다르지만 의미가 서로 비슷하다.

⑤ 유의 관계의 단어들은 문장에서 쓰일 때 서로 대체하지 못하는 경우도 있다.

상의어와 하의어의 관계를 수학적으로 표현하면 전체 집합과 부분 집합으로도 볼 수 있어.

16 다음 중 동일한 의미 관계를 형성하지 <u>않는</u> 단어는?

① 가끔　　　② 자주　　　③ 때때로　　　④ 이따금　　　⑤ 어쩌다

17 밑줄 친 두 단어의 관계가 [보기]와 같은 것은?

> ── 보 기 ──
>
> 곱다 – 예쁘다

① 줄넘기 줄이 너무 <u>길다</u>. – 제한 시간이 <u>짧으니</u> 서둘러라.

② 너는 내게 커다란 <u>기쁨</u>이야. – 큰 <u>슬픔</u>을 잘 극복해야 해.

③ 수학 시간에 <u>도형</u>을 배우고 있어. – 종이를 <u>삼각형</u> 모양으로 자르자.

④ <u>계절</u>이 너무 빨리 변하는 것 같아. – 올해 <u>겨울</u>은 참 따뜻했다.

⑤ 강의 폭이 <u>점차</u> 좁아졌다. – <u>조금씩</u> 가다 보면 산꼭대기에 다다를 수 있다.

18 다음 문장의 밑줄 친 단어를 대체할 수 있는 단어는?

> 너를 볼 <u>낯</u>이 없어.

① 얼굴　　　② 안면　　　③ 용모　　　④ 면목　　　⑤ 체면

'얼굴'의 유의어에는 '낯, 낯짝, 면, 면상, 안면, 체면, 용모, 용안, 이목구비' 등이 있다.

19 각 문장의 밑줄 친 부분 중 [보기]의 단어와 반의 관계에 있지 <u>않은</u> 것은?

┤ 보 기 ├
좋다

① 나는 그 친구가 너무 <u>미워</u>.
② 그 식당의 음식은 <u>형편없어</u>.
③ 이 음료는 몸에 <u>해로우니</u> 마시지 마.
④ 그게 정말이라면 그는 정말 <u>끈질긴</u> 사람이야.
⑤ 그렇다고 해서 모든 일을 <u>나쁘게</u> 생각하면 안 돼.

20 다음 중 단어의 연결이 <u>잘못된</u> 것은?

	유의어			반의어
①	성인	–	어른	–	아이
②	선하다	–	착하다	–	모질다
③	부드럽다	–	연하다	–	두껍다
④	증가하다	–	늘다	–	줄다
⑤	왕래	–	소통	–	단절

21 [보기]의 밑줄 친 단어들의 공통된 유의어는?

┤ 보 기 ├
• 한복을 입은 네 자태가 <u>빼어나구나</u>.
• 하늘빛이 너무 <u>고와</u>.

① 높다   ② 친절하다   ③ 영리하다   ④ 착하다   ⑤ 아름답다

이렇게 풀어 봐!

유의 관계에 있는 단어들은 일반적으로 교체하여 쓸 한 경우가 많으므로, 유의어를 찾을 때에는 제시된 문장에 해당 단어를 넣어 보는 것이 좋다.

22 각 문장의 밑줄 친 단어가 [보기]와 반의 관계에 있다고 보기 <u>어려운</u> 것은?

┤ 보 기 ├
벗다

① 나는 청바지를 즐겨 <u>입는다</u>.
② 햇빛이 따가워 모자를 <u>썼다</u>.
③ 운동하기 편한 신발을 <u>신어라</u>.
④ 그는 멋진 장갑을 <u>끼고</u> 있었다.
⑤ 볼펜을 <u>사용하여</u> 답을 작성하시오.

23 [보기]의 ㉠, ㉡에 들어갈 말을 바르게 연결한 것은?

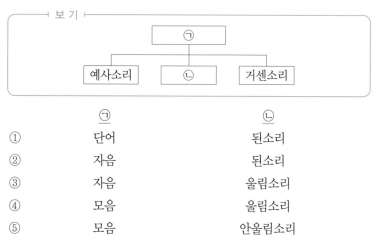

	㉠	㉡
①	단어	된소리
②	자음	된소리
③	자음	울림소리
④	모음	울림소리
⑤	모음	안울림소리

24 [보기]의 ㉠과 ㉡에 대한 설명으로 적절한 것은?

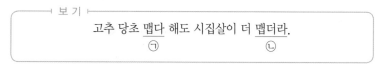

① ㉠은 ㉡에 비해 더 일반적이고 포괄적인 의미를 가진다.
② ㉠이 중심적 의미로 쓰였다면 ㉡은 주변적 의미로 쓰였다.
③ ㉠과 ㉡은 '맛'을 기준으로 서로 대립하는 관계이다.
④ ㉠과 ㉡은 국어사전에 따로 실려 있다.
⑤ ㉠과 ㉡은 발음할 때 소리의 길이가 다르다.

25 다음 중 다의어가 사용된 문장은?

① 기행문을 썼다. – 약이 매우 썼다.
② 그분은 늘 생각이 바르다. – 흰 벽지를 바르다.
③ 머리를 짧게 깎았다. – 물건값을 1000원 깎았다.
④ 가사는 늘 나의 몫이다. – 노래 가사를 바꾸어 불렀다.
⑤ 오늘 밭에서 김을 매기로 했다. – 밥에 김을 싸 먹자.

26 다음 중 [보기]의 밑줄 친 단어와 같은 의미로 쓰인 것은?

> ─ 보 기 ─
>
> 새로 전학 온 친구에게 호감이 <u>간다</u>.

① 유리잔에 금이 <u>가</u> 있다.

② 회의가 엉뚱한 방향으로 <u>간다</u>.

③ 저녁거리를 사러 시장에 <u>갔다</u>.

④ 친구들 만나러 동창회에 <u>가는</u> 길이야.

⑤ 그 사람의 옷차림으로 자꾸 눈길이 <u>간다</u>.

'가다'의 다양한 의미
① 한 곳에서 다른 곳으로 장소를 이동하다.
② 수레, 배, 자동차, 비행기 따위가 운행하거나 다니다.
③ 일정한 목적을 가진 모임에 참석하기 위하여 이동하다.
④ 지금 있는 곳에서 어떠한 목적을 가지고 다른 곳으로 옮기다.
⑤ 관심이나 눈길 따위가 쏠리다.
⑥ 한쪽으로 흘러가다.
⑦ 금, 줄, 주름살, 흠집 따위가 생기다.

27 각 문장의 밑줄 친 부분이 '설정하다'와 유의 관계에 있는 것은?

① 휴대 전화를 집에 <u>두고</u> 왔다.

② 그 책은 항상 이곳에 <u>두어라</u>.

③ 아기를 차에 혼자 <u>두면</u> 위험하다.

④ 공부의 목표를 어디에 <u>두느냐</u>가 중요하다.

⑤ 우리 동네는 청소년 자치위원회를 <u>두고</u> 있다.

28 다음 중 '눈'이 중심적 의미로 쓰인 문장은?

① 지금이야말로 태풍의 <u>눈</u>이야.

② 남의 <u>눈</u>도 생각하며 행동해야지.

③ 너는 보는 <u>눈</u>이 정확한 것 같아.

④ 다른 사람을 의심하는 <u>눈</u>으로 보지 마.

⑤ <u>눈</u>을 부라리는 것을 보니 화가 났구나.

29 각 문장의 밑줄 친 두 단어가 동음이의어인 것은?

① 저녁이 되니 추웠다. – 저녁을 푸짐하게 차렸다.

② 수학 문제를 풀었다. – 꼬인 실뭉치를 꼼꼼하게 풀었다.

③ 아버지는 걸음이 빠르시다. – 아직 수영하기에는 빠르다.

④ 잠자리에 들고 말았다. – 저 가방을 들고 따라오시오.

⑤ 길가의 나무가 죽었다. – 집에 오니 벽시계가 죽어 있었다.

30 [보기]의 ㉠, ㉡에 대한 설명으로 적절하지 않은 것은?

┌─── 보 기 ───┐
㉠ 다르다   ㉡ 틀리다
└─────────────┘

① ㉠의 반의어는 '같다', ㉡의 반의어는 '맞다'이다.

② ㉠은 '같지 않다'를 의미하고 ㉡은 '그릇되다, 어긋나다'를 의미한다.

③ ㉠의 예문으로 '기술자는 역시 달라.'를 들 수 있다.

④ ㉡의 예문으로 '아버지와 딸의 얼굴이 틀리다.'를 들 수 있다.

⑤ '생각이 (   ).'라는 문장의 괄호 안에는 ㉠과 ㉡ 모두 쓸 수 있다.

31 각 문장의 밑줄 친 부분의 유의어로 적절한 것은?

① 어제 두통으로 힘들었다. → 고뿔

② 따뜻한 시선으로 보았다. → 눈치

③ 여가를 보람 있게 보내자. → 넉넉함

④ 그렇게 말하는 저의가 뭐냐? → 속셈

⑤ 그 일은 필시 성공할 것이다. → 마침내

MEMO

MEMO

GOOD BEGIN GOOD BASIC

MEMO

MEMO

MEMO

미래를 생각하는
(주)이룸이앤비

이룸이앤비는 항상 꿈을 갖고 무한한 가능성에 도전하는 수험생 여러분과 함께 할 것을 약속드립니다.
수험생 여러분의 미래를 생각하는 이룸이앤비는 항상 새롭고 특별합니다.

내신·수능 1등급으로 가는 길
이룸이앤비가 함께합니다.

http://www.erumenb.com

인터넷 서비스

- 이룸이앤비의 모든 교재에 대한 자세한 정보
- 각 교재에 필요한 듣기 MP3 파일
- 교재 관련 내용 문의 및 오류에 대한 수정 파일

라이트 수학

숨마쿰라우데®

STARTUP

굿비
좋은 시작, 좋은 기초

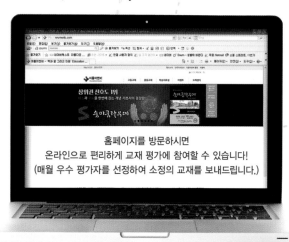

홈페이지를 방문하시면
온라인으로 편리하게 교재 평가에 참여할 수 있습니다!
(매월 우수 평가자를 선정하여 소정의 교재를 보내드립니다.)

미래로 수능 기출 총정리
HOW to
수능1등급

이룸이앤비의 특별한 중등 국어교재 시리즈

숨마 주니어® 중학국어 어휘력 시리즈

중학교 국어 실력을 완성시키는 **국어 어휘 기본서** (전 3권)

- 중학국어 **어휘력 ①**
- 중학국어 **어휘력 ②**
- 중학국어 **어휘력 ③**

숨마 주니어® 중학국어 비문학 독해 연습 시리즈

모든 공부의 기본! 글 읽기 능력을 향상시키는
국어 비문학 독해 기본서 (전 3권)

- 중학국어 **비문학 독해 연습 ①**
- 중학국어 **비문학 독해 연습 ②**
- 중학국어 **비문학 독해 연습 ③**

숨마 주니어® 중학국어 문법 연습 시리즈

중학국어 **주요 교과서 종합!**

중학생이 꼭 알아야 할 **필수 문법서** (전 2권)

- 중학국어 **문법 연습 1** 기본
- 중학국어 **문법 연습 2** 심화

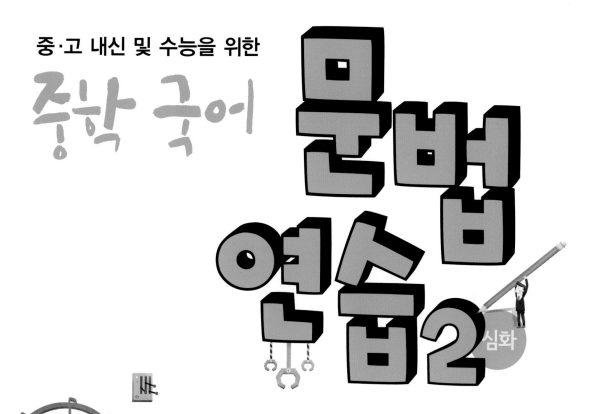

숨마 주니어®

중·고 내신 및 수능을 위한

중학 국어 문법 연습2 심화

국어 교과서 **문법 필수 개념 16개 30일 완성!**
중학 문법＝고교 내신·수능까지 연계되는 기초 필수!
예비 고1 국어 영역 대비

**수록
개념** 음운·품사와 어휘·문장·단어의 발음과 표기
언어의 특성·담화·한글 창제 원리 등 필수 문법

SUB NOTE 정답 및 해설

정답 및 해설

음운

Ⅰ

01 모음 체계

Step 1 문제로 연습하기

01	×	02	○
03	○	04	×
05	○	06	×

07 ㅔ, ㅟ, ㅣ / ㅏ, ㅗ, ㅜ

08 ㅏ, ㅔ, ㅣ / ㅓ, ㅗ, ㅜ

09 ㅓ, ㅜ, ㅣ / ㅔ, ㅗ / ㅏ

10	ㅡ	11	ㅛ
12	ㅚ	13	ㅏ
14	ㅣ	15	ㅓ
16	ㅟ		

Step 2 내신 뛰어넘기

01 ②

정답 풀이

모음은 자음과 달리 공기의 흐름이 발음 기관의 장애를 받지 않고 나오는 소리이다.

오답 풀이

① 국어의 모음은 모두 21개이며, 모두 발음된다.

③ 단모음은 입술 모양의 변화 없이 발음된다.

④ 모든 모음은 목청을 울리며 소리 나고, 울림소리와 안울림소리로 나뉘는 것은 자음이다.

⑤ 모음은 홀로 소리 나는 음운이지만, 모음 하나만으로 의미를 가지는 것은 아니다.

02 ⑤

정답 풀이

[보기]는 두 개의 단모음이 결합하여 이중 모음으로 바뀌는 것을 설명하고 있다. '모이어'의 경우 단모음 'ㅣ'와 단모음 'ㅓ'가 결합하면서 이중 모음 'ㅕ'로 바뀌게 되므로 '모아'가 아니라 '모여'로 변해야 한다.

오답 풀이

① 'ㅜ'와 'ㅓ'가 결합하여 이중 모음 'ㅝ'로 변한 예이다.

②, ③ 'ㅣ'와 'ㅓ'가 결합하여 이중 모음 'ㅕ'로 변한 예이다.

④ 'ㅗ'와 'ㅏ'가 결합하여 이중 모음 'ㅘ'로 변한 예이다.

03 ④

정답 풀이

모음은 발음할 때 입술 모양이 어떠하느냐에 따라 평순 모음과 원순 모음으로 분류한다. 단모음 중 원순 모음에 해당하는 것은 'ㅚ, ㅟ, ㅜ, ㅗ'이다. 'ㅡ'는 평순 모음이다.

04 ①

정답 풀이

모음은 발음할 때 혀의 높낮이에 따라 고모음, 중모음, 저모음으로 나뉜다. 저모음에는 'ㅐ, ㅏ'가 있다.

오답 풀이

② 'ㅡ'는 고모음, 'ㅓ'는 중모음이다.

③ 'ㅔ'는 중모음, 'ㅐ'는 저모음이다.

④ 'ㅟ'는 고모음, 'ㅚ'는 중모음이다.

⑤ 'ㅣ'는 고모음, 'ㅗ'는 중모음이다.

05 ④

정답 풀이

전설 모음 중 고모음은 'ㅣ'와 'ㅟ'가 있다.

오답 풀이

① 'ㅔ'는 전설 모음이지만 중모음이다.

② 'ㅐ'는 전설 모음이지만 저모음이다.

③ 'ㅡ'는 후설 모음이면서 고모음이다.

⑤ 'ㅚ'는 전설 모음이지만 중모음이다.

06 ③

정답 풀이

모음은 발음할 때 혀의 앞뒤 위치에 따라 전설 모음과 후설 모음으로 나뉜다. 전설 모음에는 'ㅣ, ㅔ, ㅐ, ㅟ, ㅚ', 후설 모음에는 'ㅡ, ㅓ, ㅏ, ㅜ, ㅗ'가 있다. '힘'의 'ㅣ'만 전설 모음이다.

오답 풀이

① '들'의 모음 'ㅡ', ② '겁'의 모음 'ㅓ', ④ '움'의 모음 'ㅜ', ⑤ '봄'의 모음 'ㅗ'는 모두 후설 모음이다.

07 ①

정답 풀이

모음 'ㅡ'는 혀의 뒤쪽에서 소리 나는 후설 모음이지만,

평순 모음이기 때문에 입술을 평평하게 하여 소리를 낸다.

② 'ㅣ'는 전설 모음이며 평순 모음이다.
③ 'ㅜ'는 고모음이며 원순 모음이다.
④ 'ㅗ'는 중모음이며 원순 모음이다.
⑤ 'ㅔ'는 중모음이며 평순 모음이다.

08 ④

'ㅏ'와 'ㅓ'는 모두 후설 모음이지만, 발음할 때 혀의 높이가 다르다. 'ㅏ'는 저모음으로 혀의 높이가 낮을 때, 'ㅓ'는 중모음으로 혀의 높이가 중간일 때 소리가 난다.

① ㉠과 ㉡은 모두 후설 모음으로 혀의 뒷부분에서 소리 난다.
② ㉠은 저모음으로, 중모음인 'ㅗ'와 다른 높이에서, ㉡은 중모음으로, 고모음인 'ㅜ'와 다른 높이에서 발음한다.
③ ㉠과 ㉡은 모두 평순 모음이다.
⑤ ㉠과 ㉡은 모두 단모음으로, 발음할 때 혀의 위치가 변하지 않는다.

09 ①

[보기]의 첫 번째 조건은 단모음을 의미하고 두 번째 조건은 고모음을 의미하며, 세 번째 조건은 원순 모음을 의미한다. '우위'의 모음 'ㅜ'와 'ㅟ'는 제시된 세가지 조건을 모두 만족한다.

② '오이'는 모두 단모음이 쓰였으나, 'ㅗ'는 중모음이며, 'ㅣ'는 평순 모음이다.
③ '응애'에 쓰인 모음 'ㅡ'와 'ㅐ'는 모두 평순 모음이며, 'ㅐ'는 저모음이다.
④ '아욱'의 모음 'ㅜ'는 고모음이면서 원순 모음이나, 'ㅏ'는 평순 모음이며 저모음이다.
⑤ '외유'의 모음 'ㅚ'는 중모음이며, 'ㅠ'는 단모음이 아니라 이중 모음이다.

10 ②

[보기]에 제시된 단어에 쓰인 모음은 'ㅟ'이다. 'ㅟ'는 단모음이면서 전설 모음이고 고모음, 원순 모음이다.

Step 1 문제로 연습하기

01	윗잇몸과 혀끝 사이	02	목청
03	격하고 센 느낌	04	파열, 마찰
05	소리의 세기	06	같다
07	다르다	08	다르다
09	같다	10	다르다

11 ㄷ, ㅆ / ㅍ / ㅈ / ㅋ
12 ㄷ, ㅈ / ㅆ / ㅍ, ㅋ
13 ㄷ, ㅍ, ㅋ / ㅆ / ㅈ

Step 2 내신 뛰어넘기

01 ④

모음과 달리 자음은 소리를 낼 때 공기의 흐름이 입 안 발음 기관의 장애를 받는다.

① 국어에서 활용되는 자음은 'ㄱ, ㄲ, ㄴ, ㄷ, ㄸ, ㄹ, ㅁ, ㅂ, ㅃ, ㅅ, ㅆ, ㅇ, ㅈ, ㅉ, ㅊ, ㅋ, ㅌ, ㅍ, ㅎ'으로 총 19개이다.
② 자음은 대부분 목청의 울림이 없이 소리 나지만, 울림 소리인 'ㅁ, ㄴ, ㄹ, ㅇ'은 목청이 울리면서 소리 난다.
③ 자음은 주로 소리 나는 위치나 소리 내는 방법에 따라 분류한다. 혀의 위치나 입술 모양의 변화 유무에 따라 분류하는 것은 모음이다.
⑤ 자음은 홀로 소리는 날 수 없지만, 뜻을 구별해 주는 음운이다.

02 ③

'ㅇ'은 여린입천장소리이고 'ㅎ'은 목청소리이다.

① 'ㅌ'과 'ㅈ'은 모두 성대의 울림이 없는 안울림소리이다.
② 'ㄱ'과 'ㅃ'은 모두 공기가 막혔다가 터지면서 소리 나는 파열음이다.
④ 'ㄹ'과 'ㄸ'은 모두 윗잇몸과 혀끝 사이에서 소리 나는 잇몸소리이다.
⑤ 'ㅆ'과 'ㄲ'은 모두 단단한 느낌을 주는 된소리이다.

03 ④

정답 풀이

'박'의 끝소리는 'ㄱ'으로, 안울림소리이다.

오답 풀이

① '산'의 'ㄴ', ② '말'의 'ㄹ', ③ '형'의 'ㅇ' ⑤ '움'의 'ㅁ'은 모두 목청을 울리는 울림소리이다.

04 ③

정답 풀이

잇몸소리에는 'ㄷ, ㄸ, ㅌ, ㅅ, ㅆ, ㄴ, ㄹ'이 있으며, 그 중 된소리는 'ㄸ, ㅆ'이다. 여린입천장소리에는 'ㄱ, ㄲ, ㅋ, ㅇ'이 있으며 그중 비음은 'ㅇ'이다. '땅'의 첫소리 'ㄸ'은 잇몸소리이자 된소리이며, 끝소리 'ㅇ'은 여린입천장소리이자 비음이다.

오답 풀이

① '홍'의 첫소리 'ㅎ'은 목청소리이다.
② '싹'의 끝소리 'ㄱ'은 여린입천장소리이자 예사소리이다.
④ '칸'의 첫소리 'ㅋ'은 여린입천장소리이자 거센소리이며, 끝소리 'ㄴ'은 잇몸소리이자 비음이다.
⑤ '춤'의 첫소리 'ㅊ'은 센입천장소리이자 거센소리이며, 끝소리 'ㅁ'은 입술소리이자 비음이다.

05 ①

정답 풀이

[보기]의 단어들의 자음은 'ㄷ-ㄸ-ㅌ'으로 변화하고 있는데, 이는 '예사소리-된소리-거센소리'로 변한 것이다. '사분사분-사뿐사뿐-사푼사푼'에서도 'ㅂ-ㅃ-ㅍ'의 변화가 나타나는데, 이것도 '예사소리-된소리-거센소리'로 변한 것이다.

06 ⑤

정답 풀이

'ㅎ'은 마찰음이다. 마찰음은 폐로부터 나온 공기를 내뱉을 때 입 안의 공기의 통로를 좁혀 그 틈 사이로 공기를 스치듯이 내보내면서 발음한다.

오답 풀이

① 'ㄹ'은 유음으로, 혀끝을 윗잇몸에 댄 채 공기를 그 양 옆으로 흘려 내보내면서 발음한다.
② 'ㅍ'은 파열음으로, 공기의 흐름을 일단 막았다가 그 막은 자리를 터뜨리면서 발음한다.
③ 'ㅇ'은 비음으로, 입안의 통로를 막고 코로 공기를 내보내면서 발음한다.

④ 'ㅈ'은 파찰음으로, 공기의 흐름을 일단 막았다가 그 막은 자리를 터뜨리면서 발음한다.

07 ③

정답 풀이

'ㅆ'은 마찰음이고, 'ㄱ, ㅂ, ㄸ, ㅌ'은 모두 파열음이다.

08 ①

정답 풀이

'햅쌀'에 쓰인 자음은 'ㅎ, ㅂ, ㅆ, ㄹ' 4개이다. 이중 마찰음은 'ㅎ'과 'ㅆ'으로 총 2개이다.

오답 풀이

② 울림소리는 'ㄹ' 1개이다.
③ 입술소리는 'ㅂ' 1개이다.
④ 된소리는 'ㅆ' 1개이다.
⑤ 잇몸소리는 'ㅆ, ㄹ' 2개이다.

09 ③

정답 풀이

'ㄴ'은 소리 나는 위치로 분류하면 잇몸소리이며, 목청의 울림 유무에 따라 분류하면 울림소리이고 소리 내는 방법으로 분류하면 비음, 소리의 세기에 따라 분류하면 예사소리이다. 'ㅁ'은 소리 나는 위치로 분류하면 입술소리이며, 목청의 울림 유무에 따라 분류하면 울림소리이고 소리 내는 방법으로 분류하면 비음이며 소리의 세기에 따라 분류하면 예사소리이다. 즉, 두 자음은 소리 나는 위치가 다르다. 따라서 ㉠에는 잇몸소리가 ㉡에는 입술소리가 들어가야 한다.

10 ②

정답 풀이

'ㄷ'은 윗잇몸과 혀끝 사이에서 소리가 나고 'ㅈ'은 센입천장과 혓바닥 사이에서 소리가 난다. 따라서 'ㄷ'이 'ㅈ'으로 바뀌게 되면 소리 나는 위치가 뒤로 이동하게 된다.

오답 풀이

① 소리 나는 위치가 윗잇몸에서 입술로 이동함을 나타낸다.
③ 소리 나는 위치가 여린입천장에서 센입천장으로 이동함을 나타낸다.
④ 소리 나는 위치가 센입천장에서 여린입천장으로 이동함을 나타낸다.
⑤ 소리 나는 위치가 여린입천장에서 목청으로 이동함을 나타낸다.

01 ③

정답 풀이

후설 모음은 혀의 뒷부분에서 소리 나는 모음으로 'ㅡ, ㅓ, ㅏ, ㅜ, ㅗ'가 있다. 이들 모음이 'ㅣ' 모음의 영향을 받으면 전설 모음인 'ㅣ, ㅔ, ㅐ, ㅟ, ㅚ'로 바뀌어 소리 나기도 한다. '띠어'가 [띠어]가 아니라 [띠여]로 발음되는 것은 모음 'ㅓ'가 앞에 있는 모음 'ㅣ'의 영향으로 이중 모음 'ㅕ'로 바뀌어 소리 나는 현상을 보여 주는 예이다.

오답 풀이

①, ②, ④, ⑤ 각각 후설 모음 'ㅏ, ㅓ, ㅜ, ㅗ'가 전설 모음인 'ㅐ, ㅔ, ㅟ, ㅚ'로 바뀌어 발음되는 예이다.

02 ①

정답 풀이

[보기]에 쓰인 모음은 'ㅡ, ㅔ, ㅗ, ㅏ, ㅣ, ㅘ, ㅓ, ㅐ, ㅕ, ㅔ, ㅛ'이다. 이 중에서 단모음은 'ㅡ, ㅔ, ㅗ, ㅏ, ㅣ, ㅐ, ㅓ'로, 총 7개이다.

03 ③

정답 풀이

'므'가 '무'로 변하는 과정에서 모음 'ㅡ'가 'ㅜ'로 달라졌다. 이때 'ㅡ'와 'ㅜ'는 모두 후설 모음이면서 고모음이지만 'ㅡ'는 평순 모음, 'ㅜ'는 원순 모음으로 입술의 모양이 다르다. 또 '게'가 '개'로 변하면서 'ㅔ'가 'ㅐ'로 달라졌다. 이때 'ㅔ'와 'ㅐ'는 모두 전설 모음이면서 입술의 모양이 평평한 상태에서 발음하는 평순 모음이다. 다만 'ㅔ'는 중모음, 'ㅐ'는 저모음으로 발음할 때 혀의 높이가 다르다.

04 ②

정답 풀이

모음 중 고모음은 'ㅣ, ㅟ, ㅡ, ㅜ'이고, 평순 모음은 'ㅣ, ㅔ, ㅐ, ㅡ, ㅓ, ㅏ'이다. 따라서 ㉮에 들어갈 수 있는 모음, 즉 고모음이자 평순 모음인 'ㅣ, ㅡ'이다.

오답 풀이

① 'ㅏ'는 저모음, 평순 모음, 'ㅟ'는 고모음, 원순 모음이다.
③ 'ㅚ'는 중모음, 원순 모음, 'ㅐ'는 저모음, 평순 모음이다.
④ 'ㅓ'는 중모음, 평순 모음, 'ㅗ'는 중모음, 원순 모음이다.
⑤ 'ㅔ'는 중모음, 평순 모음, 'ㅜ'는 고모음, 원순 모음이다.

05 ②

정답 풀이

㉠에는 'ㅁ', ㉡에는 'ㄸ', ㉢에는 'ㅊ', ㉣에는 'ㅇ', ㉤에는 'ㅎ'이 들어가야 한다. ㉡과 ㉣에 들어가는 자음을 활용하면 첫소리 'ㄸ'과 받침 'ㅇ'이 들어가는 단어인 '땅'을 만들 수 있다.

06 ④

정답 풀이

밑줄 친 부분은 모두 된소리로 발음했기 때문에 잘못 발생한 예이다. 예사소리가 보통의 세기로 부드럽게 소리 내는 데 비해 된소리는 긴장된 상태에서 딱딱하게 발음한다.

07 ③

정답 풀이

㉮는 두 입술 사이를, ㉯는 센입천장과 혓바닥 사이를, ㉰는 여린입천장과 혀의 뒷부분 사이를 의미한다. ㉮에서 소리 나는 자음에는 'ㅂ, ㅃ, ㅍ, ㅁ'이 ㉯에서 소리 나는 자음에는 'ㅈ, ㅉ, ㅊ'이, ㉰에서 소리 나는 자음은 'ㄱ, ㄲ, ㅋ, ㅇ'이 있다.

오답 풀이

① 'ㄱ'은 여린입천장과 혀의 뒷부분 사이, 'ㄷ, ㅅ'은 윗잇몸과 혀끝이 닿아서 소리 난다.
② 'ㄷ'은 윗잇몸과 혀끝이 닿아서, 'ㅁ'은 두 입술 사이, 'ㅇ'은 여린입천장과 혀의 뒷부분 사이에서 소리 난다.
④ 'ㅍ'은 두 입술 사이, 'ㄹ'은 윗잇몸과 혀끝이 닿아서, 'ㅎ'은 목청 사이에서 소리 난다.
⑤ 'ㅈ'은 센입천장과 혓바닥 사이, 'ㄴ, ㅌ'은 윗잇몸과 혀끝이 닿아서 소리 난다.

08 ④

정답 풀이

[보기]에서는 자음을 소리 내는 방법에 따라 분류한 것 중 '마찰음'에 대해 설명하고 있다. 자음 중 마찰음에 해당하는 것은 'ㅅ, ㅆ, ㅎ'이다. '역사'는 마찰음인 'ㅅ'을 포함하고 있는 단어이다.

오답 풀이

① '경제'의 자음은 'ㄱ, ㅇ, ㅈ'이며 이 중 'ㄱ'은 파열음, 'ㅇ'은 비음, 'ㅈ'은 파찰음이다.
② '아들'의 자음은 'ㄷ, ㄹ'이며 이 중 'ㄷ'은 파열음, 'ㄹ'은 유음이다.
③ '대나무'의 자음은 'ㄷ, ㄴ, ㅁ'이며 이 중 'ㄷ'은 파열음,

'ㄴ, ㅁ'은 비음이다.

⑤ '버찌'의 자음은 'ㅂ, ㅉ'이며 이 중 'ㅂ'은 파열음, 'ㅉ'은 파찰음이다.

09 ②

정답 풀이

비음은 입 안 공기의 통로를 막고 코를 통과하면서 내는 소리로, 코가 막히면 발음하기가 어렵다. 국어의 자음 중 비음은 'ㅁ, ㄴ, ㅇ'이므로, 코가 막혔다면 비음 'ㅁ'이 있는 '봄'을 발음하기 어려울 것이다.

오답 풀이

① '길'의 자음은 'ㄱ, ㄹ'이며 이 중 비음에 해당하는 자음은 없다.

③ '약'의 자음은 'ㄱ'이며 비음이 아니다.

④ '옷'의 자음은 'ㅅ'이며 비음이 아니다.

⑤ '밥'의 자음은 'ㅂ'이 두 개 쓰였으며, 비음이 아니다.

10 ㉠은 목청의 울림 없이 소리 나는 안울림소리 이고, ㉡은 목청이 울리면서 소리 나는 울림 소리이다.

정답 풀이

[보기]의 ㉠과 ㉡의 관계는 발음할 때 목청의 울림이 있는지 없는지가 차이점인 '안울림소리'와 '울림소리'의 관계이다.

11 ⑤

정답 풀이

제시된 대화에서는 'ㅡ'를 'ㅓ'로 바꾸어 잘못 발음한 예를 보여 주고 있다. 'ㅡ'와 'ㅓ'는 모두 후설 모음이며 평순 모음이지만, 혀의 높이가 다른 모음이다. 'ㅡ'는 혀가 입 안의 위쪽에 있을 때 소리 나는 고모음이며, 'ㅓ'는 그보다 아래 입 안의 중간쯤에 위치할 때 소리 나는 중모음이다. 따라서 두 모음을 바르게 발음하려면 혀의 높이나 입을 벌리는 정도를 다르게 해야 한다.

오답 풀이

① 'ㅡ'와 'ㅓ'는 모두 울림소리이므로 울림을 없애면 발음하기가 힘들다.

② 'ㅡ'와 'ㅓ'는 모두 입술을 평평하게 하여 발음하는 평순 모음이다.

③ 'ㅡ'와 'ㅓ'는 모두 혀의 뒤쪽에서 발음되는 후설 모음이다.

④ 'ㅡ'와 'ㅓ'는 발음할 때 혀끝과 윗잇몸의 간격이 유사한 정도로 벌어진다.

12 ②

정답 풀이

'참 예쁜 아이'에 쓰인 음운은 'ㅊ, ㅏ, ㅁ, ㅖ, ㅃ, ㅡ, ㄴ, ㅏ, ㅣ'로 이 가운데 모음은 'ㅏ, ㅖ, ㅡ, ㅏ, ㅣ' 총 5개가 쓰였다. 이 중 'ㅖ'는 이중 모음이며, 나머지 4개는 단모음이다. 자음은 'ㅊ, ㅁ, ㅃ, ㄴ'가 쓰였는데, 마찰음은 쓰이지 않았으며, 된소리인 'ㅃ', 거센소리인 'ㅊ'이 쓰였다. 울림소리인 자음은 'ㅁ, ㄴ'이 쓰였으며, 예사소리는 쓰이지 않았다.

13 ⑤

정답 풀이

'축'은 'ㅊ, ㅜ, ㄱ'으로 구성되어 있으며, 'ㅊ'은 센입천장소리, 파찰음, 거센소리이다. 'ㅜ'는 후설 모음, 원순모음, 고모음이다. 'ㄱ'은 여린입천장소리, 파열음, 예사소리이다.

오답 풀이

① '별'의 첫소리 'ㅂ'은 입술소리, 파열음, 예사소리이고, 가운뎃소리 'ㅕ'는 이중 모음이다. 끝소리 'ㄹ'은 잇몸소리, 울림소리, 유음이다.

② '손'의 'ㅅ'은 잇몸소리, 마찰음, 예사소리이고, 'ㅗ'는 단모음, 후설 모음, 원순 모음, 중모음이다. 끝소리 'ㄴ'은 잇몸소리, 울림소리, 비음이다.

③ '흥'의 'ㅎ'은 목청소리, 마찰음이고, 'ㅡ'는 후설 모음, 평순 모음, 고모음이다. 끝소리 'ㅇ'은 여린입천장소리, 울림소리, 비음이다.

④ '낮'의 'ㄴ'은 잇몸소리, 울림소리, 비음이고, 'ㅏ'는 후설 모음, 평순 모음, 저모음이다. 끝소리 'ㅈ'은 센입천장소리, 파찰음, 예사소리이다.

[음절]

• 개념: 한 번에 발음할 수 있는 최소의 단위.

• 음절의 구성
┌ 첫소리: 음절을 발음할 때 처음 내는 소리.
├ 가운뎃소리: 음절을 발음할 때 중간에 내는 소리, 모음이 쓰임.
└ 끝소리: 음절을 발음할 때 마지막에 내는 소리.

품사와 어휘   **Ⅱ**

03 체언

Step 1 문제로 연습하기

01 ○   **02** ×

03 ○

04 우리, 할머니, 딸, 둘, 승준, 여기, 첫째, 안전, 둘째, 최우선

05

명사	대명사	수사
할머니, 딸, 승준, 안전, 최우선	우리, 여기	둘, 첫째, 둘째

06 ㉠   **07** ㉡

08 ㉠   **09** 나, 누구, 우리

10 저것, 무엇, 그것   **11** 이곳, 어디, 거기

Step 2 내신 뛰어넘기

01 ⑤

정답 풀이

체언은 문장에서 중심이 되는 역할을 한다. 즉 문장에서 주로 동작이나 상태의 주체가 된다. 문장에서 주로 주체의 동작이나 상태를 설명할 때 쓰이는 것은 용언이다.

02 ③

정답 풀이

'이제'는 부사이다.

오답 풀이

①의 '하나'는 수사이고, ②의 '너'와 ⑤의 '여기'는 대명사이며, ④의 '나뭇잎'은 명사이다. 이 단어들은 문장의 중심, 즉 '누구', '무엇'에 해당하는 말로 체언에 해당한다.

03 ③

정답 풀이

[보기]의 밑줄 친 단어인 '그녀', '그곳', '여기'는 대명사이다. 추상적인 대상의 이름을 나타내는 것은 추상 명사로, '행복', '자유', '명예', '모험심' 등이 있다.

오답 풀이

① 체언에는 명사, 대명사, 수사가 있다.

② 대명사는 사람이나 사물, 장소의 이름을 대신하여 가리키는 단어이다.

④ 체언은 문장에서 쓰일 때 형태가 변하지 않는 불변어이다.

⑤ '그녀'는 '가믄장 아기'를 가리키고, '그곳'과 '여기'는 '허름한 오두막집'을 가리킨다. '그녀'와 '그곳', '여기'와 같은 대명사를 사용하면 앞에 나온 명사를 불필요하게 반복하지 않아도 된다.

04 ②

정답 풀이

제시된 문장에서 명사는 '학교, 국어, 공부, 보람'으로, 총 4개이다. '우리'는 대명사이다.

05 ②

정답 풀이

㉡'필통'은 구체적인 대상의 이름을 나타내는 명사이다.

오답 풀이

① ㉠'나'는 대명사이다.

③ ㉢'하나'는 수량을 나타내는 수사이다.

④ ㉣'그것'은 사물의 이름을 대신하여 가리키는 대명사이다.

⑤ ㉤'사랑'은 추상적인 대상의 이름을 나타내는 명사이다.

06 ③

정답 풀이

'나'는 대명사이고, '소원, 통일'은 명사이며, '첫째'는 수사이다.

오답 풀이

① '나', '당신'은 대명사이다.

② '여기'는 대명사이고, '친구'는 명사이다.

④ '것'은 명사이고, '둘'은 수사이다.

⑤ '수민'과 '키'는 명사이고, '너'는 대명사이다.

07 ④

정답 풀이

수량이나 순서를 나타내는 단어는 수사이다. '처음'은 명사이다.

오답 풀이

①의 '다섯', ②의 '둘, 하나', ③의 '셋', ⑤의 '첫째, 둘째'는 모두 수사이다.

08 ③

'추상적인 대상'이란 '긍지, 기쁨, 만족감'과 같이 일정한 형태나 성질이 없어서 직접 보거나 만질 수 없는 것을 의미한다. 이와 같은 것의 이름을 나타내는 명사를 '추상 명사'라고 한다.

① '평화, 희망'은 추상적인 대상의 이름을 나타내고, '학교'는 구체적인 대상의 이름을 나타낸다.
② '우정'은 추상적인 대상의 이름을 나타내고, '가방, 자동차'는 구체적인 대상의 이름을 나타낸다.
④ '청춘'은 추상적인 대상의 이름을 나타내고, '가족, 할아버지'는 구체적인 대상의 이름을 나타낸다.
⑤ '자만심'은 추상적인 대상의 이름을 나타내고, '이순신, 대한민국'은 구체적인 대상의 이름을 나타낸다.

09 ③

'이것, 저것, 무엇'은 사물의 이름을 대신하여 가리키는 대명사이다.

[대명사의 종류]
• 사람의 이름을 대신하여 가리키는 대명사(인칭 대명사)
  예 나, 너, 그, 우리, 당신, 누구 등
• 사물의 이름을 대신하여 가리키는 대명사(사물 대명사)
  예 이것, 저것, 그것, 무엇 등
• 장소의 이름을 대신하여 가리키는 대명사(장소 대명사)
  예 여기, 저기, 거기, 그곳, 저곳, 어디 등

04 용언

Step 1 문제로 연습하기

01	용언	02	동작
03	형태	04	움직임
05	형용사		
06	펼쳐졌다, 웃는다, 닦고, 읽었다		
07	푸른, 깊은, 친절하고	08	아름답다
09	오다	10	달리다
11	ⓒ	12	ㄱ
13	ⓒ	14	ㄹ

Step 2 내신 뛰어넘기

01 ④

'쥐다, 펴다, 잡다, 다투다'는 사람이나 사물의 움직임을 나타내는 동사이다.

02 ③

'작다'와 '곱다', '아름답다'는 사람이나 사물의 상태나 성질을 나타내는 형용사이다. 동사는 명령을 나타내는 어미 '-아라/-어라'와 결합할 수 있으나, 형용사는 명령을 나타내는 어미와 결합할 수 없다.

03 ①

①의 '빠르다'는 형용사이지만, ②의 '주었니', ③의 '놓쳤다', ④의 '먹는다', ⑤의 '갔다'는 동사이다.

04 ④

'새로운'은 형용사로, 기본형은 '새롭다'이다. 문장에서 쓰일 때 '새로우니, 새로워서, 새로운, 새로웠다' 등으로 활용을 한다.

①의 '수영'은 명사, ②의 '하나'는 수사, ③의 '여기'와 ⑤의 '그곳'은 대명사이다. 명사, 수사, 대명사는 문장에서 쓰일 때 형태가 변하지 않는 불변어이다.

05 ④

[보기]의 '읽는다'에서 '-는다'는 현재를 나타내는 어미로 동사와는 결합할 수 있지만, 형용사와는 결합할 수 없다. '읽자'에서 '-자'와 '읽어라'에서 '-어라'도 각각 함께 하자고 요청하는 어미(청유형 어미)와 명령을 나타내는 어미(명령형 어미)로 동사와는 결합할 수 있지만 형용사와는 결합할 수 없다. '향기롭다'는 형용사이므로 [보기]의 밑줄 친 부분처럼 활용할 수 없다.

①의 '걷다', ②의 '보다', ③의 '놀다', ⑤의 '들어가다'는 모두 동사이다.

[동사와 형용사의 구별]

1. 현재를 나타내는 어미 '-ㄴ다/-는다'와의 결합
   → 결합할 수 있으면 동사이고, 결합할 수 없으면 형용사임.
2. 명령을 나타내는 어미 '-아라/-어라'와의 결합
   → 결합할 수 있으면 동사이고, 결합할 수 없으면 형용사임.
3. 함께하자고 요청하는 어미 '-자'와의 결합
   → 결합할 수 있으면 동사이고, 결합할 수 없으면 형용사임.

06 ⑤

정답 풀이

동사는 사람이나 사물의 움직임을 나타내는 단어이고, 형용사는 사람이나 사물의 상태나 성질을 나타내는 단어이다. ㉠의 '많은'과 ㉡의 '충분하게'는 형용사이고, ㉢의 '달린다'와 ㉣의 '쓴다', ㉤의 '우러러'는 동사이다.

07 ④

정답 풀이

[보기]에서는 형용사의 특징을 설명하고 있다. '귀엽다, 즐겁다, 미끄럽다'는 문장에서 쓰일 때 형태가 변하는 활용을 하며, 사람이나 사물의 상태나 성질을 나타내는 형용사이다.

오답 풀이

① '우리, 여기, 저것'은 대명사이며, 문장에서 쓰일 때 형태가 변하지 않는다.
② '사랑, 슬픔, 기쁨'은 명사이며, 문장에서 쓰일 때 형태가 변하지 않는다.
③ '작다, 많다'는 형용사이고, '피다'는 동사이다.
⑤ '노래하다'는 동사이고, '친절하다, 화려하다'는 형용사이다.

08 ④

정답 풀이

④의 '남는다'는 사람이나 사물의 움직임을 나타내는 동사이고, ①의 '아니다', ②의 '활달하다', ③의 '멋있다', ⑤의 '이러한'은 사람이나 사물의 상태나 성질을 나타내는 형용사이다.

---

05 수식언

Step 1 문제로 연습하기

01	○	**02**	×
03	○	**04**	×
05	○		

06 그: 관형사, 아주: 부사
07 훌쩍: 부사, 못: 부사
08 옛: 관형사, 소중히: 부사
09 ㉡   **10** ㉢
11 ㉠   **12** 빨리
13 그 일은 어떻게 될까 **14** 추웠다

Step 2 내신 뛰어넘기

01 ②

정답 풀이

문장에서 주로 동작이나 상태의 주체가 되는 것은 '수식언'이 아니라 '체언'이다.

02 ⑤

정답 풀이

[보기]의 '매우'는 '고팠다'라는 용언을 꾸며 주는 부사이다. '다행히'도 부사이다.

오답 풀이

①의 '이것'은 대명사, ②의 '하나'는 수사, ③의 '온갖'과 ④의 '여러'는 관형사이다.

03 ⑤

정답 풀이

[보기]의 '한'은 '사람'을 꾸며 주는 관형사이고, '뚜벅뚜벅'은 '걸어왔다'를 꾸며 주는 부사이다. 관형사와 부사는 수식언으로, 문장의 의미를 자세하고 구체적으로 전달하거나 의미를 한정해 주기 위해 쓰인다.

오답 풀이

① 부사에 대한 설명이다.
② 관형사에 대한 설명이다.
③ 문장에서 쓰일 때 동사와 형용사, 서술격 조사 '이다'만 형태가 바뀌는 활용을 하고, 수식언은 형태가 바뀌는 활용을 하지 않는다.

④ 용언에 대한 설명이다.

04 ①

정답 풀이

'심하게'의 기본형은 '심하다'로, 형용사가 활용한 것이다.

오답 풀이

② '과연'은 '그는 훌륭한 사람이야.'라는 문장을 꾸며 주는 부사이다.
③ '일찍'은 '일어났구나'라는 동사(용언)를 꾸며 주는 부사이다.
④ '바로'는 '옆'이라는 명사(체언)를 꾸며 주는 부사이다.
⑤ '안'은 '할'이라는 동사(용언)를 꾸며 주는 부사이다.

> **[용언과 수식언의 구별]**
> • 용언의 활용형은 수식언처럼 문장에서 다른 단어를 꾸며 주는 경우도 있다.
> ⑩ 예쁜 꽃이 피었다.
> → '예쁜'은 '예쁘다'의 활용형으로 '꽃'을 꾸며 준다.
> 꽃이 곱게 피었다.
> → '곱게'는 '곱다'의 활용형으로 '피었다'를 꾸며 준다.
> • 용언은 활용할 수 있지만 수식언은 활용하지 않는다.
> ⑩ 운동은 몸을 건강하게 한다.
> → '건강하다'에서 활용한 말로 용언이다.
> 운동은 몸에 아주 좋다.
> → '아주'는 형태가 변하지 않는 수식언이다.

05 ③

정답 풀이

'헌'은 관형사이고, '깨끗이'와 바싹'은 부사이다. 따라서 제시된 문장에 쓰인 수식언은 모두 3개이다.

06 ②

정답 풀이

'이'는 '책'을 꾸며 주는 관형사이고, '너무'는 '어렵다'를 꾸며 주는 부사이다.

오답 풀이

① '아주'는 부사이고, 관형사는 쓰이지 않았다.
③ '첫'은 관형사이고, 부사는 쓰이지 않았다.
④ '활짝'은 부사이고, 관형사는 쓰이지 않았다.
⑤ '천천히'와 '생긋'은 모두 부사이고, 관형사는 쓰이지 않았다.

07 ⑤

정답 풀이

[보기]에 제시된 문장의 '빨리'는 '나갔다'라는 용언(동사)을 꾸며 주는 부사이다. '졸졸'은 '흐르는'이라는 용언(동사)을 꾸며 주는 부사이다.

오답 풀이

① '모든'은 '사람'을 꾸며 주는 관형사이다.
② '세'는 '사람'을 꾸며 주는 관형사이다.
③ '여기'는 대명사이다.

08 ③

정답 풀이

'온갖, 어느'는 관형사이고, '아주'는 부사이다.

오답 풀이

① '푸른'은 '푸르다'의 활용형으로 형용사이다. '옛'과 '모든'은 관형사이다.
② '활짝'과 '꼭'은 부사이고, '셋'은 수사이다.
④ '무척'과 '많이'는 부사이고, '거기'는 대명사이다.
⑤ '쉽게'는 '쉽다'의 활용형이고, '높은'은 '높다'의 활용형인데 모두 형용사이다. '열심히'는 부사이다.

<hr>

06 관계언과 독립언

Step 1 문제로 연습하기

01	조사, 감탄사	**02**	형태
03	느낌표	**04**	체언
05	관계, 뜻	**06**	대답
07	3개(와, 는, 이다)	**08**	4개(와, 가, 를, 으로)
09	3개(부터, 까지, 를)	**10**	어이쿠
11	앗	**12**	여보세요
13	ⓒ	**14**	ⓒ
15	ⓒ		

Step 2 내신 뛰어넘기

01 ②

정답 풀이

조사 가운데 서술격 조사 '이다'는 '이고, 이니, 이므로, 이었다' 등으로 형태가 변하는 가변어이다.

①, ③ 조사는 보통 문장에서 체언 뒤에 붙어 쓰이며, 홀로 쓰이지 않는다.

④ '도, 만, 은/는, 부터, 까지, 조차'와 같은 보조사는 앞말에 붙어 특별한 뜻을 더해 준다.

⑤ 조사는 관계언으로, 다른 말과의 문법적 관계를 나타내는 기능을 한다.

02 ④

'스스로'는 뒤에 오는 '돕는'을 꾸며 주는 부사이다. 참고로 '모든 길은 로마로 통한다.' '나무로 집을 짓는다.'라는 문장의 '로'는 조사이다.

03 ④

'정우가 민희를 좋아한다.'라는 문장에 쓰인 조사는 '가'와 '를'로, '가'와 '를'은 앞의 체언이 일정한 자격을 갖게 해 주는 격 조사이다.

① '만'은 '다른 것으로부터 제한하여 어느 것을 한정함.'을 나타내는 보조사이다.

② '마저'는 '마지막 남은 하나.'라는 뜻을 더해 주는 보조사이다.

③ '도'는 '이미 어떤 것이 포함되고 그 위에 더함.'의 뜻을 나타내는 보조사이다.

⑤ '조차'는 '이미 어떤 것이 포함되고 그 위에 더함.'의 뜻을 더해 주는 보조사이다.

[조사의 종류]
• 격 조사: 앞의 체언이 일정한 자격을 갖게 해 주는 조사.
  예 이/가, 께서, 을/를, 에, 에서, 에게, 의, 이다, 야
• 보조사: 앞말에 특별한 뜻을 더해 주는 조사.
  예 은/는('대조'의 뜻을 더해 줌.), 만('단독'의 뜻을 더해 줌.), 도('더함'의 뜻을 더해 줌.), 부터('시작'의 뜻을 더해 줌.), 까지('끝'의 뜻을 더해 줌.), 조차('첨가'의 뜻을 더해 줌.)
• 접속 조사: 두 단어를 같은 자격으로 이어 주는 조사.
  예 와/과, 랑, 하고

04 ④

'민수가 이번에 반장이 되었어.'라는 문장에 쓰인 관계언은 '가, 에, 이', 총 3개이다.

① 문장에 쓰인 관계언은 '은, 는'으로, 총 2개이다.

② 문장에 쓰인 관계언은 '는, 를'로, 총 2개이다.

③ 문장에 쓰인 관계언은 '이(열이), 이(기침이)'로, 총 2개이다.

⑤ 문장에 쓰인 관계언은 '는, 를'로, 총 2개이다.

05 ③

제시된 문장에 조사를 적절히 넣어 완성된 문장을 만들면 '나는 빵과 데운 우유를 먹고 이를 깨끗이 닦았다.'가 된다. 따라서 '데운'의 뒤에는 조사가 결합하지 않는다.

06 ⑤

감탄사는 문장에서 쓰일 때 다른 단어들과 관련 없이 독립적으로 쓰이는 독립언이다.

① 감탄사는 체언과 결합하지 않고 독립적으로 쓰인다.

② 감탄사 뒤에는 조사가 결합하지 않는다.

③ 감탄사는 문장에서 쓰일 때 형태가 변하지 않는다.

④ 감탄사는 말하는 이의 놀람, 느낌, 부름이나 대답 등을 나타내는 말이다. 사람이나 사물의 상태나 성질을 나타내는 말은 형용사이다.

07 ③

'청춘'은 명사이다.

①의 '이런', ②의 '앗', ④의 '여보게', ⑤의 '예'는 감탄사이다.

08 ③

(가)의 '야'는 부름을 나타내는 말로 감탄사이지만, (나)의 '경희야'에서 '야'는 '경희'라는 체언(명사) 뒤에 붙어서 앞에 오는 체언이 부름말이 되게 하는 호격 조사이다.

[감탄사의 구별]
• 실제 이름 뒤에 부름을 나타내는 조사가 붙은 말은 감탄사가 아님.
  예 재범아! → 명사(재범)+조사(아)의 형태로 감탄사가 아님.

- 형용사가 활용한 경우도 말하는 이의 느낌을 나타낼 수 있지만 감탄사가 아님.
  예 하늘이 푸르구나. → 형용사임.
- 문장의 첫머리에 놓인 제시어는 감탄사가 아님.
  예 청춘, 듣기만 해도 가슴이 설렌다. → 명사임.

09 ⑤

정답 풀이

'어머나'와 '글쎄'는 감탄사로 말하는 사람의 놀람, 느낌, 부름이나 대답 등을 나타낸다.

오답 풀이

① 감탄사는 독립언으로, 수식언의 꾸밈을 받지 않는다.
② 감탄사를 생략해도 문장은 성립한다.
③ 조사(관계언)에 대한 설명이다.
④ 체언에 대한 설명이다.

07 어휘의 체계

Step 1 문제로 연습하기

01 고
02 한
03 고
04 외
05 외
06 한
07 한
08 ⓒ
09 ⓛ
10 ㉠
11 누나 ○ / 언제나 ○ / 아침 ○ / 식사 △ / 우유 △ / 빵 □
12 나 ○ / 음악가 △ / 매일 △ / 피아노 □ / 첼로 □
13 동생 ○ / 텔레비전 □ / 피자 □ / 콜라 □
14 어제 ○ / 공연 △ / 사람 ○ / 피아니스트 □ / 연주 △ / 앙코르 □
15 할아버지 ○ / 인생 △ / 길잡이 ○

Step 2 내신 뛰어넘기

01 ⑤

정답 풀이

외래어는 다른 나라에서 들어온 말이지만, 우리말처럼 쓰이는 단어들이다. 외래어는 외래어를 대체할 수 있는 고유어가 없는 경우가 대부분이다.

02 ②

정답 풀이

[보기]의 ㉠아버지, ⑩잔디, ㉂깔개, ㉃마음은 고유어로, 일상생활에서 자주 쓰이는 기본 어휘이다.

오답 풀이

ⓒ바나나, ⑪글러브는 외래어이고, ⓛ우유, ㉁공원, ⑥운동화, ㉂감기는 한자어이다.

03 ①

정답 풀이

외래어는 다른 나라에서 들어온 말이지만 국어처럼 쓰이는 단어들이다. 다른 나라에서 새로운 문물이 들어오면서 그것을 가리키는 말이 함께 들어온 경우가 많기 때문에, 어느 한 시기에만 쓰이지 않고 그 문물과 함께 지속적으로 사용된다.

04 ⑤

정답 풀이

한자는 하나의 글자마다 뜻을 지닌 문자이다. 한자를 바탕으로 만든 한자어에는 개념을 나타내거나 추상적인 의미를 나타내는 말이 많고, 고유어에 비해 전문적이고 세분화된 의미를 나타내는 말이 많다. 그러나 한자어보다는 고유어가 우리 민족의 감정이나 정서, 감각을 다양하게 표현할 수 있다.

오답 풀이

② 한자어에는 고유어에 비해 좀 더 정확하고 분화된 의미를 가진 단어가 많기 때문에 고유어를 보완하는 역할을 한다. 예를 들어, 고유어 '고치다'는 문맥에 따라 '수리하다, 수정하다, 수선하다, 치료하다' 등의 한자어로 바꾸어 씀으로써 정확한 의미를 드러낼 수 있다.
④ '감기, 편지' 등은 중국이나 일본에서 들어온 말이 아니라, 우리 민족 스스로 만들어 낸 한자어이다.

05 ③

정답 풀이

'쓰다'는 '머릿속의 생각을 글로 나타내다.'라는 의미이다. '서류, 원고 따위를 만들다.'라는 의미의 '작성하다'로 바꾸어 쓸 수 있다.

06 ②

정답 풀이

'꿈, 앞길, 생각, 자리'는 고유어이고, '학교, 최선, 자동

차, 공부, 분석, 인정'은 한자어이며, '디자이너, 뉴스'
는 외래어이다.

07 ③

'등산(登山)', '문법(文法)', '홍차(紅茶)'는 한자어이다.

① '집'은 고유어이지만, '빵, 피아노'는 외래어이다.
② '책(册), 숙제(宿題), 필통(筆筒)'은 모두 한자어이다.
④ '황색(黃色), 식구(食口)'는 한자어이고, '망토'는 외래어
  이다.
⑤ '아이디어, 인플루엔자'는 외래어이고, '백일장(白日場)'
  은 한자어이다.

08 ⑤

'외래어'는 다른 나라에서 들여온 말이지만 우리말처럼
쓰이는 단어로, 대체할 수 있는 고유어가 드문 편이다.
'디저트, 앙코르, 스위치, 샌드위치'는 외래어이다.

① '뮤지컬, 댄스, 컴퓨터'는 외래어이지만, '연필'은 한자어
  이다.
② '침팬지, 토마토'는 외래어이고, '전문가, 친밀'은 한자어
  이다.
③ '버스, 라디오'는 외래어이고, '담뿍담뿍, 동아리'는 고유
  어이다.
④ '소프라노, 리듬, 마요네즈'는 외래어이고, '온풍기'는 한
  자어이다.

[외래어와 외국어]
• 공통점: 다른 나라에서 들여온 말임.
• 차이점: 외래어는 우리말처럼 쓰이는 단어로 그것을 대
  체할 수 있는 고유어가 없는 경우가 대부분이어서 국어사
  전에도 실려 있다. 그러나 외국어는 상대적으로 다른 나
  라에서 온 말이라는 느낌이 강하여 우리말로 쉽게 고쳐
  쓸 수 있으며, 국어사전에도 실려 있지 않다.

---

08 어휘의 양상

Step 1 문제로 연습하기

01	정서	**02**	친밀감
03	사회적	**04**	의사소통
05	지	**06**	지, 사
07	지	**08**	지, 사
09	사	**10**	사
11	×	**12**	×
13	○	**14**	○

Step 2 내신 뛰어넘기

01 ⑤

'지역 방언'은 특정한 지역의 생활 언어로, 예부터 전해
오는 다양한 문화와 전통 및 역사, 그 지역 사람들의 독
특한 정서가 깊이 배어 있다. 따라서 지역 방언은 각 지
역의 전통이나 풍습을 이해하는 데 도움을 줄 수 있다.

① 표준어의 가치에 대한 설명이다.

02 ⑤

태진과 준수는 같은 고향 사람임을 알게 된 후 지역 방
언을 함께 사용하면서 친근감을 표현하고 있다. 이처럼
지역 방언을 사용하면 같은 방언을 사용하는 사람들 사
이에서 친근감을 느끼게 해 줄 수 있다.

03 ⑤

지역 방언은 해당 지역에 사는 사람들의 생활 언어이기
때문에, 지역 방언을 사용하면 그 지역 사람들 사이의
독특한 정서를 효과적으로 표현할 수 있다. 또한 표준
어로 표현할 수 없는 부분을 지역 방언으로는 표현할
수 있는 경우도 있으므로 표준어의 부족한 부분을 보완
할 수도 있다. 그러나 지역 방언을 공식적인 상황에서
사용하게 되면 그 말을 이해하지 못하는 사람들이 있어
서 의사소통에 어려움을 겪을 수 있으므로, 공식적인
상황에서는 표준어를 사용해야 한다.

04 ④

정답 풀이

사회 방언은 연령, 성별, 사회 집단과 같은 사회적 요인에 따라 달라진 말로, 집단 내 구성원들끼리 사용하면 의사소통의 효율성을 높일 수 있다는 장점이 있다. 그러나 다른 집단의 사람들과 대화할 때에는 원활한 의사소통을 방해할 수 있다는 단점도 있다.

05 ⑤

정답 풀이

전문 분야에서 사용하는 사회 방언은 복잡하고 어려운 내용을 간결하고 정확하게 전달할 수 있으므로, 그 분야의 일을 수행하는 데 도움을 준다.

> **[사회 방언: 전문어]**
> • 개념
> 컴퓨터, 법률, 의료, 학술, 운동 경기 등 전문 분야에서 그 분야의 일을 효과적으로 수행하기 위해 사용하는 말로, 사회 방언의 일종이다.
> • 특징
> ① 일반인이 알기 어려운 외래어나 한자어가 많음.
> ② 전문가들끼리 정확하고 신속한 의사소통을 위해 사용함.
> ③ 의미를 알지 못하는 일반인들에게는 소외감을 줄 수 있음.

06 ③

정답 풀이

제시된 대화에 사용된 '겜, 아템, 현질'은 청소년 집단에서 사용하는 사회 방언이다. 이러한 사회 방언은 특정 집단의 사람들끼리만 은밀하고 비공식적으로 쓰인다는 특징이 있다.

> **[사회 방언: 은어]**
> • 개념
> 특정 집단 안에서 비밀을 유지하기 위해 다른 집단의 사람들이 이해할 수 없게 만든 말로, 사회 방언의 일종이다.
> • 특징
> ① 비공식적이고 은밀하게 사용됨.
> ② 집단 구성원 사이의 결속력을 높임.
> ③ 은어를 모르는 사람들과는 의사소통이 어려움.
> ④ 의미가 알려져 널리 쓰이게 되면 은어의 기능을 잃게 됨.

II 단원 종합 문제

01 ⑤

정답 풀이

문장에서 쓰일 때 형태가 변하는 단어인 가변어에는 동사와 형용사, 서술격 조사 '이다'가 있다. '걷다'는 동사로 '걸으니, 걸어서, 걸었다' 등으로 형태가 변하며, '노랗다'는 형용사로 '노란, 노랗고, 노랗게' 등으로 형태가 변한다. '아름답다'도 형용사로 '아름다웠다, 아름답고, 아름답게' 등으로 형태가 변한다.

오답 풀이

① '새, 기차, 노래'는 모두 명사로, 문장에서 쓰일 때 형태가 변하지 않는다.
② '온갖, 모든'은 관형사로, 문장에서 쓰일 때 형태가 변하지 않는다. '높다'는 형용사로, 문장에서 쓰일 때 형태가 변한다.
③ '아주, 많이, 빨리'는 모두 부사로, 문장에서 쓰일 때 형태가 변하지 않는다.
④ '가다'는 동사이고 '푸르다'는 형용사로, 문장에서 쓰일 때 형태가 변한다. 그러나 '어머나'는 감탄사로 문장에서 쓰일 때 형태가 변하지 않는다.

02 ③

정답 풀이

체언은 문장에서 '누구'나 '무엇'에 해당하는 말로, 명사, 대명사, 수사가 있다. [보기]에서 명사는 '시집, 찬물, 그릇, 달빛, 아래, 혼례식'이고, 대명사는 '그녀, 그', 수사는 '둘'이다.

03 ②

정답 풀이

'이'는 명사 '집'을 꾸며 주는 관형사로, 수식언이다.

오답 풀이

① '앞'은 명사로, 체언이다.
③ '여기'는 대명사로, 체언이다.
④ '여섯'은 수사로, 체언이다.
⑤ '첫째'는 수사로, 체언이다.

04 ⑤

정답 풀이

'너, 우리'는 대명사이고, '비행기, 이순신'은 명사이며, '둘째'는 수사이다. 따라서 제시된 모든 단어는 체언이다. ⑤에서 대상의 이름을 나타낸다는 것은 명사에 대한 설명이고, 대상의 이름을 대신하여 가리킨다는 것은 대명사에 대한 설명이다. 수사에 대한 설명이 제시되지 않았다.

[체언의 특성]
- 체언에는 대상의 이름을 나타내는 명사, 명사를 대신하여 가리키는 대명사, 수량이나 순서를 나타내는 수사가 있음.
- 문장에서 쓰일 때 중심이 되는 역할, 즉 '누구', '무엇'에 해당하는 단어임.
- 문장에서 쓰일 때 형태가 변하지 않음(활용을 하지 않음).
- 조사와 결합하여 쓰이며, 다양한 기능을 수행함.
- 관형어의 꾸밈을 받을 수 있음.

05 ③

정답 풀이

[보기]의 첫 번째 조건은 체언에 대한 설명이고, 두 번째 조건은 일정한 형태나 성질이 없어서 직접 보거나 만질 수 없는 추상 명사에 대한 설명이다. '자유'는 추상 명사이므로 체언에 해당한다. 따라서 [보기]의 조건을 모두 만족한다.

오답 풀이

①'이것'은 대명사, ②'국어'는 구체적인 대상의 이름을 나타내는 명사, ④'여보세요'는 감탄사, ⑤'사랑스럽다'는 형용사이다.

06 ④

정답 풀이

'두'는 다음에 나오는 명사인 '마리'를 꾸며 주는 관형사이다.

오답 풀이

① '둘'은 수사이다.
② '일, 이, 삼'은 수사이다.
③ '셋'은 수사이다.
⑤ '둘째'는 수사이다.

[수사와 수 관형사]

	수사	수 관형사
공통점	수량이나 순서를 나타냄.	
차이점	• 조사와 결합할 수 있음. • 체언임.	• 조사와 결합할 수 없음. • 체언을 꾸며 줌. • 수식언임.
예	하나, 둘, 셋, 넷	한, 두, 세, 네

07 ⑤

정답 풀이

'젊다'와 '예쁘다'는 형용사이지만, '먹다'는 동사이다.

[동사와 형용사의 구별]
1. 현재를 나타내는 어미 '-ㄴ다/-는다'와의 결합 여부
   → 결합할 수 있으면 동사이고, 결합할 수 없으면 형용사이다.
2. 명령을 나타내는 어미 '-아라/-어라'와의 결합 여부
   → 결합할 수 있으면 동사이고, 결합할 수 없으면 형용사이다.
3. 함께하자고 요청하는 어미 '-자'와의 결합 여부
   → 결합할 수 있으면 동사이고, 결합할 수 없으면 형용사이다.

08 ④

정답 풀이

[보기]에서 공통적으로 설명하고 있는 품사는 동사이다. '넘어질'은 기본형이 '넘어지다'이고, '넘어지다, 넘어지고, 넘어진, 넘어졌다'와 같이 형태가 변하는 동사이다.

오답 풀이

① '빨리'는 형태가 변하지 않는 부사이다.
② '아름다운가'는 '아름답다, 아름다운'과 같이 형태가 변하지만, 동사가 아니라 사람이나 사물의 상태나 성질을 나타내는 형용사이다.
③ '어떤'은 형태가 변하지 않으며, '과목'을 꾸며 주는 관형사이다.
⑤ '좋은'은 '좋다, 좋고, 좋으니'와 같이 형태가 변하지만, 사람이나 사물의 상태나 성질을 나타내는 형용사이다.

09 ②

정답 풀이

'선선할'은 형용사이다.

오답 풀이

① '따뜻하게'는 형용사이고, '대하자'는 동사이다.
③ '입고'와 '있으니'는 동사이고, '멋있구나'는 형용사이다.
④ '노란'은 형용사이고, '들고'와 '있는'은 동사이다.
⑤ '단정히'는 부사이고, '입는다'는 동사이다.

['있다'의 품사]

'있다'는 동사와 형용사로 모두 쓰인다. 동사 '있다'는 문장에서 '있는다', '있어라', '있자'와 같이 활용하며, 높임말로는 '계시다'를 쓴다. 형용사 '있다'는 높임말로 '있으시다'를 쓴다.

10 ③

㉠의 '특히'는 부사이고, '그'는 관형사이다. ㉢의 '세'는 관형사이고, '함께'는 부사이다. ㉺의 '헌'은 '옷'을 꾸며 주는 관형사이고, '깨끗이'는 '세탁했다'를 꾸며 주는 부사이다. 따라서 관형사와 부사를 모두 포함하고 있는 문장은 ㉠, ㉢, ㉺으로, 총 3개이다.

㉡ '하얀'은 '솜사탕'을 꾸며 주지만, '하얗다, 하얗고'와 같이 형태가 변하는 형용사이다. '빨리'는 부사이다.
㉣ '다행히'는 부사이고, '큰'은 '크다, 커서, 크니'와 같이 형태가 변하는 형용사이다.

> **[혼동하기 쉬운 품사의 예]**
> '-이'나 '-히'가 붙어서 부사가 되는 단어(예: 깨끗이, 조용히, 말끔히, 고요히, 많이 등)는 용언의 활용형과 혼동하기 쉽다.
> ㉺ 깨끗이 청소해라.
> 깨끗하게 청소해라.
> → 각 문장에서 '깨끗이'와 '깨끗하게'는 모두 용언을 꾸며 주고 있으나 앞의 '깨끗이'는 부사이고, '깨끗하게'는 용언의 활용형으로 형용사이다. 이는 '깨끗이'의 경우, '-이'가 붙어서 완전히 부사로 품사가 바뀐 것으로 보아 형태가 변하지 않는 것으로 인식하기 때문이다.

11 ⑤

'미생물'은 대상의 이름을 나타내는 명사이다. '등'은 명사 가운데 두 개 이상의 대상을 열거한 다음에 쓰이는 명사이다.

① '어느'는 관형사이고, '기쁜'은 형용사이다.
② '더'는 부사이고, '저'는 관형사이다.
③ '깨끗하게'는 형용사이고, '조용히'는 부사이다.
④ '떠드는'은 동사이고, '평화로운'은 형용사이다.

> **['이, 그, 저'의 품사]**
> '이, 그, 저'는 대명사로도 쓰이고 관형사로도 쓰인다. 대명사로 쓰일 때는 조사와 결합하여 쓰이고, 관형사로 쓰일 때는 조사와 결합하지 않으며 다음에 나오는 체언을 꾸며 준다.
> ㉺ 이처럼 좋은 선물을 주셔서 감사합니다. (대명사)
> 이 사과가 맛있게 생겼다. (관형사)

12 ⑤

관계언이 특별한 뜻을 더해 주는 보조사로 쓰인 경우에는 용언 뒤에 결합할 수도 있다. 그러나 대부분의 조사는 체언 뒤에 붙어서 다른 말과의 문법적 관계를 드러내는 역할을 한다.

13 ③

'서윤아'는 '서윤'이라는 명사와 조사 '아'가 결합된 말로, 감탄사가 아니다.

①의 '예', ②의 '그래', ④의 '맙소사', ⑤의 '아'는 감탄사이다.

> **[감탄사처럼 보이지만 감탄사가 아닌 경우]**
> • 실제 이름 뒤에 부름을 나타내는 조사가 붙은 말은 감탄사가 아님.
> ㉺ 재범아! → 명사(재범)+조사(아)의 형태로 감탄사가 아님.
> • 형용사가 활용한 경우도 말하는 이의 느낌을 나타낼 수 있지만, 감탄사는 아님.
> ㉺ 하늘이 푸르구나. → 형용사임.
> • 문장의 첫머리에 놓인 제시어는 감탄사가 아님.
> ㉺ 청춘, 듣기만 해도 가슴이 설레는 말이다. → 명사임.

14 ③

'고요했다'는 사람이나 사물의 상태나 성질을 나타내는 형용사이다.

①의 '향긋하다'는 형용사, ②의 '아무'는 대명사, ④의 '항상'은 부사, ⑤의 '두'는 관형사이다.

15 ④

'언제나'는 부사이고, '기쁜'은 형용사이다.

①의 '온', ②의 '한', ③의 '저', ⑤의 '어떤'은 관형사이다.

16 ④

제시된 문장에서는 감탄사(어머나), 관형사(그), 명사(아기, 물), 조사(가, 을), 동사(엎질렀구나)가 쓰였다.

사람, 사물, 장소의 이름을 대신하여 가리키는 단어는 대명사인데, 이 문장에서 대명사는 쓰이지 않았다.

> **오답 풀이**
①은 명사, ②는 관형사, ③은 동사, ⑤는 감탄사에 대한 설명이다.

17 ③

> **정답 풀이**
'과연'은 '그 사람은 똑똑하다.'라는 문장 전체를 꾸며 준다.

18 ⑤

> **정답 풀이**
[보기]의 '아주'는 '좋다'를 꾸며 주고 있으며, '벌써'는 '떠났다'를 꾸며 주고 있다. 따라서 '아주'와 '벌써'는 부사이다. '누구'는 대명사이다.

19 ②

> **정답 풀이**
수식언 중 '관형사'는 조사와 결합할 수 없지만, '부사'는 조사와 결합하기도 한다.

> **[부사가 조사와 결합하는 예]**
> • 서울에는 사람이 참 많이도 산다.
> → '많이'라는 부사에 '도'라는 조사가 결합함.
> • 그곳에서는 조용히만 하면 돼.
> → '조용히'라는 부사에 '만'이라는 조사가 결합함.

20 ③

> **정답 풀이**
'만'은 '다른 것으로부터 제한하여 어느 것을 한정함', 즉 단독의 뜻을 더해 주는 보조사이다.

> **오답 풀이**
①의 '가'와 '에', ②의 '가'와 '에게', '을', ③의 '가', ④의 '께서'와 '를', ⑤의 '을'은 체언과 다른 말 사이의 문법적 관계를 나타내는 격 조사이다. ⑤의 '하고'는 두 단어를 같은 자격으로 이어 주는 역할을 하는 접속 조사이다.

> **[조사의 종류]**
> • 격 조사: 앞의 체언이 일정한 자격을 갖게 해 주는 조사.
> 예) 이/가, 께서, 을/를, 에, 에서, 에게, 의, 이다, 야
> • 보조사: 앞말에 특별한 뜻을 더해 주는 조사.
> 예) 은/는('대조'의 뜻), 만('단독'의 뜻), 도('더함'의 뜻), 부터('시작'의 뜻), 까지('끝'의 뜻), 조차('첨가'의 뜻)

> • 접속 조사: 두 단어를 같은 자격으로 이어 주는 조사.
> 예) 와/과, 랑, 하고

21 ⑤

> **정답 풀이**
'낮게'는 '낮다'의 활용형으로, 형용사이다.

> **오답 풀이**
①의 '그리고', ②의 '높이', ③의 '그러나', ④의 '비록'은 부사이다.

22 ②

> **정답 풀이**
[보기]는 관형사에 대한 설명이다. '모든'은 '사람'이라는 체언(명사)을 꾸며 주는 관형사이다.

> **오답 풀이**
①의 '예쁜'은 형용사, ③의 '우리'는 대명사, ④의 '가장'과 ⑤의 '무척'은 부사이다.

> **[용언과 수식언의 구별]**
> 용언의 활용형은 수식언과 마찬가지로 다음에 나오는 단어를 꾸며 주는 경우도 있다. 따라서 용언인지 수식언인지 구별하려면 수식언은 활용하지 않는다는 사실을 기억해야 한다.
> 예) • 예쁜 새가 노래한다.
> → '예쁘다'에서 활용한 말이므로 용언(형용사)이다.
> • 모든 새가 노래한다.
> → '모든'은 형태가 변하지 않는 말이므로 수식언(관형사)이다.

23 ②

> **정답 풀이**
'새'는 문장에서 쓰일 때 형태가 변하지 않고, '이/가, 을/를'과 같은 조사가 붙지 않으며, 명사를 꾸며 주는 관형사이다.

24 ㉠은 관형사이고, ㉡은 부사이다. 관형사는 체언을 꾸며 주고 부사는 주로 용언을 꾸며 준다.

> **정답 풀이**
㉠은 '노래'라는 체언(명사)을 꾸며 주는 관형사이고, ㉡은 '좋아한다'라는 용언(동사)을 꾸며 주는 부사이다.

25 ⑤

> **정답 풀이**

외래어는 다른 나라에서 들어와 우리말처럼 쓰이는 말이다.

26 ⑤

정답 풀이

제시된 글의 '누렁누렁, 서리, 콩꼬투리, 까뭇까뭇, 구수하고, 달큼했다, 까맣게' 등은 고유어이다. 고유어는 예부터 우리 민족이 써 오던 단어로, 우리 민족의 정서와 생각을 효과적으로 드러내기에 적합하다.

오답 풀이

① 한자어에 대한 설명이다.
② 외래어에 대한 설명이다.
③ 사회 방언에 대한 설명이다.

27 ④

정답 풀이

'우리 집은 1년째 신문을 보고 있다.'라는 문장에서 '보다'는 '책이나 신문 따위를 읽다.'를 의미하는 고유어이다. '판단하다'는 '사물을 인식하여 논리나 기준 등에 따라 판정을 내리다.'라는 의미의 한자어이므로, 두 단어를 바꾸어 쓸 수 없다. '책이나 신문, 잡지 따위를 구입하여 읽다.'라는 의미의 한자어인 '구독하다'로 바꾸어 쓰는 것이 더 적절하다.

28 ①

정답 풀이

'마음, 노래'는 고유어이고, '사과(沙果), 감기(感氣)'는 한자어이며, '버스, 빵'은 외래어이다.

오답 풀이

② '시계'는 한자어이다.
③ '우유'는 한자어이다.
④ '편지'와 '호랑이'는 한자어이다.
⑤ '바람'은 고유어이다.

29 ②

정답 풀이

제시된 대화에서 의사들이 사회 방언을 사용한 이유는 전문적인 분야에서 복잡하고 어려운 내용을 정확하게 전달함으로써 그 분야의 일을 효과적으로 수행하기 위해서이다.

30 ③

정답 풀이

문학 작품에 지역 방언을 사용하면 작품의 감성이나 예술성을 높일 수는 있다. 그러나 전국의 독자가 작품을 더욱 쉽게 이해할 수 있는 것은 아니다. 특정한 지역 방언을 모르는 독자들은 문학 작품에 쓰인 지역 방언의 의미를 추론하면서 읽어야 하므로 오히려 작품을 이해하는 데 어려움을 겪을 수도 있다.

문장

III

09 문장 성분 (1) _주성분

Step 1 문제로 연습하기

01	주성분	02	주어
03	보어	04	목적어
05	서술어	06	보어
07	목적어	08	주어
09	서술어	10	목적어
11	목적어, 보어	12	주어, 서술어
13	공을	14	나는
15	수증기가	16	친구이다
17	㉠	18	㉣
19	㉢	20	㉡

Step 2 내신 뛰어넘기

01 ④

정답 풀이

주성분에는 주어, 목적어, 보어, 서술어가 있다. '늦게'는 '나왔다'라는 서술어를 꾸며 주는 부사어로, 부속 성분이다.

오답 풀이

① '첫째가'는 '아니다'라는 서술어 앞에 쓰인 보어이다.
② '방학을'은 문장 속에서 '무엇을'에 해당하는 목적어이다.
③ '고등학생이다'는 체언에 서술어를 만들어 주는 조사인 '-이다'가 결합한 서술어이다.
⑤ '선생님께서'는 문장에서 서술어의 주체가 되는 주어이다. '께서'는 주어를 나타내는 조사 '이/가'의 높임말이다.

02 ⑤

정답 풀이

㉠의 '세월이'는 서술어 '지나간다'의 주체가 되는 주어이다. ㉡의 '평화롭다'는 주어인 '마을은'의 상태를 풀이하는 문장 성분인 서술어이다. ㉢의 '노래도'는 서술어의 동작 대상이 되는 목적어이다. ㉣의 '학생이'는 '아니야' 앞에 쓰여 주어를 보충하는 역할을 하는 보어이다.

[조사의 종류]
• 격 조사: 체언 뒤에 붙어서 앞의 체언에 일정한 자격을 부여하는 조사.
  ┌ 주어를 만드는 조사: 이/가, 께서, 에서
  ├ 목적어를 만드는 조사: 을/를
  ├ 보어를 만드는 조사: 이/가
  ├ 서술어를 만드는 조사: 이다
  ├ 관형어를 만드는 조사: 의
  ├ 부사어를 만드는 조사: 에, 에게, 에서
  └ 독립어를 만드는 조사: 아, 야, 이여
• 보조사: 앞에 오는 말에 특별한 의미를 더하는 조사.
  ┌ 은/는: 대조, 강조 예 너는 나보다 느리다.
  ├ 만, 뿐: 단독, 한정, 강조 예 나만 늦게 왔다.
  ├ 부터: 시작 예 너부터 건너와라.
  ├ 밖에: 그것 이외에는 예 나는 사탕밖에 없다.
  └ 도: 더함, 아우름 예 너도 같이 가자.

03 ⑤

정답 풀이

'운동장에서 아이들이 놀고 있다.'라는 문장에서 목적어는 나타나지 않는다.

오답 풀이

① '옷을'이 목적어이다.
② '인형을'이 목적어이다.
③ '풍선을'이 목적어이다.
④ '동생을'이 목적어이다.

04 ④

정답 풀이

㉡은 보어로, 서술어 '되다', '아니다' 앞에서 불완전한 의미를 보충하는 문장 성분이다. '서술어가 의미하는 행위의 주체'는 보어가 아니라 주어이다.

오답 풀이

① ㉠~㉢은 모두 보어이다.
② ㉠~㉢은 각각 '회장', '디자이너', '독버섯'이라는 체언에 조사 '이/가'가 붙은 형태이다.
③ 보어는 '되다', '아니다'라는 특정한 서술어 앞에서만 나타난다.
⑤ ㉢은 '아니야' 앞에서 '무엇이'에 해당하는 말이다.

05 ①

정답 풀이

'시간이'와 '할머니만'은 주어이다.

오답 풀이

② '우산이'는 주어이고, '노래를'은 목적어이다.
③ '열쇠를'은 목적어이고, '사람이'는 보어이다.
④ '왕이다'는 서술어이고, '바람이'는 주어이다.
⑤ '강아지'와 '연필'은 조사가 생략된 문장 성분으로, 각각 주어와 목적어이다.

06 ⑤

정답 풀이

'빨리도'는 '풀었네'를 꾸며 주는 부사어이므로, 부속 성분에 해당한다.

오답 풀이

①'동생이'는 주어, ②'말썽꾸러기가'는 보어, ③'되었다'는 서술어, ④'문제를'은 목적어로 주성분에 해당한다.

---

10 문장 성분 (2)_부속 성분과 독립 성분

Step 1 문제로 연습하기

01	×	02	×
03	○	04	○
05	×	06	○
07	관형어	08	부사어
09	독립어	10	부사어
11	관형어		
12	독립어, 부사어, 관형어		
13	길	14	늦었구나
15	집, 먹는다		
16	빨리도	17	그
18	친구야	19	이번 / 정말
20	이야 / 깨끗한 / 오래간만에		

Step 2 내신 뛰어넘기

01 ⑤

정답 풀이

[보기]의 ㉠에 들어갈 말은 '부사어'이다. 부사어는 체언만을 수식하는 관형어와 달리 문장 속에서 다양한 성분을 수식할 수 있다. '그 집은 빨간 장미 울타리가 있다'라는 문장의 '그'는 '집'이라는 명사를 수식하고 있고, '빨간'은 '장미'라는 명사를 수식하고 있다. 따라서 이 문장에서 부사어는 찾아볼 수 없다.

오답 풀이

① '멀리'는 '찼다'라는 동사를 꾸며 주는 부사어이다.
② '겨우'는 '끝냈다'라는 동사를 꾸며 주는 부사어이다.
③ '친근하게'는 '느껴진다'는 동사를 꾸며 주는 부사어이다.
④ '너무'는 '높다'라는 형용사를 꾸며 주는 부사어이다.

02 ①

정답 풀이

㉠'높이'는 동사인 '날렸다'를 꾸며 주는 부사어이고, ㉡'뭐'는 다른 문장 성분과 관련을 맺지 않고 쓰인 독립어이다. ㉢'따뜻한'은 명사인 '차'를 꾸며 주는 관형어이고, ㉣'마당에서'는 동사인 '했다'를 꾸며 주는 부사어이다.

03 ①

정답 풀이

'제발'은 독립어가 아니라 부사어이다.

오답 풀이

②의 '이야', ③의 '어머나', ④의 '휴', ⑤의 '수진아'는 독립어이다.

04 ③

정답 풀이

```
                          ┌ 명사 '일'을 꾸밈.
우선    나는    그    일을    전혀    몰랐다.
부사어  주어  관형어 목적어  부사어  서술어
  └ 문장 전체를 꾸밈.            └ 형용사 '몰랐다'를 꾸밈.
```

05 ④

정답 풀이

'모든'은 '국가'라는 명사를 꾸며 주는 관형어이다.

오답 풀이

① '잽싸게'는 '일어났다'는 동사를 꾸며 주는 부사어이다.
② '아주'는 관형어 '큰'을 꾸며 주는 부사어이다.
③ '너무'는 '늦게'라는 다른 부사어를 꾸며 주는 부사어이다.
⑤ '설령'은 문장 전체를 꾸며 주는 부사어이다.

06 ③

정답 풀이

㉡'확실히'는 문장 전체를 꾸며 주는 부사어이다.

오답 풀이

① ㉠'너의'는 명사인 '꿈'을 꾸며 주는 관형어이고, ㉡'확실히'는 문장 전체를 꾸며 주고 있는 부사어이다. 관형어와 부사어는 문장의 부속 성분이다.

② ㉠'너의'는 체언 '너'에 관형어를 만드는 조사 '의'가 붙은 형태이다.
④ ㉢'자'는 독립 성분으로, 다른 문장 성분과 관련을 맺지 않는다.
⑤ ㉣'어떤'의 품사는 관형사로, 제시된 문장에서는 '일'이라는 명사를 꾸며 주고 있으므로 관형어에 해당한다.

[품사와 문장 성분의 차이]
품사는 단어 자체가 갖는 성질이기 때문에 형태가 달라지거나 문장 속에서 위치가 달라져도 변하지 않는다. 하지만, 문장 성분은 문장 내에서 하는 역할에 따라 달라지기 때문에 어떤 조사가 붙느냐, 쓰이는 위치가 어디냐에 따라 달라질 수 있다.

11 이어진문장

Step 1 문제로 연습하기

01 ○		02 ×	
03 ○		04 ×	
05 ○			

06 바람이 불어서 나뭇잎이 떨어진다.
07 산은 푸르고 계곡물은 맑다.
08 인수가 늦잠을 자서 (인수는) 학교에 늦었다.
09 어제는 비가 왔고 오늘은 날씨가 좋다. / 어제는 비가 왔지만 오늘은 날씨가 좋다.

10 △		11 ○	
12 ○		13 △	
14 목적		15 원인과 결과	
16 선택			

Step 2 내신 뛰어넘기

01 ⑤

정답 풀이

'나열, 대조, 선택'의 의미 관계로 연결된 문장은 대등하게 이어진 문장이고, '원인과 결과, 조건, 목적' 등의 의미 관계로 연결된 문장은 종속적으로 이어진 문장이다.

오답 풀이

① 이어진문장은 둘 이상의 홑문장이 이어진 것이기 때문에 주어와 서술어의 의미 관계가 두 번 이상 나타난다.

② 이어진문장은 대등하게 이어진 문장과 종속적으로 이어진 문장으로 나눠진다.
③ 대등하게 이어진 문장은 앞뒤 절의 순서를 바꾸어도 의미가 달라지지 않지만, 종속적으로 이어진 문장은 앞뒤 절의 순서를 바꾸면 의미가 달라진다.
④ 앞뒤 절의 주어가 같은 경우 두 번째 주어는 생략할 수도 있다.

[이어진문장에서 주어와 서술어의 생략]
• 주어의 생략
대등하게 이어진 문장이나 종속적으로 이어진 문장에서 주어가 같은 경우에 주어 중 하나는 생략할 수 있다.
㉮ 나는 용감하다. + 나는 씩씩하다.
→ 나는 용감하고, 씩씩하다.
나는 밥을 먹으려고 한다. + 나는 식당에 갔다.
→ 나는 밥을 먹으려고 식당에 갔다.
• 서술어의 생략
대등하게 이어진 문장에서 앞뒤 절의 서술어가 같은 경우 앞 절의 서술어를 생략할 수 있다.
㉮ 나는 밥을 먹고 동생은 빵을 먹었다.
→ 나는 밥을, 동생은 빵을 먹었다. (○)
단, 종속적으로 이어진 문장에서는 앞뒤 절의 서술어가 같아도 생략할 수 없다.
㉮ 국민이 없으면, 나라도 없다.
→ 국민이, 나라도 없다. (×)

02 ⑤

정답 풀이

'나는 집에 왔지만 동생은 아직 오지 않았다.'라는 문장은 '나는 집에 왔다.'라는 홑문장과 '동생은 아직 오지 않았다.'라는 홑문장이 결합한 것이다.

오답 풀이

① 주어(물은)와 서술어(깨끗하다)가 1개씩 있는 홑문장이다.
② 주어(진호가)와 서술어(접었다)가 1개씩 있는 홑문장이다.
③ 주어(언니가)와 서술어(놀고 있다)가 1개씩 있는 홑문장이다.
④ 주어(우리는)와 서술어(기다리고 있다)가 1개씩 있는 홑문장이다.

03 ①

정답 풀이

앞뒤 절이 '대조'의 의미 관계로 연결된 문장이므로 '햇볕이 강하지만 온도가 높지는 않다.'라고 해야 자연스럽다.

오답 풀이

② 앞뒤 절이 원인과 결과의 관계로 연결된 문장으로, '-어
　서'로 적절히 연결되어 있다.
③, ④ 앞뒤 절이 나열의 관계로 연결된 문장으로, '-고'로
　적절히 연결되어 있다.
⑤ 앞 절이 뒤 절의 목적이 되는 관계로 연결된 문장으로,
　'-려고'로 적절히 연결되어 있다.

[이어진문장을 연결하는 말]
- 대등하게 이어진 문장

의미 관계	연결 어미
나열	-고, -(으)며
대조	-지만, -(으)나
선택	-거나, -든지

- 종속적으로 이어진 문장

의미 관계	연결 어미
원인과 결과	-아서/-어서, -(으)니, -(으)니까, -(으)므로
조건	-(으)면, -거든
목적(의도)	-(으)러, -(으)려, -게
가정, 양보	-(아/어)도, -(으)ㄹ지라도
배경(상황)	-(은/는)데

04 ③

정답 풀이

앞뒤 절이 '나열'의 의미 관계로 연결되므로 '서연이는
노래하고 승재는 농구를 한다.'처럼 대등하게 이어진
문장이 자연스럽다.

오답 풀이

① 두 문장을 연결하면 '비가 오는데 밖에 나가야 한다.'가
　되며, 의미 관계가 상황인 종속적으로 이어진 문장이다.
② 두 문장을 연결하면 '열심히 공부하면 성적이 오를 것이
　다.'가 되며 의미 관계가 조건인 종속적으로 이어진 문장
　이다.
④ 두 문장을 연결하면 '눈이 펑펑 내려서 길이 하얗게 보인
　다.'가 되며, 의미 관계가 원인과 결과인 종속적으로 이
　어진 문장이다.
⑤ 두 문장을 연결하면 '유정이는 책을 빌리러 도서관에 갔
　다.'가 되며 의미 관계가 목적인 종속적으로 이어진 문장
　이다.

05 ③

정답 풀이

'우리는 이겼지만 그들을 패배했다.'라는 문장은 '우리

가 이겼다.'와 '그들은 패배했다.'가 대조의 의미 관계인
대등하게 이어진 문장이다.

오답 풀이

①, ② 원인과 결과의 의미 관계인 종속적으로 이어진 문장
　이다.
④ 조건의 의미 관계인 종속적으로 이어진 문장이다.
⑤ 가정의 의미 관계인 종속적으로 이어진 문장이다.

06 ①

정답 풀이

[보기]는 원인과 결과의 의미 관계인 종속적으로 이어
진 문장이다. '새 신을 사니 기분이 좋다.'도 앞 절이 뒤
절의 원인이 되는 종속적으로 이어진 문장이다.

오답 풀이

② 앞 절이 뒤 절의 목적이 되는 종속적으로 이어진 문장이
　다.
③ 앞 절이 뒤 절의 조건이 되는 종속적으로 이어진 문장이
　다.
④ 앞 절이 뒤 절의 배경(상황)이 되는 종속적으로 이어진
　문장이다.
⑤ 앞 절이 뒤 절의 가정(양보)이 되는 종속적으로 이어진
　문장이다.

07 ②

정답 풀이

'학용품을 구입하려고 문방구에 갔다.'라는 문장은 앞
절이 뒤 절의 목적이 되는 종속적으로 이어진 문장이
다. '학용품을 구입하려는 것'은 문방구에 간 목적이기
때문에 앞뒤 문장의 관계는 가정이 아니라 목적 관계가
된다.

오답 풀이

① '성적이 잘 나온 것'은 '기분이 좋다'의 원인이 되기 때문
　에 앞 절이 원인이 되고 뒤 절이 결과가 되는 종속적으
　로 이어진 문장이다.
③ '재범이를 부르려는 것'은 '우리 모두 뛰어갔다'의 목적이
　되기 때문에 앞 절이 뒤 절의 목적이 되는 종속적으로
　이어진 문장이다.
④ '계속해서 반복한다'는 조건으로 인해 그 일을 쉽게 배울
　수 있기 때문에 앞 절이 뒤 절의 조건이 되는 종속적으
　로 이어진 문장이다.
⑤ '친한 친구와 만나려는' 상황에 전화가 온 것이기 때문에
　앞 절이 뒤 절의 상황이 되는 종속적으로 이어진 문장이
　다.

08 ②

정답 풀이

⊙은 앞 절이 뒤 절의 원인이 되는 종속적으로 이어진 문장이고, ⓒ은 앞 절과 뒤 절이 나열 관계로 이어진 대등하게 이어진 문장이다. 따라서 ⊙과 ⓒ 모두 이어진 문장이다.

오답 풀이

① ⊙과 ⓒ 모두 주어와 서술어가 2개씩 있는 겹문장이다.
③ ⊙과 ⓒ 모두 두 문장의 주어와 서술어가 생략되지 않았다.
④ ⊙은 종속적으로 이어진 문장이고, ⓒ은 대등하게 이어진 문장이다.
⑤ ⊙은 종속적으로 이어진 문장으로 앞뒤 절의 순서를 바꾸면 의미가 어색해진다. 그러나 ⓒ은 대등하게 이어진 문장으로 앞뒤 절의 순서를 바꾸어도 의미의 차이가 없다.

12 안은문장, 안긴문장

Step 1 문제로 연습하기

01	×	02	×
03	○	04	○
05	○	06	×
07	○	08	○
09	○	10	×
11	○		

12 선재의 편지가 오기-명사절
13 친구가 많다-서술절
14 비가 내리는-관형절
15 밤이 새도록-부사절
16 현지를 봤다고-인용절(간접 인용절)
17 "날씨가 좋네."라고-인용절(직접 인용절)
18 시간이 되었음-명사절
19 ⓒ   20 ⊙

Step 2 내신 뛰어넘기

01 ④

정답 풀이

서술절은 절 전체가 서술어의 기능을 하는 것으로, 문장의 맨 마지막에 쓰이며, 다른 조사와 결합하거나 연결하는 말을 따로 붙이지 않는다.

오답 풀이

① 안긴문장은 안은문장 속에서 명사절이 되어 주어, 목적어 등이 되거나, 관형절이 되어 관형어가 되는 등 다른 문장 속의 문장 성분으로 쓰인다.
② 명사절은 다른 절과 달리 문장에서의 위치와 결합되는 조사에 따라 주어, 목적어 등 다양한 문장 성분으로 쓰인다.
③ 관형절과 부사절은 문장에서 쓰일 때 부속 성분인 관형어, 부사어와 동일한 역할을 한다.
⑤ 인용절은 다른 사람의 말이나 생각을 인용한 것이 절의 형식인 것으로, 다른 사람의 말을 그대로 인용하는 직접 인용절과 말하는 이의 표현으로 바꾸어 인용하는 간접 인용절로 나눌 수 있다.

02 ②

정답 풀이

'나는 그녀가 온 사실을 몰랐다.'라는 문장은 '나는 사실을 몰랐다.'라는 문장과 '그녀가 왔다.'라는 문장이 결합한 것이다. 여기에서 안긴문장은 '그녀가 온'이다.

오답 풀이

① '허리가 아프시다'는 서술절로, 서술어 역할을 하고 있다.
③ '진수를 만나기'는 명사절로, 뒤에 조사 '-가'와 결합하여 주어 역할을 하고 있다.
④ '소포가 도착하기'는 명사절로, 뒤에 조사 '-를'과 결합하여 목적어 역할을 하고 있다.
⑤ 선생님의 말인 '교과서 진도가 끝났다'를 인용하고 있는 인용절이다.

03 ④

정답 풀이

[보기]는 '정수는 공을 잃어버렸다.'라는 문장과 '(정수는) 어제 공을 샀다.'라는 두 문장이 결합한 것이다. 따라서 안긴문장인 '어제 산'은 공을 꾸며 주는 관형절 역할을 한다.

04 ⑤

정답 풀이

'풍성한 곡식의 수확을 비는 행사가 있었다.'라는 문장은 '풍성한 곡식의 수확을 빌다.'라는 문장과 '행사가 있었다.'라는 문장이 결합한 것이다. '풍성한 곡식의 수확을 비는'은 '행사'라는 명사를 꾸며 주고 있으므로 관형절이다.

오답 풀이

① '내가 오기'는 명사절로 조사 '-를'과 결합하여 목적어 역

할을 하고 있다.
② '그가 전부임'은 명사절로 조사 '-을'과 결합하여 목적어 역할을 하고 있다.
③ '노래가 발표되기'는 명사절로 조사 '-를'과 결합하여 목적어 역할을 하고 있다.
④ '내가 옳았음'은 명사절로 조사 '-를'과 결합하여 목적어 역할을 하고 있다.

05 ②

정답 풀이

'토끼를 이기기'는 명사절로 조사 '-를'과 결합하여 목적어로 쓰이고 있다.

오답 풀이

① '띰이 나게'는 부사절로 동시인 '뛰었다'를 꾸며 주고 있다.
③ '어서 방학이 오기'는 명사절로 조사 '-를'과 결합하여 목적어로 쓰이고 있다.
④ '동생이 어지른'은 관형절로 명사인 '장난감'을 꾸며 주고 있다.
⑤ '자신이 그 일을 하겠다고'는 인용절 중 말하는 이의 표현으로 바꾸어 인용하는 간접 인용절이다.

06 ①

정답 풀이

절 가운데 용언을 꾸며 주는 절은 '부사절'이다. [보기]의 예 2에서 '기분이 좋다'는 '말한다'라는 동사를 꾸며야 하므로 '기분이 좋게'라고 바꾸는 것이 적절하다. 따라서 ㉠에는 '부사절', ㉡에는 '내 친구는 항상 기분이 좋게 말한다.'가 들어가야 한다.

07 ②

정답 풀이

㉡에서 '나보다 빠르게'는 부사절로 동사인 '집었다'를 꾸며 주고 있다.

오답 풀이

① ㉠에서 '약속 시간에 이미 늦었음'은 명사절로, 문장에서 목적어 역할을 한다.
③ ㉢에서 '전화가 빨리 수리되기'는 명사절로 조사 '-를'과 결합하여 목적어 역할을 한다. 따라서 '전화가'는 안긴문장의 주어이다.
④ ㉣에서 '영화가 정말 재미있었다고'는 인용절이고 '-고'는 간접 인용절에 사용하는 말이다. 따라서 ㉣은 간접 인용절을 안은 문장이다.
⑤ ㉤에서 '다음 주에 시작될'은 명사인 '축제'를 꾸며 주는 관형절이다.

01 ④

정답 풀이

부속 성분은 문장에서 다른 성분을 꾸며 주는 성분으로, 꾸밈을 받는 문장 성분과 관련을 맺는다.

오답 풀이

① 우리말 문장 성분은 주어, 목적어, 보어, 서술어, 관형어, 부사어, 독립어로 총 7개이다.
② 관형어는 명사, 대명사, 수사 등 체언을 꾸며 주는 부속 성분이다.
③ 보어는 '되다', '아니다'의 앞에서만 쓰이는 문장 성분으로 주어의 의미를 보충한다.
⑤ 독립 성분은 다른 문장 성분과 관계를 맺지 않기 때문에 생략해도 문장을 구성할 때나 의미를 형성하는 데에 영향을 미치지 않는다.

02 ④

정답 풀이

문장을 이루는 데 꼭 필요한 문장 성분은 주성분으로, [보기 1]의 막내가(㉠), 중학생이(㉡), 되자(㉢), 삼촌도(㉣)가 해당된다. 그 중 '누가', '무엇이'에 해당하는 문장 성분은 주어와 보어로, 막내가(㉠), 중학생이(㉡), 삼촌도(㉣)이다. 그 중에 동작이나 상태의 주체 역할을 하는 문장 성분은 주어로, 막내가(㉠), 삼촌도(㉣)이다. 이 가운데 특별한 의미만을 더하는 조사와 결합되어 있는 문장 성분은 보조사가 결합한 주어인 삼촌도(㉣)이다.

> [주어의 특징]
> 주어: 동작이나 상태, 성질의 주체가 되는 성분으로, 문장에서 '누가/무엇이'에 해당하는 말.
> • 체언(명사, 대명사, 수사)에 주격 조사 '이/가/께서/에서'가 결합하여 만들어짐.
> 예 내가 그 책을 샀다. / 할머니께서 과일을 사 오셨다.
> • 주격 조사가 생략되기도 하고, 보조사가 결합하여 만들어지기도 함.
> 예 너 입을 것을 꺼내 와라. / 민수도 키가 크다.

03 ②

정답 풀이

문장을 이루는 데 꼭 필요한 문장 성분은 주성분으로 주성분에는 주어, 목적어, 보어, 서술어가 있다. 꼭 필요하지 않은 문장 성분에는 부속 성분인 관형어와 부사어, 독립 성분인 독립어가 있다. '중요한'은 '경기가'라는 주어를 꾸며 주는 관형어이므로 문장을 이루는 데 꼭 필요한 성분이 아니다.

① '빛난다'는 주어의 동작이나 상태, 성질 등을 풀이하는 문장 성분인 서술어이다.
③ '노래를'은 서술어의 대상이 되는 문장 성분인 목적어이다.
④ '그녀는'은 동작이나 상태, 성질의 주체가 되는 문장 성분인 주어이다.
⑤ '요리사가'는 '되었다'라는 서술어 앞에서 주어를 보충해 주는 문장 성분인 보어이다.

04　②

㉠의 목적어는 '노래'로, 목적어를 나타내는 조사인 '을/를'이 생략된 것이다. ㉣의 목적어는 '노래도'로, 특별한 의미를 나타내는 보조사인 '도'가 사용되었다.

① ㉠~㉤은 모두 주어가 생략된 문장이다.
③ 독립어가 사용된 문장은 ㉡, ㉢, ㉤으로, ㉡의 '응', ㉢의 '어', ㉤의 '아니'가 독립어이다.
④ 관형어가 사용된 문장은 ㉠, ㉣이다. ㉠의 '그'는 관형사가 그대로 관형어가 된 형태이고, ㉣에서 '다른'은 형용사를 활용하여 관형어가 된 형태이다.
⑤ 서술어가 생략된 문장은 ㉢이다.

[문장 성분과 품사의 차이]
　문장 성분은 문장에서 어떤 역할을 하는지에 따라 나눈 것으로 뒤에 붙은 조사나 쓰는 위치에 따라 달라질 수 있다. 품사는 단어 자체가 갖는 성질로, 형태가 달라져도 품사는 변하지 않는다.

예	커다란	인형을	샀다.
문장 성분	관형어	목적어	서술어
품사	형용사	명사+조사	동사

05　②

㉠의 '열심히'는 '가르친다'는 서술어를 꾸며 주는 부사어이다. ㉡의 '선생님이'는 '되었다' 앞에서 주어를 보충하는 역할을 하는 보어이다. ㉣의 '아주'는 '푹'이라는 부사어를 꾸며 주는 부사어이다.

㉢'선물을'은 '주었다'는 서술어의 대상이 되는 목적어이다.
㉤'가방에'는 '넣었다'라는 서술어를 꾸며 주는 부사어이다.

06　③

어,	너	언제	서울로	돌아왔니?
독립어	주어	부사어	부사어	서술어

07　②

나는	책만	펼치면	잠이	온다.
주어	목적어	서술어	주어	서술어

→ 종속적으로 이어진 문장(겹문장)

①

현수는	운동장에서	농구를	했다.
주어	부사어	목적어	서술어

→ 홑문장
③

인정이는	성격이	좋은	학생이다.
주어	주어	서술어	서술어

→ 관형절을 안은 문장(겹문장)
④

바람이	세차게	불어	과일이	떨어졌다.
주어	부사어	서술어	주어	서술어

→ 종속적으로 이어진 문장(겹문장)
⑤

수아는	노래를	부르고	민지는	춤을	춘다.
주어	목적어	서술어	주어	목적어	서술어

→ 대등하게 이어진 문장(겹문장)

08　②

㉠ 하늘은 맑고 햇살은 뜨겁다.
　→ 대등하게 이어진 문장
㉡ 그는 본인이 직접 차를 운전한다.
　　　서술절('그는'이라는 주어를 서술함.)
　→ 서술절을 안은 문장
㉢ 태연이는 갑자기 졸려서 잠이 들었다.
　→ 종속적으로 이어진 문장
㉣ 나는 그것이 나의 전 재산임을 몰랐다.
　　　명사절(목적어 역할을 함.)
　→ 명사절을 안은 문장
㉤ 나는 그가 착한 사람이라는 생각이 들었다.
　　　관형절(체언 '사람'을 꾸밈.)
　→ 관형절을 안은 문장

09　①

[보기 1]을 참고하면, ㉠은 앞 절과 뒤 절이 가정(양보)의 의미 관계로 연결된 종속적으로 이어진 문장이다.

10 주성분: 저는, 책을, 읽었습니다
부속 성분: 도서관에서, 재미있는
독립 성분: 네

네,　저는　도서관에서　재미있는　책을　읽었습니다.
독립어　주어　부사어　　관형어　목적어　서술어

기타　　　**Ⅳ**

13 단어의 발음과 표기

Step 1 문제로 연습하기

01	○	02	×
03	×	04	○
05	○	06	㉡
07	㉢	08	㉠
09	ㄹ㉢	10	㉣ㄱ
11	㉥ㅅ	12	㉡ㅈ
13	㉣ㅂ	14	㉠ㅅ
15	㉡ㅎ	16	ㄹ㉥

Step 2 내신 뛰어넘기

01 ③

[보기]는 이중 모음 'ㅖ'의 발음의 원칙 가운데 [ㅖ]와 [ㅔ] 둘 다 허용되는 조건을 보여 주고 있다. '예'나 '례'의 경우 원래 소리로 발음해야 한다고 하였으므로, 세 례의 '례'는 원래 소리인 [례]로 발음해야 한다.

① '은혜'의 '혜'는 첫소리에 자음 'ㅎ'이 있으므로 [은혜], [은헤] 두 가지로 발음할 수 있다.
② '경계'의 '계'는 첫소리에 자음 'ㄱ'이 있으므로 [경계], [경게] 두 가지로 발음할 수 있다.
④ '예절'의 '예'는 첫소리에 자음이 없으므로 [예절]로만 발음해야 한다.
⑤ '혜택'의 '혜'는 첫소리에 자음 'ㅎ'이 있으므로 [혜택], [헤택] 두 가지로 발음할 수 있다.

02 ①

이중 모음 '의'를 발음할 때에는 'ㅢ' 앞의 첫소리에 자음이 없고, 즉 'ㅢ'가 단어의 첫음절로 올 때에는 원래 소리를 살려 [ㅢ]로 발음해야 한다. 따라서 '의미'는 [의미]로 발음해야 한다.

오답 풀이

② '가져'는 [가저]로 발음한다.
③ '세계'는 [세게]로 발음한다.
④ '살쪄'는 [살쩌]로 발음한다.
⑤ '희망'은 [히망]으로 발음한다.

03 ④

정답 풀이

[보기]는 이중 모음 'ㅢ'의 발음 사례를 보여 주고 있다. 'ㅢ'가 단어의 첫음절 이외에 쓰인 경우는 '무늬, 주의, 나의'에 해당하며, 이 경우 [ㅣ], [ㅢ], [ㅔ] 세 가지로 발음될 수 있다.

오답 풀이

① '나의'에서 '의'는 조사이며, 이 경우 [나의], [나에]가 모두 허용되므로, 조사 '의'는 [ㅢ] 또는 [ㅔ]로 발음됨을 알 수 있다.
② '무늬'의 '늬'는 자음 'ㄴ'과 모음 'ㅢ'가 결합되었으므로, [니]로 발음된다. 즉 'ㅢ'가 첫소리에 자음이 오는 경우 [ㅣ]로 바뀌어 발음됨을 알 수 있다.
③ '의미'는 단어의 첫음절에 '의'가 위치하여 'ㅢ'의 소리를 살려 발음하고 있다. 따라서 첫음절에 있는 'ㅢ'의 발음이 [ㅢ]로 제한됨을 알 수 있다.
⑤ '주의'에서 '의'는 단어의 첫음절이 아닌 자리에 위치해 있으며 첫소리에 자음도 없는 음절이다. 따라서 'ㅢ'가 단어의 첫음절이 아닌 자리에 오고, 첫소리에 자음이 오지 않는 경우에 'ㅢ'는 [ㅢ], [ㅣ] 두 가지로 발음됨을 알 수 있다.

04 ④

정답 풀이

겹받침 'ㄺ'은 '흙[흑], 칡[칙], 읽다[익따], 맑지[막찌]' 등에서처럼 일반적으로 [ㄱ]으로 바뀌어 발음된다. 그 예로 '수탉'에서도 겹받침 'ㄺ'이 [ㄱ]으로 바뀌므로 [수탁]이라고 발음한다.

오답 풀이

① 받침 'ㄺ'이 용언의 어간에 쓰이면서 뒤에 'ㄱ'으로 시작하는 어미와 결합된 경우에는 [ㄹ]로 발음된다. 따라서 '늙고[늘꼬]'라고 발음해야 한다.
② 겹받침 'ㄻ'은 [ㅁ]으로 소리 난다. 따라서 '옮기는[옴기는]'이라고 발음해야 한다.
③ 겹받침 'ㄼ'은 대체로 [ㄹ]로 소리나지만, '밟-'은 자음 앞에서 [밥]으로 발음한다. 따라서 '밟고[밥꼬]'라고 발음해야 한다.
⑤ 받침 'ㅀ'은 뒤에 오는 음운에 따라 발음이 달라지는데, 뒤에 'ㄷ'이 오는 경우 'ㅎ'과 'ㄷ'이 결합하여 [ㅌ]으로 소

리 난다. 따라서 [실타]라고 발음해야 한다.

05 ②

정답 풀이

[보기]에 제시된 단어들의 공통점은 받침에 'ㅎ'이 있고 모두 뒤에 오는 자음과 결합하여 새로운 음운으로 발음되고 있다는 것이다. ㉠의 '닿고'와 '좋게'의 경우 'ㅎ'과 'ㄱ'이 결합하여 [ㅋ]으로, ㉡의 '넣다'와 '낳도록'의 경우 'ㅎ'과 'ㄷ'이 결합하여 [ㅌ]으로 발음된다. 그러나 '닿아'는 [다아]로 발음되는데, 이는 'ㅎ'이 완전히 탈락하여 소리 나지 않기 때문이다. 따라서 ㉠과 ㉡에 모두 해당되지 않는다.

오답 풀이

① '하얗게'는 [하야케]로 발음되므로 'ㅎ'과 'ㄱ'이 [ㅋ]으로 소리 나는 예이다.
③ '쌓고'는 [싸코]로 발음되므로 'ㅎ'과 'ㄱ'이 [ㅋ]으로 소리 나는 예이다.
④ '조그맣게'는 [조그마케]로 발음되므로 'ㅎ'이 'ㄱ'과 결합하여 [ㅋ]으로 소리 나는 예이다.
⑤ '노랗다'는 [노라타]로 발음되므로 'ㅎ'과 'ㄷ'이 결합하여 [ㅌ]으로 소리 나는 예이다.

06 ⑤

정답 풀이

음절의 끝소리에 'ㅎ'이나 'ㄶ', 'ㅀ'이 오는 경우에는 뒤에 오는 음운이 무엇이냐에 따라서 다르게 발음된다. '끊고'의 경우 겹받침 'ㄶ' 중 'ㄴ'은 소리가 그대로 나고, 'ㅎ'은 뒤의 'ㄱ'과 결합하여 [ㅋ]으로 소리가 나므로 [끈코]라고 발음해야 한다.

오답 풀이

① '낳느냐'는 받침 'ㅎ'이 [ㄴ]으로 바뀌어 [난느냐]로 발음한다.
② '쌓아'는 'ㅎ'이 탈락되어 소리 나지 않으므로 [싸아]로 발음된다.
③ '놓치'는 'ㅎ'이 'ㅈ'과 결합하여 [ㅊ]으로 바뀌어 [노치]로 발음한다.
④ '옳은'은 겹받침 'ㅀ' 중 'ㄹ'만 소리 나며 'ㅎ'은 탈락되어 소리 나지 않으므로 [오른]으로 발음한다.

07 ②

정답 풀이

겹받침 'ㄺ'은 일반적으로 'ㄱ'으로 소리 나지만, 용언의 어간에 'ㄺ'이 오는 경우 뒤에 결합하는 어미의 첫소리가 'ㄱ'일 때에는 [ㄹ]로 소리 난다. '맑고'는 겹받침 'ㄺ'

이 형용사의 어간에 쓰였으며, 뒤에 'ㄱ'으로 시작하는 어미와 결합되어 [ㄹ]로 소리 나므로 [말꼬]로 발음된다.

오답 풀이
① '맑다'는 [막따], ③ '맑소'는 [막쏘], ④ '맑지'는 [막찌], ⑤ '맑던'은 [막떤]으로 발음된다. 따라서 겹받침 'ㄺ' 중 'ㄱ'이 발음된다.

08 ②

정답 풀이
'옳소'의 경우 겹받침 'ㅀ'이 뒤에 자음 'ㅅ'과 결합한 경우이다. 이때 받침은 [ㄹ]로, 뒤의 'ㅅ'은 [ㅆ]으로 바뀌어 소리 난다. 따라서 [올쏘]라고 발음된다.

오답 풀이
① '의견'은 'ㅢ'가 자음이 없이 첫소리로 온 경우이므로 [의견]으로 발음해야 한다.
③ '넓적한'은 [넙쩌칸]으로 발음한다.
④ '무릎'은 [무릅]으로 발음한다.
⑤ '찧었다'는 [찌얻따]로 발음한다.

---

14 언어의 특성

Step 1 문제로 연습하기

01 자의성
02 사회
03 역사성
04 창조성
05 ©
06 ①
07 ⊙
08 ©
09 ○
10 ✕

Step 2 내신 뛰어넘기

01 ④

정답 풀이
언어는 시간의 흐름에 따라 같은 대상을 가리키는 단어가 바뀌기도 하고, 한 단어의 의미가 확대되거나 축소되기도 하는데, 이를 언어의 역사성이라고 한다.

오답 풀이
① 언어의 자의성에 관한 설명으로, 언어의 의미와 말소리는 우연적이고 임의적으로 결합한다.
② 언어의 사회성에 관한 설명으로, 언어는 그 언어를 사용

하는 사람들 간의 약속이기 때문에 개인이 함부로 어길 수 없다.
③ 언어의 창조성에 관한 설명으로, 인간은 자신이 알고 있는 단어를 조합하여 무한히 많은 문장을 만들어 낼 수 있다.
⑤ 언어의 역사성에 관한 설명으로, '불휘'가 '뿌리'가 되는 것처럼 시간이 흐름에 따라 단어의 말소리도 바뀔 수 있다.

02 ③

정답 풀이
[보기]는 언어의 역사성에 관한 설명이다. '밥'이라고 부르기로 약속한 대상을 개인이 마음대로 '깡'이라고 바꾸어 부름으로써 의사소통에 혼란이 생기게 된 것은 개인이 마음대로 사회적 약속을 어겼기 때문에 발생한 문제이다. 이는 언어의 특성 중 역사성이 아니라 사회성과 관련된다.

03 ②

정답 풀이
[보기]의 '그'는 주변의 사물을 정해진 이름대로 부르는 것이 아니라, 자신만의 표현으로 부르게 되고 결국 사물의 원래 이름을 잊어버리고 말았다. 그가 혼자 말하고 생활하는 것에는 지장이 없을 수도 있으나, 다른 사람과 대화를 할 때에 다른 사람은 그가 가리키는 대상이 무엇인지 모르기 때문에 의사소통이 어려워질 것이다. 이는 '그'가 언어의 사회성을 무시했기 때문이라고 볼 수 있다.

오답 풀이
① 언어를 사용할 때에는 원활한 의사소통을 위해 그 언어만의 규칙(어순 등)을 지켜야 한다. 그러나 이것이 [보기]의 '그'가 처한 상황과 관련이 있다고 보기는 어렵다.
③ 언어의 역사성이란 언어는 생성, 발전, 소멸의 단계를 거치며 변한다는 것이다. [보기]의 '그'는 자신의 마음대로 언어를 변화시키고 있는 것이므로, 언어의 변화를 인정하고 있지 않다고 볼 수는 없다.
④ 언어의 내용과 형식이 필연적인 것이 아니기 때문에 대상에게 새로운 이름을 붙이는 것을 언어의 자의성 측면에서 고려할 수는 있다. 그러나 [보기]의 '그'가 새로운 대상에게 적절한 이름을 붙였는지는 알 수 없다.
⑤ [보기]의 '그'는 언어의 사회성을 무시하고 있으며, 이것이 지속되면 다른 사람과 의사소통이 어려워질 것이고, 그렇게 되면 자신의 생각을 정확하게 전달할 수 없게 될 것이다.

04 ⑤

정답 풀이

한 대상에 관한 새로운 표현이 사회 구성원들의 인정을 받아 사전에 올라가게 된다는 것은 언어의 역사성이 아니라 언어의 사회성과 관련이 있다.

오답 풀이

③ 각 나라마다 같은 대상을 다르게 부른다는 것은 언어의 자의성과 관련이 있다.

④ 새로운 말이 인정을 받기 위해서는 그 대상을 그렇게 부르기로 한다는 사회적 동의가 있어야 한다는 것은 언어의 사회성과 관련이 있다.

15 담화

Step 1 문제로 연습하기

01	담화	02	청자
03	상황 맥락	04	세대
05	○	06	○
07	○	08	×
09	문화		

Step 2 내신 뛰어넘기

01 ⑤

정답 풀이

머릿속 생각이 음성을 통해 실제 문장 단위로 나타나는 것을 '발화'라고 하고, 발화가 모여서 이루어진 집합체를 '담화'라고 한다.

02 ④

정답 풀이

말하는 이와 듣는 이의 위치에 따라 '여기, 저기, 거기' 등 각각 다른 지시어를 사용하게 되는데, 이는 사회·문화적 맥락이 아니라 상황 맥락과 관련된 것이다. 담화에서의 사회·문화적 맥락은 담화의 내용에 영향을 미치는 세대, 지역, 성별, 문화 등에 관한 것을 의미한다.

03 ②

정답 풀이

㉠의 상황을 고려하면 '지금 몇 시니?'라는 말의 의미는 늦게 온 친구에게 화가 나서 이를 질책하는 의도가 담겨 있음을 알 수 있다. 한편 ㉡의 상황을 고려하면 '지금 몇 시니?'라는 말의 의미는 등굣길에 수업 시간에 늦어 학교로 뛰어가면서 자신에게 남은 시간이 얼마인지 확인하려는 의도가 담겨 있음을 알 수 있다.

04 ①

정답 풀이

㉠은 발표라는 공식적인 상황이다. 많은 사람들을 앞에 두고 선생님이 발표자를 소개하고 있기 때문에, 선생님은 학생에게 높임 표현을 사용하고 있다.

오답 풀이

② 전체적인 내용을 살펴볼 때, ㉡에서 선생님이 '정말 잘했구나.'라고 한 것은 학생을 칭찬하기 위해서라고 볼 수 있다. 따라서 겉으로 드러난 의미와 실제 발화의 의도도 일치한다고 보아야 한다.

③ ㉢에서 학생이 선생님의 말에 감사함을 표현하고 있으므로, 학생을 칭찬하고자 한 선생님의 발화 의도가 학생에게 잘 전달되고 있다고 볼 수 있다.

④ ㉡에서 선생님은 '여기'라는 표현을 썼는데, 이는 말하는 사람에게 가까운 장소를 의미한다. 이 경우 학생 입장에서 말할 때는 '거기'라고 말하는 것이 적절하다. 참고로 '저기'는 말하는 사람과 듣는 사람에게 모두 멀리 떨어진 장소를 의미한다.

⑤ ㉠과 ㉡은 세대 간의 차이로 인해 의사소통에 혼란을 겪고 있는 상황이라고 보기는 어렵다.

05 ⑤

정답 풀이

상황 맥락을 고려하여 발화의 의미를 해석해야 한다. 친구가 집에 놀러 온다는 말에 할머니께서 오신다고 말한 것은 할머니께서 집에 오시기 때문에 자신의 집에 친구가 놀러오는 것은 곤란하다는 의미가 담겨 있다.

③ 하늘의 둥근 모습을 본떠 만든 글자는 모음의 기본자 중 'ㆍ'이다.
⑤ 이체자는 상형이나 가획의 원리와는 거리가 멀다.

03 ⑤

정답 풀이

ㅿ은 이체자이고, 'ㅋ', 'ㅌ', 'ㅊ', 'ㅍ'은 기본자에 획을 더한 가획자이다.

04 ④

정답 풀이

[보기]에 제시된 자음은 모두 기본자에 한 획이나 두 획을 추가한 가획자이다.

오답 풀이

① 병서자에 반영된 원리이다.
② 자음의 기본자에 반영된 원리이다.
③ 연서자에 반영된 원리이다.
⑤ 이체자에 반영된 원리이다.

05 ⑤

정답 풀이

'ㅅ'은 잇소리로 이의 모양을 본떠 만든 자음이며, 'ㅡ'는 땅의 모양을 상형하여 만든 모음이다. 'ㄱ'은 어금닛소리로 혀뿌리가 목구멍을 막는 모양을 본떠 만든 자음이다.

06 ⑤

정답 풀이

'ㅗ'는 기본자인 'ㆍ'와 'ㅡ'가, 'ㅏ'는 기본자인 'ㅣ'와 'ㆍ'가 결합한 초출자이다. 따라서 'ㅘ'는 기본자가 결합한 글자가 아니라 초출자가 결합한 글자이다.

오답 풀이

③ 모음의 기본자를 합쳐서 초출자와 재출자를 만들 때 적용된 원리는 합성이다.

Step 1 문제로 연습하기

01 ㄱ, ㄴ, ㅁ, ㅅ, ㅇ   02 가획
03 병서, 연서   04 ㆍ, ㅡ, ㅣ
05 초출자, 재출자   06 ㄱ
07 ㆁ, ㆆ, ㅎ   08 ㅂ, ㅍ
09 ㆁ, ㄹ, ㅿ   10 ㅋ, ㄷ, ㅂ, ㅈ, ㆆ
11 ×   12 ×
13 ×   14 ○
15 ○   16 ×

Step 2 내신 뛰어넘기

01 ⑤

정답 풀이

자음은 발음 기관의 모양을 본떠(상형하여) 기본자(ㄱ, ㄴ, ㅁ, ㅅ, ㅇ)를 만든 후, 거기에 한 획과 두 획을 더해 가획자(ㅋ, ㄷ, ㅌ, ㅂ, ㅍ, ㅈ, ㅊ, ㆆ, ㅎ)를 만들었다. 또 상형이나 가획의 원리를 적용하지 않고 별도로, 즉 이체의 원리로 이체자(ㆁ, ㄹ, ㅿ)를 만들었다.

오답 풀이

① 자음의 기본자는 발음 기관을, 모음의 기본자는 하늘, 땅, 사람의 모습을 본떠서 만든 것이다.
② 모음은 기본자인 'ㆍ, ㅡ, ㅣ'를 바탕으로 기본자를 합쳐 초출자와 재출자를 만들었다.
③ 자음의 기본자에 한 획이나 두 획을 더하는 가획의 원리를 통해 만든 글자에는 'ㅋ, ㄷ, ㅌ, ㅂ, ㅍ, ㅈ, ㅊ, ㆆ, ㅎ'가 있다.
④ 가획자는 기본자에 획을 더해 만들어진 것으로, 이때 획은 소리의 세기를 나타낸다.

02 ④

정답 풀이

기본자 'ㅇ'에 획 하나를 더하면 'ㆆ', 'ㆆ'에 획 하나를 더하면 'ㅎ'이 된다. 자음의 경우, 기본자에 획이 더해질수록 소리의 세기가 강해진다.

오답 풀이

① 'ㅇ'은 목구멍의 모양을 본떠 만든 것이다.
② 가획자는 기본자에 획을 더한 것이지, 모음을 더한 것이 아니다.

IV 단원 종합 문제

01 ②

정답 풀이

국어의 발음에서 받침으로 표기될 수 있는 자음은 19개이다. 실제로 'ㄸ, ㅃ, ㅉ' 등 일부 자음은 받침으로 쓰이는 용례가 거의 없어 실제 받침으로 표기되는 자음은 'ㄱ, ㄲ, ㅋ, ㄴ, ㄷ, ㅌ, ㄹ, ㅁ, ㅂ, ㅅ, ㅆ, ㅈ, ㅊ, ㅎ' 이라고 볼 수 있다. 이 중 받침으로 소리 날 수 있는 것은 'ㄱ, ㄴ, ㄷ, ㄹ, ㅁ, ㅂ, ㅇ' 7개이다.

오답 풀이

① 겹받침은 단어의 끝, 또는 자음 앞에서 두 자음 중 하나로 발음되는데, 겹받침의 종류에 따라 앞의 자음과 뒤의 자음이 선택적으로 사용된다.
③ '가-+-아서 → 가서'와 같은 경우, 같은 모음이 연이어 올 때 하나의 모음이 탈락되기도 한다. 또 일부 단모음은 이중 모음으로 축약되기도 한다. 그 외의 경우 모음은 원래 모음 그대로 발음되는 경우가 많다.
④ 이중 모음은 원래 소리로 발음되는 경우가 많으며, 특정한 상황에서만 단모음으로 바뀌어 소리 난다.
⑤ 자음은 첫소리에서는 대부분 소리 나지만 끝소리에서는 7개만 소리 난다.

02 ⑤

정답 풀이

'회의'의 첫음절은 단모음 'ㅚ'를 포함하고 있기 때문에 [ㅚ], [ㅞ]로 발음할 수 있다. 둘째 음절은 첫음절이 아니며 자음을 포함하고 있지 않으므로 [ㅢ] 또는 [ㅣ]로 발음할 수 있다. 따라서 '회의'의 올바른 발음은 [회의], [회이], [훼의], [훼이]로 총 네 가지이다.

03 ③

정답 풀이

[보기]의 '신의'는 [시:늬], [시:니]로 발음할 수 있고, '주의'는 [주의], [주이]로 발음할 수 있다. 여기서 '의'는 둘째 음절에 위치하며 자음과 결합되어 있지 않은 채 발음하는 경우이므로 [ㅢ] 또는 [ㅣ]로 발음할 수 있다. '정의'도 '의'가 둘째 음절에 위치하며 자음과 결합하고 있지 않으므로 [정:의], [정:이]로 발음할 수 있다.

오답 풀이

① '틔우다'는 'ㅢ'가 자음과 결합되어 있어서 [티우다]로 발음해야 한다.
② '의견'은 'ㅢ'가 첫음절에 위치해 있어서 [의견]으로 발음해야 한다.
④ '그들의'는 'ㅢ'가 조사로 쓰였으므로 [그드릐], [그드레]로 발음해야 한다.
⑤ '희망'의 'ㅢ'는 자음을 첫소리로 가지고 있어서 [히망]으로 발음해야 한다.

04 ⑤

정답 풀이

'ㅕ'는 이중 모음이지만 용언의 활용형에서 'ㅈ, ㅉ, ㅊ'과 결합되는 경우 단모음으로 발음되어 [저], [쩌], [처]로 소리 난다. 따라서 '바쳐'는 [바처]로만 발음해야 한다.

오답 풀이

① [밀폐], [밀페] 두 가지로 발음할 수 있다.
② [강의], [강이] 두 가지로 발음할 수 있다.
③ [연계], [연게] 두 가지로 발음할 수 있다.
④ [지혜], [지헤] 두 가지로 발음할 수 있다.

05 ②

정답 풀이

'쌓지'는 '쌓'의 받침 'ㅎ'이 '지'의 첫소리 'ㅈ'과 결합하여 [ㅊ]으로 축약되어 [싸치]로 발음된다.

오답 풀이

①, ③, ④, ⑤의 경우 발음하는 과정에서 받침 'ㅎ'이 완전히 탈락하여 소리가 나지 않는다.

06 ③

정답 풀이

'넓-'의 경우 겹받침 'ㄼ'을 가진 말로, 일반적으로 [ㄹ]로 발음한다. 다만 '-둥글다, -적하다, -죽하다'와 결합할 때에만 [ㅂ]으로 소리 난다. 따라서 '넓디넓다'의 경우 [ㄹ]이 선택되어 [널띠널따]로, '넓둥글다'는 [ㅂ]이 선택되어 [넙뚱글다]로 발음해야 한다.

[겹받침 'ㄼ'의 발음]

1. 겹받침 'ㄼ'이 단어의 끝이나 자음 앞에 올 때 [ㄹ]로 소리 남.
   예 넓다[널따], 짧다[짤따], 여덟[여덜], 엷게[열께], 얇다[얄따], 떫다[떨따]
2. 겹받침 'ㄼ' 발음이 [ㅂ]으로 발음되는 경우
   ① '밟'이 자음 앞에 올 때
      예 밟다[밥따], 밟고[밥꼬], 밟지[밥찌]
   ② '넓'이 '둥글다', '-적하다', '-죽하다'와 결합할 때
      예 넓둥글다[넙뚱글다], 넓적하다[넙쩌카다], 넓죽하다[넙쭈카다]

07 ④

정답 풀이

'귀띔'의 경우 '귀'의 단모음 'ㅟ'를 단모음 또는 이중 모음으로 발음할 수 있고, '띔'의 경우 이중 모음 'ㅢ'는 자음 'ㄸ'과 결합되어 [ㅣ]로 발음할 수 있다. 따라서 [귀띰]으로 발음해야 한다.

① '훑고'는 [훌꼬]로 발음해야 한다.
② '괜찮지'는 [괜찬치]로 발음해야 한다.
③ '유례'는 [유:례]로 발음해야 한다.
⑤ '읊고'는 [읍꼬]로 발음해야 한다.

08 ①

[보기]는 언어의 자의성에 관한 설명이다. 언어의 의미와 형식이 필연적이라면, 하나의 의미는 반드시 그 형식으로만 쓰고 말해야 하므로, 우리가 전을 부칠 때 재료로 사용하는 '부추'는 반드시 '부추'라고만 불러야 하고, '정구지, 솔' 등의 지역 방언으로 부를 수 없다. 하지만 우리는 '부추'를 '정구지, 솔'이라고 부를 수 있는데, 이것은 바로 언어가 자의성을 갖고 있기 때문이다.

②, ③ 언어의 역사성과 관련된 예이다.
④ 언어의 사회성과 관련된 예이다.
⑤ 언어의 창조성과 관련된 예이다.

09 ①

㉠ 동생이 알고 있는 단어들을 활용하여 전에 사용하지 않던 새로운 문장을 만들어내는 것은 언어의 창조성과 관련된 예이다.
㉡ 새로운 대상이나 개념이 들어오면 그에 따른 언어 표현도 같이 생겨나는데, 이는 언어의 역사성과 관련된 예이다.

10 (가) 언어의 사회성 (나) 언어의 역사성

(가) 언어를 바꾸는 것은 개인이 아니라 사회 구성원의 동의가 있어야 한다는 내용으로, 언어의 사회성에 관한 설명이다.
(나) 언어가 새로 생기거나 바뀌거나 사라지는 것에 대한 예를 보여 주고 있으므로 언어의 역사성에 대한 예이다.

11 ②

언어의 자의성이란, 언어의 의미와 형식의 연결이 필연적이 아니라 임의적이고 우연적이라는 것이다. 따라서 어떤 단어는 반드시 꼭 그렇게 불러야 한다는 이유가

없기 때문에 나라마다, 지역마다 같은 것이라도 다르게 부르게 되었다.

① 언어의 역사성과 관련된 예이다.
③ 시간이 지남에 따라 단어의 의미가 확대된 것은 언어의 역사성과 관련된 예이다.
④ 언어의 창조성에 대한 설명이다.
⑤ 표준어가 아니었던 단어를 많은 사람이 사용하면서 사회적으로 인정되어 표준어가 된 예로, 언어의 사회성과 관련된 예이다.

12 ④

'이, 그, 저'에서 '그'는 말하는 사람에게서는 멀리 떨어져 있지만, 듣는 사람에게는 가까이 있는 장소나 물건을 지칭할 때 사용하는 지시어이다. ㉤의 '그거'는 '민준'에게 가까이 있고, '어머니'에게서 멀리 떨어져 있는 물건을 의미하는 지시어이다.

② ㉢'저것'은 말하는 이와 듣는 이에게서 모두 멀리 떨어져 있는 물건을 의미하는 표현이다.
③ 담화를 고려하면 옷에 대해 말하고 있는 사람은 '어머니'이기 때문에 높임 표현을 활용하여 '말씀하시는'으로 바꾸어야 한다.
⑤ 담화의 전체적인 내용을 고려했을 때 민준이는 옷이 마음에 들지만 옷값이 비싸기 때문에 이를 구매하지 않으려 함을 알 수 있다. 따라서 ㉥의 발화 의도는 '옷이 비싸서 살 수 없다.'라고 보는 것이 적절하다.

13 ④

담화의 의미를 해석할 때에는 말하는 사람과 듣는 사람뿐만 아니라, 담화가 진행되는 상황 맥락과 사회·문화적 맥락 등을 종합적으로 고려하여야 한다. '듣는 사람'처럼 어느 하나만이 담화의 의미를 해석하는 기준이 되지는 않는다.

① 문화적 배경에 따라 같은 말이 다른 의미로 해석되는 예로 우리나라 사람들은 뜨거운 물에 몸을 담글 때 '시원하다'라고 말하지만, 외국 사람들은 그 말을 이해할 수 없는 것을 들 수 있다.
② 세대에 따라 같은 단어가 다른 의미로 해석되는 예로 청소년들은 '생파'를 '생일 파티'라는 의미로 받아들이지만, 이 같은 말이 익숙하지 않은 세대들은 '익히지 않은 파'로 받아들이는 경우를 들 수 있다. 또 지역에 따라 같은

말이 다른 의미로 해석되는 예로, '쌀을 산다'라는 말이 도시 사람들은 '돈을 주고 쌀을 구입한다'라는 의미로 받아들이지만, 일부 지역의 사람들은 '쌀을 팔아 돈을 마련한다'라는 의미로 받아들이는 경우를 들 수 있다.

③ 시간적 배경과 공간적 배경에 의해 같은 말이 다른 의미로 해석되는 예로, '불편함이 없으십니까'라는 말이 식당에서는 식사를 편히 잘 하였는지를 묻는 것으로 해석할 수 있지만, 병원에서 치료한 후 묻는 것이라면 치료한 후 불편함은 없는지를 묻는 것으로 해석할 수 있다는 것을 들 수 있다.

⑤ 사람의 의도와 목적에 따라 같은 말이 다른 의미로 해석되는 예로 '춥지 않니?'라는 말이 상대방의 상황을 물어보는 것일 수도 있지만, 창문 옆에 있는 사람에게 할 경우 '문을 닫아라'라는 의도가 담긴 말로 해석할 수 있는 것을 들 수 있다.

14 ⑤

정답 풀이

(가)에서 말하는 이는 '아버지'이고 듣는 이는 '진영'이며, (나)에서는 말하는 이는 '진영'이고 듣는 이는 '아버지'이다. 이들은 서로 발화에 맞는 적절한 답을 하며, 상대방의 말하기 의도와 목적을 잘 파악하고 있다.

오답 풀이

② (가)에서 '아버지'가 있는 공간은 문구점이다.
④ (가)와 (나)에서 '아버지'와 '진영'은 공간적으로 떨어져 있으나, 휴대 전화로 통화를 함으로써 같은 시간대에 이야기를 주고받고 있다.

15 ②

정답 풀이

㉠ ㆍ + ㅣ = ㅓ   ㉡ ㅡ + ㆍ = ㅜ
㉢ ㅜ + ㆍ = ㅠ   ㉣ ㅏ + ㆍ = ㅑ

[지금은 사용하지 않는 한글]

ㆁ(옛이응)	6세기 말까지 쓰였다가 'ㅇ'으로 통합됨.
ㆆ(여린히읗)	'ㅇ'과 'ㅎ'의 중간 정도의 소리가 남. 주로 한자 표기에 사용되다 사라짐.
ㅿ(반치음)	6세기 말 무렵까지 국어와 한자 표기에 쓰였음.
ㆍ(아래아)	18세기에 음이 소실되었고 글자는 20세기 초반까지 쓰였음.

16 ③

정답 풀이

'ㅿ'은 이체자로, 기본자에 획을 추가하여 소리의 강한 정도를 나타내는 가획자와 달리 별도로 만들어진 글자이다.

오답 풀이

① 'ㅋ'은 'ㄱ'에 한 획을 더해 만들어진 가획자이다.
② 'ㄴ'과 'ㄹ'은 혓소리로, 혀끝이 윗잇몸에 닿은 모양을 본떠 만든 글자이다.
④ 'ㅎ'은 'ㅇ'에 두 획을 더한 가획자로, 기본자보다 소리의 세기가 더 강하다.
⑤ 기본자는 발음 기관의 모양을 상형한 글자이다.

17 롭 / 룹

정답 풀이

㉠ 초성: '혓소리'의 이체자는 'ㄹ'이다.
㉡ 중성: 'ㆍ'와 'ㅡ'가 결합한 초출자에는 'ㅗ'와 'ㅜ'가 있다.
㉢ 종성: 입술소리에 한 획을 더한 가획자는 'ㅂ'이다.

18 ㉡, ㉣

정답 풀이

㉡ 현재 모음은 'ㆍ'는 사용하지 않는다.
㉣ 모음자의 기본자는 하늘, 땅, 사람을 본뜬 것으로, 'ㆍ, ㅡ, ㅣ'가 있다.

오답 풀이

㉠ 모음의 기본자는 'ㆍ, ㅡ, ㅣ'이다.
㉢ 모음의 확장은 같은 모음자끼리 결합하여 만드는 것이고, 자음의 확장은 기본자에 획을 추가하는 것이다.

01	×	02	×
03	×	04	○
05	1, 1	06	3
07	5	08	4
09	4	10	중모음, 원순 모음
11	고모음, 평순 모음	12	예사소리, 마찰음
13	된소리, 파열음	14	비음
15	거센소리, 파찰음	16	ㅏ
17	ㅐ	18	ㅚ
19	ㅣ, ㅐ	20	ㅊ
21	ㅇ	22	ㅃ
23	ㅐ	24	ㅗ
25	ㅣ		

01	ㄴ	02	ㅆ
03	ㅈ	04	ㅎ
05	ㅂ		
06	②		

정답 풀이

모음은 입 안에서 아무런 장애를 받지 않고 소리 나는 것으로 국어에서 쓰이는 단모음은 10개, 이중 모음은 11개이다. 그리고 모음을 발음할 때 그 길이에 따라 의미가 달라지는 경우도 있다.

07 ③

정답 풀이

'밀'에는 모음 'ㅣ'가 쓰였는데, 'ㅣ'는 혀의 앞부분에서 발음되는 전설 모음이다.

오답 풀이

① '학'의 모음 'ㅏ', ② '공'의 모음 'ㅗ', ④ '국'의 모음 'ㅜ', ⑤ '절'의 모음 'ㅓ'는 모두 후설 모음이다.

08 ①

정답 풀이

'뱀'의 모음 'ㅐ'와 '실'의 모음 'ㅣ'는 모두 전설 모음으로, 혀의 앞부분에서 발음된다.

오답 풀이

② '들'의 'ㅡ'와 '북'의 'ㅜ'는 모두 후설 모음이나, 'ㅡ'는 평순 모음이고 'ㅜ'만 원순 모음이다.
③ '강'의 'ㅏ'는 저모음이고, '쇠'의 'ㅚ'는 중모음이다.
④ '셋'의 'ㅔ'는 중모음이고, '내'의 'ㅐ'는 저모음이다.
⑤ '휘'의 'ㅟ'는 고모음이고, '성'의 'ㅓ'는 중모음이다.

09 ②

정답 풀이

'쥐'의 모음 'ㅟ'는 전설 모음이며 원순 모음이다. 같은 기준으로 분류될 수 있는 모음은 'ㅚ'이다.

오답 풀이

① 'ㅜ'는 원순 모음이지만, 후설 모음으로 혀의 앞뒤 위치가 다르다.
③ 'ㅣ'는 전설 모음이지만, 평순 모음으로 입술 모양이 다르다.
④ 'ㅏ'는 후설 모음이고 평순 모음으로, 혀의 앞뒤 위치와 입술 모양 모두 다르다.
⑤ 'ㅔ'는 전설 모음이지만, 평순 모음으로 입술 모양이 다르다.

10 ②

정답 풀이

[보기]에 제시된 'ㅣ'는 고모음, 'ㅔ'는 중모음, 'ㅐ'는 저모음으로, 혀의 높이가 점점 낮아짐을 알 수 있다. 'ㅡ, ㅓ, ㅏ'의 경우에도 'ㅡ'는 고모음, 'ㅓ'는 중모음, 'ㅏ'는 저모음으로, 혀의 높이가 점점 낮아진다.

오답 풀이

① 'ㅐ'와 'ㅏ'는 저모음, 'ㅗ'는 중모음이다.
③, ④ 'ㅓ', 'ㅚ', 'ㅔ', 'ㅗ' 모두 중모음이다.
⑤ 'ㅣ, ㅟ, ㅡ'는 모두 고모음이다.

11 ④

정답 풀이

'복'은 'ㅂ, ㅗ, ㄱ'으로 이루어진 단어이다. 첫소리 'ㅂ'은 입술소리로 두 입술 사이에서 소리 난다. 가운뎃소리 'ㅗ'는 후설 모음이자 원순 모음으로, 입술을 둥글게 하여 소리 낸다. 끝소리 'ㄱ'은 여린입천장과 혀의 뒷부분 사이에서 소리 나는 예사소리로, 목청의 울림이 없는 안울림소리이다.

12 ②

정답 풀이

'일'은 모음 'ㅣ'와 자음 'ㄹ'로 이루어진 단어이다. 'ㄹ'은 잇몸소리로, 윗잇몸과 혀끝이 닿아서 발음된다. 같은 위치에서 소리 나는 자음에는 'ㄷ, ㄸ, ㅌ, ㅅ, ㅆ, ㄴ'이 있다.

오답 풀이

① 'ㄱ'은 여린입천장과 혀의 뒷부분 사이에서 소리 난다.
③ 'ㅁ'은 두 입술 사이에서 소리 난다.
④ 'ㅈ'은 센입천장과 혓바닥 사이에서 소리 난다.
⑤ 'ㅎ'은 목청 사이에서 소리 난다.

13 ②

정답 풀이

'대'에 쓰인 자음은 'ㄷ'으로, 'ㄷ'은 파열음이다. 'ㅍ', 'ㄲ', 'ㅂ', 'ㅋ'은 모두 파열음이지만, 'ㅇ'은 비음이다.

14 ①

정답 풀이

'장구' 중 된소리로 발음하는 자음은 없다.

오답 풀이

② 모음 'ㅏ'와 'ㅜ'는 모두 후설 모음이다.
③ 자음 'ㅈ, ㅇ, ㄱ' 중 'ㅇ'은 울림소리이며, 'ㅈ, ㄱ'은 안울림소리이므로, 자음 중 목청의 울림이 있는 자음은 1개이다.
④ '장구'에 쓰인 자음 'ㅈ, ㅇ, ㄱ' 중 'ㅇ'과 'ㄱ'은 여린입천장소리로 소리 나는 위치가 같다. 'ㅈ'은 센입천장소리이므로 자음 중 같은 위치에서 소리 나는 자음은 'ㅇ'과 'ㄱ' 2개이다.
⑤ 'ㅏ'는 저모음, 'ㅜ'는 고모음으로 '장'을 발음할 때에는 혀가 입의 바닥 쪽으로 위치하면서 입이 크게 벌어졌다가 '구'를 발음할 때에는 혀가 위로 올라가 입이 작게 벌어진다.

15 ⑤

정답 풀이

'들'은 'ㄷ, ㅡ, ㄹ'로 이루어진 단어이다. 첫소리 'ㄷ'은 잇몸소리, 안울림소리, 파열음이다. 가운뎃소리 'ㅡ'는 후설 모음, 평순 모음, 고모음이다. 끝소리 'ㄹ'은 잇몸소리, 울림소리, 유음이다.

오답 풀이

① '탄'의 'ㅌ'은 잇몸소리, 안울림소리, 마찰음이고, 'ㅏ'는 후설 모음, 평순 모음, 저모음이며, 'ㄴ'은 잇몸소리, 울림소리, 비음이다.
② '썸'의 'ㅆ'은 잇몸소리, 안울림소리, 마찰음이고, 'ㅓ'는 후설 모음, 평순 모음, 중모음이며, 'ㅁ'은 입술소리, 울림소리, 비음이다.

③ '통'의 'ㅌ'은 잇몸소리, 안울림소리, 파열음이고, 'ㅗ'는 후설 모음, 원순 모음, 중모음이며, 'ㅇ'은 여린입천장소리, 울림소리, 비음이다.
④ '담'의 'ㄷ'은 잇몸소리, 안울림소리, 파열음이고, 'ㅏ'는 후설 모음, 평순 모음, 저모음이며, 'ㅁ'은 입술소리, 울림소리, 비음이다.

16 ②

정답 풀이

㉠'불 → 벌'은 모음이 'ㅜ → ㅓ'로 달라졌으며, ㉡'불 → 풀'은 자음이 'ㅂ → ㅍ'으로 달라졌다. 'ㅜ → ㅓ'의 경우는 후설 모음, 원순 모음, 고모음인 'ㅜ'가 후설 모음, 평순 모음, 중모음 'ㅓ'로 달라진 것이고 'ㅂ → ㅍ'의 경우는 예사소리 'ㅂ'이 거센소리 'ㅍ'으로 달라진 것이다.

제3회 10분 테스트   I. 음운   개념책 1, 2 ③

01 ④

정답 풀이

입술 모양의 변화가 나타나는 것은 이중 모음이다. 'ㅠ'는 이중 모음으로, 처음에는 입술을 평평하게 하여 소리 내다가 둥글게 하여 소리 낸다.

오답 풀이

①, ②, ③, ⑤ 입술 모양의 변화가 없는 단모음이다.

02 ⑤

정답 풀이

㉮에는 고모음인 'ㅣ, ㅟ, ㅡ, ㅜ'가, ㉯에는 중모음인 'ㅔ, ㅚ, ㅓ, ㅗ'가, ㉰에는 저모음인 'ㅐ, ㅏ'가 들어가야 한다.

03 ①

정답 풀이

[보기]에 쓰인 모음은 'ㅡ, ㅓ, ㅏ, ㅜ, ㅗ'로 모두 후설 모음이다.

오답 풀이

② 'ㅡ, ㅓ, ㅏ, ㅜ, ㅗ' 중 혀의 모양을 둥글게 하여 발음하는 것은 'ㅜ, ㅗ'이다.
③ 'ㅡ, ㅓ, ㅏ, ㅜ, ㅗ' 중 고모음은 'ㅡ, ㅜ', 중모음은 'ㅓ, ㅗ', 저모음은 'ㅏ'이다.
④ 'ㅡ, ㅓ, ㅏ, ㅜ, ㅗ' 중 입술 모양을 평평하게 하여 발음하는 것은 'ㅡ, ㅓ, ㅏ'이다.

⑤ 'ㅡ, ㅓ, ㅏ, ㅜ, ㅗ' 중 혀가 입의 바닥에 가까이 있을 때 소리 나는 저모음은 'ㅏ'이다.

04 ②
정답 풀이

'ㅟ'는 원순 모음, 고모음이다.

오답 풀이

① 'ㅐ'는 평순 모음으로 입술을 평평하게 하여 소리 난다.
③ 'ㅓ'는 평순 모음으로 입술을 평평하게 하여 소리 난다.
④ 'ㅜ'는 원순 모음으로 입술을 둥글게 하여 소리 나고, 고모음으로 혀가 높게 위치할 때 소리 난다.
⑤ 'ㅣ'는 고모음으로 혀가 높이 있을 때 소리 난다.

05 ②
정답 풀이

'ㅣ'와 'ㅐ'는 모두 전설 모음이며, 평순 모음이다. 다만 혀의 높낮이가 달라 'ㅣ'는 고모음, 'ㅐ'는 중모음이다. 따라서 'ㅣ'에서 'ㅐ'를 발음하면 혀의 위치가 높은 곳에서 중간쯤으로 낮아지는 변화가 나타난다. 'ㅟ'는 고모음, 'ㅚ'는 중모음이므로 'ㅟ'에서 'ㅚ'를 발음하면 같은 변화가 나타난다.

오답 풀이

① 'ㅏ'와 'ㅓ'는 후설 모음, 평순 모음인데, 'ㅏ'가 저모음, 'ㅓ'는 중모음이므로 'ㅏ'에서 'ㅓ'를 발음하면 혀의 위치가 높아지는 변화가 일어난다.
③ 'ㅡ'와 'ㅜ'는 후설 모음이면서 고모음이므로, 'ㅡ'에서 'ㅜ'를 발음하면 혀의 높낮이 변화는 일어나지 않는다.
④ 'ㅔ'는 전설 모음, 'ㅗ'는 후설 모음인데, 둘 다 중모음이므로 'ㅔ'에서 'ㅗ'를 발음하면 혀의 높낮이 변화는 일어나지 않는다.
⑤ 'ㅓ'와 'ㅡ'는 후설 모음이면서 평순 모음이지만, 'ㅓ'는 중모음, 'ㅡ'는 고모음이므로 'ㅓ'에서 'ㅡ'를 발음하면 혀의 위치가 높아지는 변화가 일어난다.

06 ③
정답 풀이

'김'의 모음 'ㅣ'와 '금'의 모음 'ㅡ'는 모두 입술을 평평하게 하여 발음하는 평순 모음이다.

07 ②
정답 풀이

'무'의 자음 'ㅁ'은 입술소리로 두 입술 사이에서 발음된다. 모음 'ㅜ'는 고모음으로 혀가 위쪽에 위치할 때 소리 난다. 이와 마찬가지로 '비'의 자음 'ㅂ'은 입술소리

이며, 'ㅣ'는 고모음이다.

오답 풀이

① '가'의 'ㄱ'은 여린입천장소리이며, 'ㅏ'는 저모음이다.
③ '소'의 'ㅅ'은 잇몸소리이며, 'ㅗ'는 중모음이다.
④ '뒤'의 'ㄷ'은 잇몸소리이며, 'ㅟ'는 고모음이다.
⑤ '패'의 'ㅍ'은 입술소리이며, 'ㅐ'는 저모음이다.

08 ⑤
정답 풀이

자음 중 비음에 해당하는 것은 'ㄴ, ㅁ, ㅇ'이다. '생쥐'의 끝소리인 자음 'ㅇ'은 비음이다.

오답 풀이

① '학기'의 'ㅎ'은 마찰음, 'ㄱ'은 파열음이다.
② '회의'의 'ㅎ'은 마찰음이다.
③ '달빛'의 자음 'ㄷ, ㅂ'은 파열음이고, 'ㄹ'은 유음이며, 'ㅊ'은 파찰음이다.
④ '역사'의 'ㅅ'은 마찰음이다.

09 ②
정답 풀이

'ㄴ'과 'ㄷ'은 소리 나는 위치가 윗잇몸과 혀끝 사이로 같지만, 'ㄴ'은 울림소리, 'ㄷ'은 안울림소리이므로 목청의 울림 여부가 다르다.

오답 풀이

① 'ㄱ'과 'ㅋ'은 소리 나는 위치가 여린입천장과 혓바닥 사이이며, 모두 안울림소리이다.
③ 'ㄹ'은 윗잇몸과 혀끝 사이에서, 'ㅁ'은 두 입술 사이에서 소리 나며, 둘 다 울림소리이다.
④ 'ㅂ'은 두 입술 사이, 'ㅅ'은 윗잇몸과 혀끝 사이에서 소리 나며, 둘 다 안울림소리이다.
⑤ 'ㅈ'은 센입천장에서, 'ㅇ'은 여린입천장에서 소리 나며, 'ㅈ'은 안울림소리이고, 'ㅇ'은 울림소리이다.

10 ④
정답 풀이

'총'은 'ㅊ, ㅗ, ㅇ' 3개의 음운으로 구성되어 있으며, 이 중 'ㅊ'과 'ㅇ'이 자음이다. 'ㅊ'은 센입천장소리이며, 'ㅇ'은 여린입천장소리이다.

오답 풀이

① '국'은 'ㄱ, ㅜ, ㄱ' 3개의 음운으로 구성되어 있으며, 'ㄱ'은 여린입천장소리이다.
② '삽'은 'ㅅ, ㅏ, ㅂ' 3개의 음운으로 구성되어 있으며, 'ㅅ'은 잇몸소리, 'ㅂ'은 입술소리이다.
③ '후'는 'ㅎ, ㅜ' 2개의 음운으로 구성되어 있으며, 'ㅎ'은

목청소리이다.
⑤ '숲'은 'ㅅ, ㅜ, ㅍ' 3개의 음운으로 구성되어 있으며, 'ㅅ'은 잇몸소리이고 'ㅍ'은 입술소리이다.

11 ⑤

정답 풀이

'창'의 첫소리 'ㅊ'은 'ㅈ, ㅉ'과 함께 입 안에서 공기를 막았다가 일시에 터뜨리지 않고 천천히 내보내면서 마찰시키는 방법으로 발음하는 파찰음이다.

오답 풀이

① '후'의 첫소리 'ㅎ'은 마찰음이다.
② '쇠'의 첫소리 'ㅅ'은 마찰음이다.
③ '띠'의 'ㄸ'은 파열음이다.
④ '베'의 'ㅂ'은 파열음이다.

12 쨈

정답 풀이

'절'의 첫소리 'ㅈ'은 센입천장소리이다. 'ㅈ'과 소리 나는 위치가 같으나 된소리인 자음은 'ㅉ'이다. 가운뎃소리 'ㅓ'는 후설 모음이며 중모음이다. 후설 모음 중 저모음은 'ㅏ'이다. 끝소리 'ㄹ'은 혀끝과 윗잇몸 사이에서 소리 나는데, 입술에서 소리 나는 울림소리로 바꾸면 'ㅁ'이다. 따라서 [보기 2]의 지시 사항에 따라 [보기 1]의 단어를 바꾸면 '쨈'이 된다.

제4회 10분 테스트 Ⅱ. 품사와 어휘 개념3~6 ①

01	○	02	×
03	×	04	○
05	×	06	×
07	○	08	체언
09	이름	10	대명사
11	활용	12	용언
13	이다	14	감탄사

15 ③

정답 풀이

제시된 문장에서 관형사는 '그'로 1개이며, '그'는 다음에 나오는 명사인 '말'을 꾸며 준다.

오답 풀이

① 이 문장에서 조사는 '는, 이, 을, 도'로, 총 4개가 쓰였다.
② 이 문장에서 동사는 '의미하는지, 알아듣겠어'로, 총 2개

가 쓰였다.
④ 이 문장에서 대명사는 '나, 무엇'으로, 총 2개가 쓰였다. '한마디'는 명사이다.
⑤ 이 문장에서 감탄사는 '글쎄'로, 총 1개가 쓰였다.

16	㉠	17	㉠
18	㉢	19	㉣
20	㉤	21	㉡
22	㉢	23	는, 이다
24	가, 까지, 에서	25	과, 는, 를
26	만, 도		

제5회 10분 테스트 Ⅱ. 품사와 어휘 개념3~6 ②

01 제주도, 셋째, 너희, 거기
02 명사: 제주도/ 대명사: 너희, 거기/ 수사: 셋째
03 움직이다, 슬프다, 뜨겁다
04 동사: 움직이다/ 형용사: 슬프다, 뜨겁다
05 과연, 모든, 쿵쿵, 특히, 헌
06 부사: 과연, 쿵쿵, 특히/ 관형사: 모든, 헌

07	㉠	08	㉡
09	㉡	10	㉠
11	관형사	12	대명사
13	수사	14	명사
15	형용사	16	부사
17	동사	18	조사
19	감탄사		

20 ○: 나, 신, 기분 / △: 신고, 좋아서, 뛰었다 / □: 새, 폴짝
21 ○: 강, 때 / △: 깊어서, 헤엄칠, 주의해야, 한다 / □: 그, 너무
22 ○: 호수, 안개 / △: 하얀, 피어올랐다 / □: 뭉게뭉게

제6회 10분 테스트 Ⅱ. 품사와 어휘 개념3~6 ③

01 3개 (저기, 저것, 우리)
02 1개 (과연)

정답 풀이

'앞으로'는 명사 '앞'과 조사 '으로'가 결합된 형태이고, '어떻게'는 '어떻다'가 활용한 형태로 형용사이다.

03 4개 (들어서, 뛰다, 걷다, 반복했다)

04 3개 (짜고, 매워서, 없다)

05 4개 (은, 가, 에, 이다)

06 2개 (온갖, 이)

> **정답 풀이**

'출품될'은 '출품되다'의 활용형으로, 동사이다.

07 4개 (미래, 최고, 축구, 선수)

08 ⑤

> **정답 풀이**

'한'과 '네'는 다음에 나오는 명사를 꾸며 주는 관형사이다.

> **오답 풀이**

①의 '딱히', ②의 '갑자기', ③의 '나날이', ④의 '급히'는 부사이다.

09 ②

> **정답 풀이**

[보기]에서 설명하고 있는 품사는 관형사이다. '어떤'은 '옷'(명사)을 꾸며 주는 관형사이다.

> **오답 풀이**

① '어서'와 '빨리'는 부사이다.
③ '갑자기'와 '확'은 부사이다.
④ '살랑살랑'은 부사이다.
⑤ '얌전히'는 부사이다.

10 ④

> **정답 풀이**

제시된 두 문장의 의미를 다르게 하는 단어는 조사인 '가'와 '를'이다. 이 두 조사는 체언 뒤에 붙어서 체언과 다른 말과의 관계를 나타낸다.

> **오답 풀이**

① 서술격 조사 '이다'를 제외하면 조사는 문장에서 활용을 하지 않는다.
② 형용사에 대한 설명이다.
③ 조사 중 접속 조사에 대한 설명이다.
⑤ 조사 중에는 특별한 뜻을 더해 주는 보조사가 있는데, 보조사는 체언뿐만 아니라, 용언이나 부사 뒤에도 결합할 수 있다. 그러나 대부분의 조사는 주로 체언 뒤에 붙어서 다른 단어와의 관계를 나타내는 역할을 한다.

11 ②

> **정답 풀이**

'두'는 '번째'를 꾸며 주는 관형사이다. '번째'는 의존 명사이다.

12 ③

> **정답 풀이**

'차가운'은 '벌판'을 꾸며 주기는 하지만, 형용사인 '차갑다'의 활용형으로, 품사는 형용사이다.

> **오답 풀이**

㉠'벌써'는 '쌀쌀해졌다(동사)'를 꾸며 주는 부사이고, ㉢'속절없이'는 '가고(동사)'를 꾸며 주는 부사이다. ㉣'살며시'는 '다가오면(동사)'을 꾸며 주는 부사이고, ㉤'한'은 '구석(명사)'을 꾸며 주는 관형사이다.

13 ⑤

> **정답 풀이**

'검은'은 '눈(명사)'을 꾸며 주기는 하지만, 형용사인 '검다'의 활용형으로, 형용사이다. 따라서 [보기]에서 관형사는 사용되지 않았다.

> **오답 풀이**

① '소년, 소녀, 눈, 손바닥'은 명사이고, '자기'는 대명사이다.
② '모르게, 돌아섰다, 마주쳤다, 떨구었다'는 동사이다.
③ '얼른'은 '떨구었다'를 꾸며 주는 부사이다.
④ '맑고'와 '검은'은 형용사이다.

14 ③

> **정답 풀이**

'첫째'는 명사인 '주'를 꾸며 주는 관형사이다.

> **오답 풀이**

①의 '하나', ②의 '둘', '셋', ④의 '다섯', ⑤의 '둘'은 수사이다.

15 ④

> **정답 풀이**

'청춘'은 감탄사가 아니라 명사이다.

> **오답 풀이**

①의 '우와', ②의 '네', ③의 '아이쿠', ⑤의 '어흥'은 감탄사이다.

16 ④

> **정답 풀이**

'더욱'과 '냉큼'은 주로 용언을 꾸며 주는 역할을 하는 부사이다. (예 요즘 나는 건강이 더욱 나빠졌다. / 할머니의 목소리가 들리자 강아지가 냉큼 뛰어나갔다.)

17 ⑤

정답 풀이

‘높은’은 사물의 상태나 성질을 나타내는 형용사이다.

오답 풀이

①의 ‘웃는’, ②의 ‘모르는’, ③의 ‘얼었으니’, ④의 ‘기다렸다’
는 동사이다.

18 ②

정답 풀이

‘믿음’은 ‘믿다’의 활용형이 아니라 ‘-음’이 결합하여 완
전히 명사로 굳어진 것이다.

> **[‘-음(ㅁ)’이 붙어서 명사가 된 예]**
> • 나는 그에게서 삶의 지혜를 얻는다.
> → 삶: ‘살(다)’에 ‘-ㅁ’이 붙어서 명사가 됨.
> • 그는 그림에 재능을 보였다.
> → 그림: ‘그리(다)’에 ‘-ㅁ’이 붙어서 명사가 됨.
> • 그는 죽음을 각오하고 싸웠다.
> → 죽음: ‘죽(다)’에 ‘-음’이 붙어서 명사가 됨.

제7회 10분 테스트   Ⅱ. 품사와 어휘   개념3~6 ④

01 ⑤

정답 풀이

독립언은 문장에서 다른 단어와 관계를 맺지 않고 쓰이
기 때문에 생략을 해도 문장의 의미가 성립하고, 문장
안에서의 위치도 비교적 자유로운 편이다.

오답 풀이

① 체언은 조사와 결합하여 쓰이는 경우가 많지만, 홀로 쓰
일 수도 있다.
② 관형어의 꾸밈을 받는 것은 체언이다.
③ 수식언 중에서 관형사는 조사와 결합할 수 없지만, 부사
는 조사와 결합하여 쓰이기도 한다.
④ 관계언은 용언 뒤에 붙어서 쓰이는 경우도 있기는 하지
만, 주로 체언 뒤에 붙어서 쓰인다.

02 ①

정답 풀이

‘포도(명사), 앗(감탄사), 자존심(명사), 그것(대명사),
둘째(수사)’는 문장 안에서 쓰일 때 형태가 변하지 않지
만, ‘마시다, 뛰다(동사)’, ‘예쁘다(형용사)’는 문장 안에
서 쓰일 때 형태가 변한다.

03 ④

정답 풀이

‘많이, 조용히, 아주’는 부사로, 문장에서 주로 용언을
꾸며 준다.

오답 풀이

① ‘한’과 ‘두’는 수를 나타내는 관형사이고, ‘셋’은 수사이다.
② ‘푸르다’와 ‘곱다’는 형용사이고, ‘사다’는 동사이다.
③ ‘모든’과 ‘무슨’은 관형사이고, ‘큰’은 형용사인 ‘크다’의
활용형으로, 형용사이다.
④ ‘우와’와 ‘어머’는 감탄사이고, ‘지수야’는 명사인 ‘지수’와
조사인 ‘야’가 결합한 것이다.

04

체언	음식, 여기, 친구
용언	맛있네, 와야겠다
수식언	온갖, 다, 함께
관계언	이, 에, 와
독립언	어머나

정답 풀이

‘음식’과 ‘친구’는 명사이고, ‘여기’는 대명사이다. 명사
와 대명사는 체언에 해당한다. ‘맛있네’는 형용사이고,
‘와야겠다’는 동사이다. 형용사와 동사는 용언에 해당한
다. ‘온갖’은 관형사이고, ‘다’와 ‘함께’는 부사이다. 관형
사와 부사는 수식언에 해당한다. ‘이, 에, 와’는 체언 뒤
에 붙어서 체언과 다른 말과의 문법적 관계를 나타내는
조사이다. 조사는 관계언에 해당한다. ‘어머나’는 감탄
사이다. 감탄사는 독립언에 해당한다.

05 ②

정답 풀이

‘영재’는 명사이고, ‘여기’는 대명사이며, ‘첫째’는 수사
이다.

오답 풀이

① ‘너’와 ‘어디’는 대명사이고, ‘제일’은 ‘좋니’를 꾸며 주는
부사이다.
③ ‘그녀’는 대명사이고, ‘둘째’는 명사인 ‘줄’을 꾸며 주는
관형사이다.
④ ‘나’는 대명사이고, ‘나비’와 ‘마리’는 명사이다. ‘한’은 명
사인 ‘마리’를 꾸며 주는 관형사이다.
⑤ ‘우리’는 대명사이고, ‘동네’, ‘목욕탕’, ‘주’, ‘화요일’은 명
사이다. ‘첫째’는 명사인 ‘주’를 꾸며 주는 관형사이다.
‘매월’은 ‘다달이’라는 의미로, 용언인 ‘쉰다’를 꾸며 주는
부사이다.

06 ③

정답 풀이

'빨리'는 용언인 '막았다'를 꾸며 주는 부사이다.

오답 풀이

① '투명한'은 형용사, '유리병', '쪽지', '뚜껑'은 명사, '에', '를', '을'은 조사, '넣고', '막았다'는 동사, '빨리'는 부사이다. 따라서 제시된 문장에서는 총 5개의 품사가 쓰였다.
② 제시된 문장에서는 동사와 형용사가 모두 쓰였다.
④ 제시된 문장에서 관형사는 쓰이지 않았다.
⑤ '에', '를', '을'은 체언 뒤에 붙어서 다른 말과의 문법적 관계를 나타내는 조사(격 조사)이다. 제시된 문장에서 앞 말에 특별한 뜻을 더해 주는 보조사는 쓰이지 않았다.

07 ④

정답 풀이

㉠에는 '옷'이라는 체언을 꾸며 줄 수 있는 관형사나 용언(동사, 형용사)의 활용형이 들어가야 한다. ㉡에는 '빨리'라는 부사나 '달렸다'라는 동사를 꾸며 줄 수 있는 부사나 용언의 활용형이 들어가야 한다.

08 ③

정답 풀이

[보기]의 특징을 모두 갖춘 품사는 부사이다. 문장에서 쓰일 때 관형사도 다른 단어를 꾸며 주고 문장의 의미를 자세하고 구체적으로 전달하지만, 조사와 결합하지는 않는다. '일찍'은 동사인 '일어났구나'를 꾸며 주는 부사이다.

오답 풀이

① '이'는 '나무'를 꾸며 주는 관형사이다.
② '고요하게'는 '고요하다'의 활용형으로, 형용사이다.
④ '자는'은 '자다'의 활용형으로, 동사이다.
⑤ '예쁘게'는 '예쁘다'의 활용형으로, 형용사이다.

09 ①

정답 풀이

'작은'과 '맵다'는 형용사이다.

오답 풀이

② '갈'은 '가다'의 활용형으로, 동사이다.
③ '걸을'은 '걷다'의 활용형으로 동사이고, '없었다'는 '없다'의 활용형으로 형용사이다.
④ '가렸다'는 '가리다'의 활용형으로, 동사이다.
⑤ '이겼다'는 '이기다'의 활용형으로, 동사이다.

10 ④

정답 풀이

'말끔히'는 뒤에 나오는 용언을 꾸며 주는 부사이고, '과연'은 뒤에 나오는 문장 전체를 꾸며 주는 부사이다.

오답 풀이

① '그'는 대명사이고, '저'는 '사람'을 꾸며 주는 관형사이다.
② '일곱'은 수사이고, '다섯'은 '사람'을 꾸며 주는 관형사이다.
③ '흰'은 '희다'의 활용형으로 형용사이고, '헌'은 '옷'을 꾸며 주는 관형사이다.
⑤ '앗'은 감탄사이고, '청춘'은 명사이다.

11 ④

정답 풀이

ㄱ의 '다른'은 '다르다'의 활용형으로, 용언 중 형용사이다. ㄴ의 '어디'는 대명사로, 체언이다.

오답 풀이

① ㄱ의 '어떤'은 관형사로 수식언이고, ㄴ의 '하나'는 수사로 체언이다.
② ㄱ의 '틀린'은 동사로 용언이고, '첫째'는 '날'을 꾸며 주는 관형사로 수식언이다.
③ ㄱ의 '열심히'는 부사로 수식언이고, ㄴ의 '무엇'은 대명사로 체언이다.
⑤ ㄱ의 '새롭게'는 형용사로 용언이고, ㄴ의 '그런'은 관형사로 수식언이다.

12 ④

정답 풀이

'이곳'은 대명사이고, '오늘날'과 '다음'은 명사이다.

오답 풀이

㉠은 대명사이고, ㉡은 부사, ㉢은 동사, ㉣은 명사, ㉤은 형용사이다.

13 ②

정답 풀이

동사는 사람이나 사물의 움직임을 나타내고, 형용사는 사람이나 사물의 상태나 성질을 나타낸다. 동사는 현재를 나타내는 어미인 '-는다(-ㄴ다)'와 결합할 수 있으나, 형용사는 현재를 나타내는 어미와 결합할 수 없다. 이를 고려하면 ㉡'내리는', ㉣'움직이는', ㉤'지나간다'는 동사이고, ㉠'지루한', ㉢'바쁘게'는 형용사이다.

14 ③

정답 풀이

'그는 타향에서 밤마다 고향을 그리워했다.'라는 문장에서 관계언은 '는, 에서, 마다, 을'로 총 4개이다.

오답 풀이

① 제시된 문장에서 관계언은 '이, 가, 이'로 총 3개이다.
② 제시된 문장에서 관계언은 '에서, 은, 를'로 총 3개이다.
④ 제시된 문장에서 관계언은 '에, 을, 이'로 총 3개이다.
⑤ 제시된 문장에서 관계언은 '께서, 와, 를'로 총 3개이다.

15 ③

정답 풀이

[보기]의 첫째 문장의 부사 '방긋'은 용언 '웃는다'를 꾸며 준다. 둘째 문장의 부사 '과연'은 이어지는 문장 전체를 꾸며 준다. 셋째 문장의 부사 '바로'는 체언인 '옆'을 꾸며 준다. 넷째 문장의 부사 '정말'은 관형사인 '새'를 꾸며 준다. 마지막 문장의 부사 '많이'는 용언 '컸구나'를 꾸며 준다. 이처럼 부사는 문장에서 쓰일 때 용언 이외에도 관형사, 체언, 문장 전체 등 다양한 말을 꾸며 준다. 그러나 부사가 관계언을 꾸미지는 않는다.

16 ②

정답 풀이

조사 중에서 앞말에 특별한 뜻을 더해 주는 조사는 보조사이다. '이분들이 나의 부모님이시다.'라는 문장에서 조사인 '이, 의, 이시다'는 체언 뒤에 붙어서 체언과 다른 말과의 문법적 관계를 나타내고 있는 격 조사이다.

오답 풀이

① '마저'는 '하나 남은 마지막'이라는 뜻을 더해 주는 보조사이다.
③ '만'은 '단독'의 뜻을 더해 주고, '도'는 '이미 어떤 것이 포함되고 그 위에 더함'의 뜻을 나타내는 보조사이다.
④ '부터'는 '시작'의 뜻을, '까지'는 '끝'의 뜻을 더해 주는 보조사이다.
⑤ '는'은 '어떤 대상이 다른 것과 대조됨'을 나타내는 보조사이다.

17 ⑤

정답 풀이

'이러한'은 '이러하다'의 활용형으로, 형용사이다.

오답 풀이

①의 '새', ②의 '온갖', ③의 '헌', ④의 '몇'은 모두 다음에 나오는 체언을 꾸며 주는 관형사로, 문장에서 쓰일 때 활용하지 않는다.

제8회 10분 테스트   Ⅱ. 품사와 어휘   개념 7, 8 ①

01 ④

정답 풀이

사회 방언을 모르는 사람들 앞에서 사회 방언을 자주 사용하면 그 사람들에게 소외감을 줄 수 있으므로, 일상생활에서는 자주 사용해서는 안 된다.

02 잔디, 깔개, 시나브로, 생각

정답 풀이

'시나브로'는 '모르는 사이에 조금씩 조금씩.'이라는 의미의 고유어이다.

03 우유, 공원, 세상, 고생
04 버스, 빵, 모니터, 샌드위치
05 ×   06 ○
07 ×   08 ×
09 ○
10 고유어: 1개, 한자어: 5개 . 외래어: 5개

정답 풀이

'믿음'은 고유어이고, '운동, 장점, 독자, 접근, 도전'은 한자어이며, '마케팅, 이벤트, 페어플레이, 이미지, 브랜드'는 외래어이다.

11 ④

정답 풀이

'지수 선물, 이평선, 매물 출회, 코스피' 등은 증권 거래에서 쓰이는 경제 용어로, 사회 방언의 일종이다. 이처럼 전문적인 분야에서 되는 사회 방언은 해당 분야의 대상이나 개념을 좀 더 명확하게 전달할 수 있다는 장점이 있다.

제9회 10분 테스트   Ⅱ. 품사와 어휘   개념 7, 8 ②

01 고유어   02 외래어
03 고유어   04 한자어
05 한자어   06 외래어
07 한자어
08

고유어	마음, 무지개, 누나, 길잡이
한자어	감기, 편지, 사과, 우유, 인생
외래어	빵, 버스, 앙코르

정답 풀이

고유어는 원래부터 우리의 것인 단어들이고, 한자어는 중국의 한자를 기반으로 하여 만들어진 단어들이며, 외래어는 외국에서 들어온 말이지만 우리말처럼 쓰이고 있는 단어들이다.

09 ③

정답 풀이

'바꾸는'의 기본형 '바꾸다'는 '원래의 내용이나 상태를 다르게 고치다.'를 의미한다. '변형하다'는 '모양이나 형태가 달라지거나 달라지게 하다.'를 의미하므로, '바꾸는'을 '변형하는'으로 바꾸기에는 적절하지 않다. '다르게 하여 바꾸다.'를 의미하는 한자어인 '변환(變換)하다'의 활용형인 '변환하는'으로 바꾸는 것이 더 적절하다.

10 ②

정답 풀이

지역 방언은 그 지역 사람들의 정서를 잘 드러내고 있기 때문에 그 지역 사람들끼리 함께 사용하면 친밀감을 높여 줄 수 있다. 그러나 전국 방송 등 대중매체에서는 누구나 알아들을 수 있는 공식적인 언어인 표준어를 사용해야 한다.

11 ⑤

정답 풀이

대화에 제시된 밑줄 친 어휘들은 사회 집단과 같은 사회적 요인에 따라 달라진 말로 사회 방언 중 의사 집단에서 사용하는 전문어의 예이다. 사회 방언 중 전문어는 업무의 효율성을 위해 주로 사용한다. 전문어는 전문가들끼리 정확하고 신속한 의사소통을 위해 사용하는 말로, 당시의 시대적 상황과는 관련이 멀다.

제10회 10분 테스트 Ⅲ. 문장 개념9~12①

01 주성분: 강아지는, 귀엽다.
   부속 성분: 저, 정말
02 주성분: 애벌레가, 나비가, 되었다
   부속 성분: 작은, 화려한
03 주성분: 신욱이가, 책을, 읽고 있다.
   부속 성분: 도서관에서
04 주성분: 꿈을, 이루어라
   부속 성분: 커다란, 반드시

독립 성분: 아이야

05 ㉡		06 ㉠	
07 ㉣		08 ㉢	

09 헌, 깨끗하게   10 이, 빨리
11 저, 정말   12 어제, 재미있는
13 가격이 저렴하다 – 서술절
14 오빠가 사용하던 – 관형절
15 우리 팀이 이겼다고 – 인용절(간접 인용)
16 그가 지나가도록 – 부사절
17 "사람은 생각하는 갈대이다."라고 – 인용절(직접 인용)
18 너의 일이 잘 되기 – 명사절

제11회 10분 테스트 Ⅲ. 문장 개념9~12②

01 ㉠		02 ㉡	
03 ㉢		04 ㉡	
05 ㉡		06 ㉢	
07 대		08 종	
09 대		10 종	
11 대			
12 ②, ④			

정답 풀이

문장 성분 중 주성분은 주어, 목적어, 보어, 서술어이고, 부속 성분은 관형어, 부사어이다. [보기]의 문장 성분을 분석하면 다음과 같다.

나는   그   과자를   빨리   먹었다.
주어 관형어 목적어 부사어   서술어

따라서 [보기]에서 주성분이 아닌 것은 관형어인 ㉡과 부사어인 ㉣이다.

13 ⑤

정답 풀이

㉠의 '운동장에서, 마음껏', ㉡의 '강에서, 애타게', ㉢의 '정말', ㉣의 '언제'는 모두 부사어이다.

오답 풀이

① ㉠의 주성분은 '아이들이'(주어)와 '뛰논다'(서술어)로 2개이다.
② ㉡에 쓰인 주성분은 '아이들이'(주어)와 '개구리를'(목적어), '찾는다'(서술어)로 3개이다.
③ ㉢에 쓰인 관형어는 '이'로 생략될 수 있다.

④ ⓔ에서 '열릴지'의 주어는 '문이'이고, '모른다'의 주어는 '아무도'이다.

14 ②
정답 풀이

'우리'는 '반'이라는 명사를 꾸며 주는 관형어이다.

오답 풀이

① '빨리'는 '뛰어갔다'를 꾸며 주는 부사어이다.
③ '앞으로'는 '나갔다'를 꾸며 주는 부사어이다.
④ '정말'은 '바쁜'을 꾸며 주는 부사어이다.
⑤ '과연'은 문장 전체를 꾸며 주는 부사어이다.

15 안긴문장: 태풍 피해가 없게
안은문장의 종류: 부사절을 안은 문장
정답 풀이

'태풍 피해가 없게'는 다른 문장 속에 들어가 하나의 문장 성분이 된 안긴문장으로, '대비해야 한다.'라는 서술어를 꾸며 주는 부사어 역할을 하고 있는 부사절이다. 따라서 [보기]의 전체 문장은 부사절을 안은 문장이다.

16 ⑤
정답 풀이

[보기]의 '물을'은 목적어이고, '청년이'는 보어이다. '서은이가 범인이 아니라는 말을 들었어.'에서 '범인이'는 보어이고 '말을'은 목적어이다. 따라서 [보기]의 밑줄 친 부분과 같은 문장 성분이 모두 사용되었다.

오답 풀이

① '지각을'이라는 목적어만 있다.
② '나비가'라는 보어만 있는 문장이다.
③ 목적어와 보어 모두 없는 문장이다.
④ '얼음이'라는 보어만 있는 문장이다.

17 ④
정답 풀이

'수영을 하는'이 안긴문장으로, 관형절을 안은 문장이다.

오답 풀이

①, ②, ③, ⑤ 이어진문장이다.

18 ②
정답 풀이

'비가 오지 않아서 땅이 갈라진다.'라는 문장은 앞뒤 절이 원인과 결과의 관계로 연결된 종속적으로 이어진 문장이다.

오답 풀이

① 선택 관계로 대등하게 이어진 문장이다.
③ 나열 관계로 대등하게 이어진 문장이다.
④, ⑤ 대조 관계로 대등하게 이어진 문장이다.

19 ⑤
정답 풀이

'눈이 빠지게'는 '기다렸다', 즉 서술어를 꾸며 주고 있다.

20 ⑤
오답 풀이

ㄴ. 강아지는 변온 동물이 아니다.
　　주어　　　보어　　　서술어
ㄹ. 눈부시게 하얀 눈이 마을에 내렸다.
　　부사어　관형어　주어　부사어　서술어

제12회 10분 테스트 　Ⅲ. 문장 `개념 9~12 ③`

01 ①
정답 풀이

'친구들을'은 목적어로, 서술어가 표현하는 행위의 대상이 되는 문장 성분이다.

오답 풀이

② 문장 성분 중 관형어에 관한 설명이다.
③ 문장 성분 중 보어에 관한 설명이다.
④ 문장 성분 중 부사어에 관한 설명이다.
⑤ 문장 성분 중 독립어에 관한 설명이다.

02 ②
정답 풀이

ⓛ은 주어로, 문장을 이루는 데 꼭 필요한 주성분이다. 주어는 서술어의 주체가 되는 성분이다.

오답 풀이

① ㉠은 문장 전체를 꾸며 주는 부사어로 부속 성분이다.
③ ㉢은 체언을 꾸며 주는 관형어로 부속 성분이다.
④ ㉣은 보어로 문장의 주성분이다.
⑤ ㉤은 주어의 동작이나 성질 등을 풀이하는 서술어로 주성분이다.

03 ⑤
정답 풀이

제시된 문장에 쓰인 문장 성분은 주어, 부사어, 목적어, 서술어이다. '소년이 소녀에게 꽃다발을 주었다.'에서도 주어, 부사어, 목적어, 서술어가 쓰였다.

[보기] 제가 어제 공을 잃어버렸어요.
　　　　주어　부사어　목적어　　　서술어

⑤ 소년이 소녀에게 꽃다발을 주었다.
　　주어　　부사어　　목적어　　서술어

오답 풀이

① 아아, 하늘이 무척 맑구나.
　독립어　주어　부사어　서술어

② 고래는 정말 어류가 아니구나.
　주어　부사어　보어　　서술어

③ 예쁜 꽃이 화단에 가득 피었다.
　관형어　주어　부사어　부사어　서술어

④ 우리 연못에 많은 물고기가 산다.
　관형어　부사어　관형어　　주어　　서술어

04　(1) ① ㉠, ㉢, ㉣
　　　　② ㉡, ㉤
　　(2) ① ㉠: 빨리
　　　　② ㉡: 그림
　　　　③ ㉢: 그는 훌륭한 예술가이다.
　　　　④ ㉣: 만났다
　　　　⑤ ㉤: 그

정답 풀이

㉠, ㉢, ㉣은 용언과 부사어, 문장 전체를 꾸며 주는 부사어이고, ㉡, ㉤은 명사, 대명사 등과 같은 체언을 꾸며 주는 관형어이다.

05　②

정답 풀이

홑문장은 주어와 서술어의 관계가 한 개씩 드러나는 문장이고, 겹문장은 한 문장 속에 주어와 서술어의 관계가 두 개 이상 드러나는 문장이다. 홑문장은 ㄱ과 ㄷ이다.

ㄱ. 민영이는 오빠와 닮았다.
　　주어　　부사어　서술어
　　→ 홑문장

ㄴ. 우리는 비가 그치기를 기다렸다.
　　주어　주어　서술어　　서술어
　　→ 겹문장

ㄷ. 드디어 지영이가 경기에서 골을 넣었다.
　　부사어　주어　　부사어　목적어　서술어
　　→ 홑문장

ㄹ. 강물이 맑아서 강바닥까지 잘 보인다.
　　주어　서술어　부사어　　부사어　서술어
　　→ 겹문장

06　(1) ㄱ, ㄹ　(2) ㄴ, ㄷ, ㅁ

정답 풀이

ㄱ. 대등하게 이어진 문장 중, 대조의 의미 관계로 이어진 문장이다.

ㄴ. 종속적으로 이어진 문장 중, 목적의 의미 관계로 이어진 문장이다.

ㄷ. 종속적으로 이어진 문장 중, 원인과 결과의 의미 관계로 이어진 문장이다.

ㄹ. 대등하게 이어진 문장 중, 나열의 의미 관계로 이어진 문장이다.

ㅁ. 종속적으로 이어진 문장 중, 조건의 의미 관계로 이어진 문장이다.

07　②

정답 풀이

'토끼는 귀가 길고'와 '생쥐는 귀가 짧다'에서 '귀가 길고', '귀가 짧다'는 문장 속에서 서술어의 역할을 하는 서술절로, 하나의 문장 성분으로 쓰이고 있다.

토끼는 <u>귀가 길고</u> 생쥐는 <u>귀가 짧다.</u>
　　　　서술절　　　　　　서술절
　　　겹문장　　　　　　겹문장
　　→ 대등하게 이어진 문장

오답 풀이

① ㉠의 주어는 '토끼는', '귀가'이고, ㉡의 주어는 '생쥐는', '귀가'이다.

③, ④, ⑤ 서술절을 안고 있는 두 개의 겹문장(㉠과 ㉡)이 대등하게 이어진 문장이다.

08　수지는 자기가 뜨개질을 좋아한다고 말했다.

정답 풀이

직접 인용을 간접 인용으로 바꿀 때에는 말하는 사람의 입장에서 말해야 하기 때문에, '나는'이라는 말을 '자기가'로 바꾸고, 직접 인용에 사용하는 조사 '-라고' 대신에 '고'를 사용해야 한다.

09　④

정답 풀이

'백신의 효과가 있음'은 문장에서 목적어 역할을 하는 명사절이다.

10 ⑤

ㄱ은 주어의 역할, ㄴ은 겹문장, ㄷ은 명사절을 의미한다. '소현이가 내기에서 이기기는 사실상 불가능하다.'라는 문장에서 '소현이가 내기에서 이기기'는 명사절로 문장에서 주어 역할을 한다.

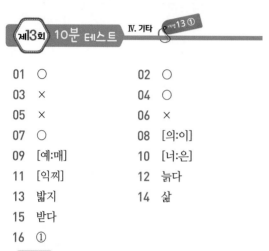

제3회 10분 테스트 Ⅳ. 기타 _{개념 13 ①}

01	○	02	○
03	×	04	○
05	×	06	×
07	○	08	[의:이]
09	[예:매]	10	[너:은]
11	[익찌]	12	늙다
13	밟지	14	삶
15	받다		
16	①		

정답 풀이

'옳고'는 [올코]로 소리 난다. 이는 겹받침 'ㅀ'에 있던 'ㅎ'이 '고'의 'ㄱ'과 결합하여 [ㅋ]으로 소리나기 때문이다.

오답 풀이

② 끊은[끄는], ③ 넣을[너을], ④ 쌓인[싸인], ⑤ 곯은[고른]로 발음되는데, 모두 'ㅎ'이 탈락하여 소리 나지 않는 것이다.

17 ④

정답 풀이

'띄우기'의 '띄'는 이중 모음 'ㅢ'가 자음 'ㄸ'과 결합한 것으로, 'ㅢ'는 단모음 [ㅣ]로 발음된다. 따라서 '띄우기'는 [띠우기]라고 발음하는 것이 적절하다.

오답 풀이

① '의장'의 'ㅢ'는 첫소리에 위치하고 있으므로 이중 모음의 원음을 살려 [의장]으로 발음해야 한다.
② '고쳐'의 '쳐'는 이중 모음 'ㅕ'가 구개음인 'ㅊ'과 결합하고 있으므로 [처]로 발음해야 한다.
③ '은혜'의 '혜'는 이중 모음 'ㅖ'가 자음 'ㅎ'과 결합되어 있으므로 [ㅖ], [ㅔ] 두가지로 발음할 수 있다. 따라서 [은혜], 또는 [은헤]로 발음해야 한다.
⑤ '무예'의 '예'는 원래 소리대로 발음해야 하므로 [무예]로 발음해야 한다.

18 ②

정답 풀이

음절의 끝소리에 쓰인 'ㅅ, ㅆ, ㅈ, ㅊ, ㅌ, ㅎ'은 단어의 끝이나 자음 앞에서 [ㄷ]으로 소리 난다. 다만 'ㅎ'의 경우 뒤에 오는 자음에 따라 다른 소리로 축약되기도 한다. '좋다'는 [조타]로 소리 나며, 이 경우 '좋'의 받침 'ㅎ'은 뒤에 오는 자음 'ㄷ'과 결합하여 [ㅌ]으로 바뀌게 된다.

오답 풀이

㉠'빛[빋]', ㉢'빗[빋]', ㉣'멋[먿]', ㉤'같[갇]'의 경우 모두 받침이 [ㄷ]으로 소리 난다.

제14회 10분 테스트 Ⅳ. 기타 _{개념 13 ②}

01 ③

정답 풀이

[보기]의 다만 2에서 "'예', '례' 이외의 'ㅖ'는 [ㅔ]로도 발음한다."라고 하였다. 따라서 '주례사'의 '례'는 원음을 살려 [례]로 발음해야 한다.

오답 풀이

① [보기]의 다만 1을 고려하면 '고쳐'의 '쳐'는 [처]로 발음해야 한다.
② [보기]의 다만 2를 고려하면 '의례'의 '례'는 원래 음을 살려 [례]로 발음해야 한다.
④ [보기]의 다만 1을 고려하면 '져'는 [저]로 발음해야 한다.
⑤ [보기]의 다만 2를 고려하면 '예절'의 '예'는 원래 음을 살려 [예]로 발음해야 한다.

02 ③

정답 풀이

'의'는 이중 모음으로 발음하는 것이 원칙이다. 다만 자음을 첫소리로 가지는 음절의 'ㅢ'는 [ㅣ]로 발음한다. 또 단어의 첫음절 이외의 'ㅢ'는 [ㅣ]로 발음하는 것을 허용하며, 조사 '의'는 [ㅔ]로도 발음할 수 있다. [보기]의 단어 중 '자유주의', '정의', '협의'의 'ㅢ'는 모두 첫음절 이외의 '의'로 자음이 첫소리로 오지 않는 경우에 해당하므로 [ㅢ] 또는 [ㅣ]로 발음할 수 있다. 즉 [자유주의], [자유주이], [정의], [정이], [혀븨], [혀비]로 발음할 수 있다.

오답 풀이

[보기]의 '유희'와 '틔다'의 경우 'ㅢ'가 자음과 결합되어 있어 [ㅣ]로만 소리 나며, '의견'은 '의'가 첫음절에 위치하고 있어

정답 및 해설 • **45**

[의]로만 소리 난다. 따라서 [유히], [티다], [의견]으로만 발음해야 한다.

03 ⑤

정답 풀이

'덮다'의 '덮'은 [덥]으로 소리 난다. 국어에서 받침으로 쓰인 'ㅍ'은 대표음인 'ㅂ'으로 바뀌어 소리 나기 때문이다.

오답 풀이

① 있대[읻따], ② 뱉대[밷따], ③ 빚대[빋따], ④ 쫓대[쫃따]로 모두 받침이 [ㄷ]으로 소리 난다.

04 ④

정답 풀이

'없다'의 겹받침 'ㅄ'은 단어의 끝이나 자음 앞에서는 [ㅂ]으로 소리 난다. 따라서 [업:따]로 발음해야 한다.

오답 풀이

① 곪대[곰:따], ② 읊고[읍꼬], ③ 핥대[할따], ⑤ 외곬[외골]로 발음해야 한다.

05 ⑤

정답 풀이

겹받침 'ㄺ'은 [보기]의 '수탉[수탁], 맑다[막따], 늙지[늑찌]'에서처럼 단어의 끝이나 자음 앞에서 [ㄱ]으로 발음한다. 그런데 [보기]의 '맑게[말께], 묽고[물꼬], 얽거나[얼꺼나]'에서처럼 용언의 어간에 쓰인 'ㄺ'은 'ㄱ'으로 시작하는 어미와 결합되는 경우 [ㄹ]로 발음한다.

06 ②

정답 풀이

[보기]의 '많아'는 받침 'ㄶ' 뒤에 모음이 오면 'ㅎ'이 탈락하여 [마나]로 소리 난다. 마찬가지로 '않은'도 [아는]으로 소리 난다.

오답 풀이

① 겹받침 'ㄶ'은 뒤에 'ㄴ'으로 시작하는 말과 결합하는 경우 'ㅎ'이 탈락되고 [ㄴ]으로 발음된다는 원리가 적용되어 [안네]로 소리 난다.

③, ④, ⑤ 겹받침 'ㄶ'이 뒤에 'ㄱ, ㄷ, ㅈ'으로 시작하는 말과 결합하는 경우 겹받침의 'ㅎ'이 뒤의 자음들과 결합되어 각각 [ㅋ], [ㅌ], [ㅊ]으로 발음된다는 원리가 적용되어 [안코], [안턴], [안치]로 소리 난다.

07 ⑤

정답 풀이

'앉다'는 [안따], '않다'는 [안타]로 발음된다.

오답 풀이

① '나은'과 '낳은'은 모두 [나은]으로 소리 난다.
② '옳은'과 '오른'은 모두 [오른]으로 소리 난다.
③ '업다'와 '엎다'는 모두 [업따]로 소리 난다
④ '묵다'와 '묽다'는 모두 [묵따]로 소리 난다.

08 ②

정답 풀이

겹받침 'ㄼ'은 자음 앞이나 단어의 끝에서 [ㄹ]로 소리 난다. 다만 '밟-'의 경우에는 자음 앞에서 [ㅂ]이 소리 나며, '넓-'의 경우 뒤에 '-둥글다', '-적하다', '-죽하다'와 결합할 때는 [ㅂ]으로 소리 난다. [보기]의 '넓적하다'는 [넙쩌카다]로 소리 난다. '밟고'도 [밥꼬]가 되어 겹받침 'ㄼ'이 [ㅂ]으로 소리 난다.

오답 풀이

① 넓다[널:따], ③ 엷게[열:께], ④ 얇고[얄:꼬], ⑤ 떫지[떨:찌]로 소리 난다.

09 ⑤

정답 풀이

'만만찮은'의 겹받침 'ㄶ'은 뒤에 모음이 오는 경우 'ㅎ'이 탈락되어 소리 나지 않는다. 따라서 [만만차는]으로 발음해야 한다.

오답 풀이

① '젖'의 받침 'ㅈ'은 단어의 끝 또는 자음 앞에서 대표음 [ㄷ]으로 발음하므로, [젇]으로 발음해야 한다.
② '잃어버리고'의 겹받침 'ㅀ'은 뒤에 모음으로 시작하는 말과 결합하고 있으므로 'ㅎ'이 탈락되어 [이러버리고]로 발음해야 한다.
③ '넓은'은 'ㅂ'이 뒤의 모음의 첫소리로 이어져 [널븐]으로 발음해야 한다.
④ '돌봤던'은 받침에 있는 'ㅆ'이 대표음 [ㄷ]으로 바뀌어 소리 나므로 [돌받떤]으로 발음해야 한다.

10 ②

정답 풀이

'읽기'의 겹받침 'ㄺ'은 일반적으로 'ㄱ'이 선택되어 발음된다. '읽다[익따], 늙다[늑따]'와 같은 경우가 그 예이다. 다만, 동사나 형용사의 어간에 쓰인 'ㄺ'의 경우 뒤에 오는 말이 'ㄱ'으로 시작되면 겹받침 중 'ㄹ'이 선택되어 발음된다. 따라서 '읽기'의 경우 동사 어간 '읽-'에 'ㄱ'으로 시작되는 '-기'가 쓰이고 있으므로 [일끼]로 발음하여야 한다.

① 넓지[널치], ③ 끊겠습니다[끈켇씀니다], ④ 좋으면[조으면], ⑤ 빚다가[빋따가]로 발음해야 한다.

11 ①

'묽고'는 용언 어간에 겹받침 'ㄺ'이 쓰인 것으로 뒤에 오는 어미가 'ㄱ'으로 시작하면 겹받침 중 'ㄹ'을 선택하게 되어 [물꼬]로 발음된다.

② '늙다'는 'ㄹ'을 탈락시키고, 'ㄱ'을 선택하여 [늑따]로 발음한다.
③ '삶다'는 'ㄹ'을 탈락시키고, 'ㅁ'을 선택하여 [삼:따]로 발음한다.
③ '닮고'는 'ㄹ'을 탈락시키고, 'ㅁ'을 선택하여 [담:따]로 발음한다.
⑤ '읊지'는 'ㄹ'을 탈락시키고, 'ㅍ'을 선택하는데, 'ㅍ'의 대표음은 [ㅂ]으로 소리 나므로 [읍찌]로 발음한다.

12 ⑤

'흙더미'는 '흙'의 겹받침 'ㄺ'이 [ㄱ]으로 소리 나므로 [흑떠미]라고 발음해야 한다.

13 ③

'새파랗고'의 '랗'의 받침 'ㅎ'은 뒤의 'ㄱ'과 결합하여 [ㅋ]으로 발음해야 한다. 따라서 [새파라코]라고 발음해야 한다.

제15회 10분 테스트 Ⅳ. 기타 본책 14

01 ○   02 ○
03 ○   04 ×
05 ×   06 역사성
07 사회성   08 자의성
09 창조성
10 ①

[보기]는 언어의 자의성에 관한 설명으로, 언어의 의미와 형식 사이에는 필연적인 관계가 없다는 내용이다.

11 ①

동물과 달리 인간은 상황에 따라 알고 있는 문장에 자신이 알고 있는 단어를 활용하여 자신의 다양한 의사를 표현할 수 있다. 이와 관련이 있는 언어의 특성은 언어의 창조성이다.

12 ②

언어의 변화는 단기간에 이루어지는 것이 아니라 오랜 기간 이루어지는 것이다. 그렇기 때문에 지금 쓰는 단어가 계속 변하지 않는다고 볼 수는 없다. 특히 '나무'는 조선 시대 '나모'라고 했던 만큼 과거에 변화했고 앞으로도 변화할 수 있는 단어라고 볼 수 있다.

① '나무'를 [나무]라고 읽는 것은 필연적인 것이 아니다.
③ '나무'를 [나무]라고 부르는 것은 사회 구성원의 약속으로, 그 약속을 어기고 다른 이름으로 나무를 부르면 다른 사람들과 의사소통이 어려워질 것이다.
④ 언어는 의미와 말소리가 결합한 것이다.

제16회 10분 테스트 Ⅳ. 기타 본책 15

01 담화   02 지시어
03 의미   04 높임 표현
05 상황 맥락   06 ○
07 ○   08 ×
09 ㉢   10 ㉡
11 ㉠
12 ③

㉡의 상황에서 '식사하셨어요?'는 정보를 확인하거나 상대방의 식사 여부를 확인하기 위한 것이라기보다는 일상적으로 건네는 인사말이라고 볼 수 있다.

① ㉠에서 수술 후 의사가 환자에게 식사 여부를 물어보는 것은 환자의 상태를 확인하기 위한 것이며, ㉡에서 직장 동료에게 식사 여부를 물어보는 것은 인사를 하기 위한 것이다. 따라서 ㉠과 ㉡의 말하기 의도가 같다고 볼 수 없다.

⑤ 특수한 상황 맥락에서 의미를 파악하고 이해해야 하는
상황은 ⓒ보다는 ㉠이다.

13 ③

정답 풀이

(가)와 (나)에 제시된 '아버지'와 '진영'의 발화 내용은
같지만 서로 다른 의미로 해석되는 이유는, 담화의 상
황 맥락, 즉 담화가 이루어지는 시간적, 공간적 상황이
다르기 때문이다.

오답 풀이

⑤ (가)는 '아버지'가 집에 있는 '진영'에게 어린 동생을 맡기
고 외출하는 상황이고, (나)는 '아버지'가 시험을 보러 가
는 '진영'에게 당부의 말을 하는 상황이다. 따라서 (가)와
(나)를 통해 담화를 이해할 때에는 담화가 이루어지고
있는 상황을 고려해야 내용이나 의도 등을 정확히 파악
할 수 있음을 알 수 있다.

01	합성	02	하늘, 땅, 사람
03	어금닛소리, 혀뿌리	04	소리의 세기
05	합성	06	○
07	×	08	○
09	○	10	연서
11	ㅌ, ㅍ, ㅊ, ㅎ		
12	④		

정답 풀이

'ㅣ'에 'ㆍ'를 결합하면 'ㅓ'나 'ㅏ'가 된다.

오답 풀이

① '자음+모음+자음'으로 구성된 글자이다.
② 초성 'ㅁ'은 입의 모양을 본떠 만든 글자이다.
③ 중성 'ㅣ'는 사람의 서 있는 모양을 본 떠 만든 글자이다.
⑤ 종성 'ㄴ'의 가획자는 'ㄷ, ㅌ'이다.

13 ⑤

정답 풀이

'ㅇ'은 목구멍의 모양을 본 떠 만든 글자이다.

오답 풀이

ㄱ. 혀뿌리가 목구멍을 막는 모양을 본떠 만든 글자는 'ㄱ'이
다.
ㄴ. 혀가 윗잇몸에 닿는 모양을 본 떠 만든 글자는 'ㄴ'이다.
ㄷ. 입의 모양을 본떠 만든 글자는 'ㅁ'이다.

ㄹ. 이의 모양을 본떠 만든 글자는 'ㅅ'이다.

01 ①

정답 풀이

우리나라에서는 [나무]라고 하는 것을, 미국에서는 [트
리], 중국에서는 [슈], 일본에서는 [기]라고 한다. 이것
은 언어의 의미와 말소리의 관계가 필연적이 아니라는
것을 보여 준다. 이러한 언어의 특성을 자의성이라고
한다.

02 ⑤

정답 풀이

언어의 특성 중 창조성은 인간은 한정된 단어를 가지고
무한히 많은 문장을 만들 수 있다는 의미이다. '안녕'이
라는 말을 배운 아이가, '안녕하세요?', '안녕히 계세
요', '안녕하셨어요?'와 같은 다양한 문장을 만들어 내
는 것이 그 예이다.

03 언어의 역사성

정답 풀이

[보기]는 '어리다'라는 말의 뜻이 '어리석다'에서 '나이가
적다'라는 뜻으로 변했음을 보여 주는 대화이다. 이는
언어의 특성 중 언어의 역사성과 관련이 있다.

04 ①, ③

정답 풀이

[보기] 중 "프랑스 사람들은 침대를 '리'라고 하고 책상
을 '타블', 그림을 '타블로', 의자를 '쉐즈'라고 한다."라
는 것은 언어가 사회적 약속임을 드러내는 것으로, 언
어의 사회성과 관련이 있다. 또한 '중국 사람들도 이런
식으로 자기들끼리 말이 통한다.'라는 것은 나라마다
같은 대상이라도 다르게 부르는 이름이 있다는 것으로
언어의 자의성을 나타낸다. [보기]의 '그'는 언어의 사
회적 약속을 무시하고 자기 마음대로 언어를 만들어 사
용하고 있는데, 이것은 언어의 사회성을 무시한 행동이
라고 볼 수 있다.

05 ③

정답 풀이

담화는 일정한 상황 속에서 머릿속의 생각이 문장 단위
로 실현되는 발화가 모여 이루어진 집합체이다.

④ '머릿속 생각이나 감정을 완결된 내용으로 표현하는 최소한의 언어 형식'은 '문장'이다.

⑤ '말의 뜻을 구별해주는 가장 작은 단위'는 '음운'이다.

06 ⑤

'선생님'이 지각한 '재범'에게 시간을 물어본 것은 현재 시간이 궁금해서가 아니라, '재범'이 지각한 것을 꾸짖기 위해서이다. 이 상황에서 '재범'이 상황 맥락을 고려하여 말을 한다면 "죄송합니다."라고 해야 한다.

07 ④

㉠을 통해서는 아버지가 있는 공간이 어디인지는 알 수 없다. 하지만 아버지가 봉투가 있는 곳이 서재라고 ㉠에서 말하였고, ㉡에서 진호가 서류의 위치를 설명했을 때 아버지가 맞다고 하는 것으로 보아 ㉡에서 진호가 있는 공간은 '서재'임을 알 수 있다.

08 ④

'주전부리'와 '간식'은 같은 의미라고 볼 수 있지만, '지민'과 '할머니'가 사용하는 말이 다르기 때문에 의사소통이 원활하게 이루어지지 않고 있다.

09 ③

'이체의 원리'는 상형이나 가획의 원리를 적용하지 않고 모양을 달리해 만드는 것이다. 자음 중 이체자인 'ㆁ, ㄹ, ㅿ'에 적용된 창제 원리이다.

10 ⑤

'ㄴ'에 획을 더하여 'ㄷ'을 만들고 그것('ㄷ')에 획을 더하여 만든 글자는 'ㅌ'이다. 'ㄹ'은 이체자로, 가획의 원리가 적용되지 않았다.

11 ①

'ㄲ'은 'ㄱ'에 획을 더한 가획자가 아니라, 'ㄱ'이라는 자음을 가로로 나란히 써서 만든 병서의 원리가 적용된 글자이다. 'ㄱ'에 획을 더해 만든 가획자는 'ㅋ'이다.

12 ②

ⓐ 'ㄱ'과 'ㄴ'은 발음 기관의 모양을 본떠서 만든 상형자이다.

ⓒ 모음의 기본자는 'ㆍ, ㅡ, ㅣ'의 3글자로, 각각 하늘, 땅, 사람의 모양을 본떠서 만든 상형자이다.

ⓑ 자음에서 이체자는 상형이나 가획의 원리를 적용하지 않고 모양을 달리해 만든 글자로, 소리의 세기를 반영하지 않았다.

ⓓ 재출자는 기본자와 초출자를 결합하여 만든 글자로, 'ㅛ, ㅑ, ㅠ, ㅕ' 4글자이다.

01 형태소

Step 1 문제로 연습하기

01 ○		02 ×	
03 ○		04 ×	
05 ○			

06 자립 형태소, 실질 형태소
07 의존 형태소, 실질 형태소
08 자립 형태소, 실질 형태소
09 의존 형태소, 형식 형태소
10 자립 형태소, 실질 형태소

11 우리+말		12 들+꽃	
13 좋-+-다		14 다리+×	
15 웃-+-는		16 짐승+×	
17 파랗-+-다		18 사과+×	
19 토끼+×		20 걷-+-고	

02 어근과 접사

Step 1 문제로 연습하기

01 ×		02 ○	
03 ○		04 ○	
05 ×		06 동그라미	
07 아프		08 감자	
09 발		10 열	

11 보름 / 달

12 헛소리

접두사	어근	접미사
헛-	소리	없음.

13 치솟다

접두사	어근	접미사
치-	솟-	없음.

14 녹음기

접두사	어근	접미사
없음.	녹음	-기

15 날개

접두사	어근	접미사
없음.	날-	-개

16 덧저고리

접두사	어근	접미사
덧-	저고리	없음.

03 단일어와 복합어

Step 1 문제로 연습하기

01 단일어와 복합어		02 어근	
03 복합어		04 복합어, 합성어	
05 어근과 접사		06 바다, 물, 나무	
07 부채질, 강물, 욕심쟁이			
08 합성어		09 단일어	
10 단일어		11 파생어	
12 합성어		13 파생어	
14 파생어			

04 유의 관계, 반의 관계, 상하 관계

Step 1 문제로 연습하기

01 ×		02 ○	
03 ○		04 ○	
05 ×		06 아버지	
07 까맣다		08 뛰다	
09 같다		10 조류	
11 지역 방언		12 수영	
13 고등학교		14 컴퓨터	

05 다의어와 동음이의어

Step 1 문제로 연습하기

01 ×		02 ○	
03 ×		04 ○	

05 아침을 못 먹어서 배가 홀쭉해졌다.

06 우리가 가는 곳이 바로 박물관이야.

07 벽난로에서 장작이 활활 탔다.

08 아침이 되자 비가 그쳤다.

09 동   **10** 다

11 다   **12** 동

13 동

부록 단원 종합 문제

01 ⑤

정답 풀이

단어는 뜻을 가지고 있으면서 홀로 쓰일 수 있는 말의 단위를 의미한다. 어근은 단어의 실질적인 뜻을 가진 부분이고, 접사는 어근과 결합하여 쓰이면서 어근의 뜻을 제한하거나 어근에 특정 문법적 성격을 더하거나 바꾸는 역할을 하는 부분이다. 일반적으로 하나의 어근으로 이루어진 단어를 단일어라 하고, 어근이 둘 이상이거나 어근에 접사가 결합한 단어를 복합어라고 한다.

오답 풀이

① 형태소는 뜻을 가진 최소 단위로, 일반적으로 단어는 하나 이상의 형태소로 이루어져 있다.

② 단일어는 하나의 실질 형태소, 즉 어근 1개로 구성된 말을 가리킨다.

③ 복합어는 어근과 어근이 결합하거나 어근과 접사가 결합한 단어로, 합성어와 파생어를 포함한다.

④ 단어를 형성할 때 핵심이 되는 부분은 어근이며, 접사는 필수 요소가 아니다.

02 ⑤

정답 풀이

형태소는 의미의 최소 단위로, 실질적인 의미와 문법적인 의미를 모두 포함한다. '맛있다'를 구성하고 있는 형태소는 '맛', '있-', '-다'로, 총 3개이다. 여기서 '맛', '있-'은 실질적인 의미를 가진 실질 형태소이고, '-다'는 문법적인 의미를 가진 형식 형태소이다.

오답 풀이

① '도라지'의 형태소는 '도라지' 1개이다.

② '밤하늘'의 형태소는 '밤', '하늘'로 2개이다.

③ '예쁘다'의 형태소는 '예쁘-'와 '-다'로 2개이다.

④ '먹구름'의 형태소는 '먹', '구름'으로 2개이다.

03 ④

정답 풀이

'하늘이 매우 맑다.'는 '하늘', '매우', '맑-'이라는 실질적인 의미를 가진 실질 형태소와 '이', '-다'라는 문법적인 의미를 가진 형식 형태소로 이루어진 문장이다.

04 ①

정답 풀이

'꽃과 나무가 많다.'라는 문장을 형태소로 분석하면 '꽃 / 과 / 나무 / 가 / 많- / -다'로, 총 6개의 형태소로 구성되어 있음을 알 수 있다. 이 중 자립 형태소는 '꽃, 나무' 2개이며, 의존 형태소는 '과, 가, 많-, -다' 4개이다. 실질 형태소는 '꽃, 나무, 많-' 3개이며, 형식 형태소는 '과, 가, -다' 3개이다.

[형태소의 분류]

• 자립성의 유무에 따라

자립 형태소	홀로 쓰일 수 있는 형태소.
의존 형태소	다른 형태소와 결합하여 쓰이는 형태소.

• 실질적인 의미의 유무에 따라

실질 형태소	실질적인 의미를 지닌 형태소.
형식 형태소	문법적인 의미(말과 말 사이의 관계 등)를 지닌 형태소.

05 ①

정답 풀이

'앞뒤'는 '앞'과 '뒤', 2개의 형태소로 이루어졌으며, '앞'과 '뒤'는 모두 실질적인 의미를 가진 실질 형태소이다.

오답 풀이

② '지우개'는 실질 형태소인 '지우-'와 형식 형태소인 '-개'가 결합된 단어이다.

③ '날고기'는 형식 형태소인 '날-'과 실질 형태소인 '고기'가 결합된 단어이다.

④ '웃다'는 실질 형태소인 '웃-'과 형식 형태소인 '-다'가 결합된 단어이다.

⑤ '먹다'는 실질 형태소인 '먹-'과 형식 형태소인 '-다'가 결합된 단어이다.

06 ②

정답 풀이

'달빛이 예뻐서 뒷마당을 어슬렁어슬렁 걸어다녔다.'라는 문장을 단어로 나누어보면 '달빛 / 이 / 예뻐서 / 뒷마당 / 을 / 어슬렁어슬렁 / 걸어다녔다'가 되며, 총 7

개의 단어로 이루어진 문장임을 알 수 있다. 이 중 실질적인 의미를 가진 어근이 하나만 있는 단어는 '예뻐서'이다. '예뻐서'는 어근 '예쁘-'와 형식 형태소인 '-어서'가 결합한 단어이다.

오답 풀이
① '달빛'은 어근 '달'과 어근 '빛'이 결합한 단어이다.
③ '뒷마당'은 어근 '뒤'와 어근 '마당'이 결합한 단어이다.
④ '어슬렁어슬렁'은 어근 '어슬렁'을 두 번 사용한 단어이다.
⑤ '걸어다녔다'는 어근 '걷-'과 어근 '다니-'가 결합하여 활용한 단어이다.

07 ②

정답 풀이
'치뜨다'는 어근 '뜨-'의 앞에 접두사 '치-'가 결합한 것이다. 이때 '치-'는 '위로 향하게' 또는 '위로 올려'의 뜻을 더해 준다.

오답 풀이
① '먹보'는 어근 '먹-' 뒤에 접미사 '-보'가 결합한 것이다.
③ '사람들'은 어근 '사람' 뒤에 접미사 '-들'이 결합한 것이다.
④ '가난뱅이'는 어근 '가난' 뒤에 접미사 '-뱅이'가 결합한 것이다.
⑤ '덮개'는 어근 '덮-' 뒤에 접미사 '-개'가 결합한 것이다.

08 ③

정답 풀이
[보기]의 '기와집'은 어근 '기와'와 어근 '집'이 결합하여 만들어진 단어로, 복합어 중 합성어이다. '돌다리'는 어근 '돌'과 어근 '다리'가 결합한 합성어이다.

오답 풀이
① '어른스럽다'는 어근 '어른'에 접미사 '-스럽(다)'가 결합한 파생어이다.
② '빛나가서'는 접두사 '빗-'이 어근 '나가-'와 결합한 파생어이다.
④ '시나브로'는 하나의 어근으로 된 단일어이다.
⑤ '먼지투성이'는 어근 '먼지'에 접미사 '-투성이'가 결합된 파생어이다.

09 ④

정답 풀이
접사는 어근의 앞과 뒤에 붙어 어근의 의미를 제한하는 역할을 하는 경우가 많다. 어근 '마음'과 '말'에 공통적으로 결합할 수 있는 접미사로는 '-씨'가 있다. '-씨'는

'태도' 또는 '모양'의 의미를 더해 준다.

오답 풀이
① '도구'의 뜻을 더하는 접사에는 '-개'가 있다.
② 동사를 명사로 바꾸어 주는 접사에는 '-ㅁ/-(으)ㅁ, -기' 등이 있다.
③ 형용사를 부사로 바꾸어 주는 접사에는 '-이, -히' 등이 있다.
⑤ '정확한' 또는 '한창인'의 뜻을 더하는 접사에는 '한-'이 있다.

10 ②

정답 풀이
'알사탕'은 '알처럼 작고 둥글둥글하게 생긴 사탕'을 의미하며, 이근 '알'과 어근 '사탕'이 결합한 합성어이다.

오답 풀이
①의 '알밤', ③의 '알토란', ⑤의 '알몸'은 '겉을 덮어 싼 것이나 딸린 것을 다 제거한'의 뜻을 더하는 접두사 '알-'이 각각 어근 '밤', '토란', '몸'과 결합한 파생어이다.
⑤ '알부자'는 '진짜, 알짜'의 뜻을 더하는 접두사 '알-'과 어근 '부자'가 결합한 파생어이다.

11 ①

정답 풀이
[보기]에 제시된 조건은 접사가 어근의 뒤에 붙은 파생어이면서 어근의 품사가 동사였다가 접사와 결합된 후 명사로 바뀌어야 한다는 것이다. '꿈'은 동사 '꾸다'의 어근 '꾸-'에 명사화 접미사 '-ㅁ'이 결합한 파생어이다.

오답 풀이
② '정답다'는 명사인 어근 '정'에 형용사화 접미사 '-답-'이 결합한 파생어이다.
③ '멀리'는 형용사 '멀다'의 어근 '멀-'에 부사화 접미사 '-리'가 결합한 파생어이다.
④ '출렁거리다'는 부사인 어근 '출렁'에 형용사화 접미사 '-거리다'가 결합한 파생어이다.
⑤ '멋쟁이'는 어근 '멋'에 접미사 '-쟁이'가 결합한 파생어이다.

12 ③

정답 풀이
'노래방', '누리집'은 사회상의 변화에 따라 만들어진 새말이다. '노래방'은 어근 '노래'와 어근 '방'이, '누리집'은 어근 '누리'와 어근 '집'이 결합한 합성어이다.

13 ②

'날고기'는 어근 '고기'에 '말리거나 익히거나 가공하지 않은'의 뜻을 더하는 의미를 가진 접두사 '날-'이 결합한 파생어이다. '날개'의 '날-'은 동사 '날다'의 어근 '날-'에 접미사 '-개'가 결합된 파생어이다.

① '날것'은 의존 명사인 어근 '것'에 접두사 '날-'이 결합하여 '말리거나 익히거나 가공하지 아니한 먹을거리'를 의미한다.
③ '날김치'는 명사인 어근 '김치'에 접두사 '날-'이 결합한 파생어로, '아직 익지 아니한 김치.'를 의미한다.
④ '날기와'는 명사인 어근 '기와'에 접두사 '날-'이 결합한 파생어로, '굽지 아니한 기와.'를 의미한다.
⑤ '날장작'은 명사인 어근 '장작'에 접두사 '날-'이 결합한 파생어로, '생장작'을 의미한다.

14 ②

'도둑질'은 어근 '도둑'에 주로 좋지 않은 행위에 비하하는 뜻을 더하는 접미사인 '-질'이 결합한 파생어이다.

① '밥도둑'은 어근 '밥'과 어근 '도둑'이 결합한 합성어이다.
③ '도둑놈'은 어근 '도둑'과 어근 '놈'이 결합한 합성어이다.
④ '밤도둑'은 어근 '밤'과 어근 '도둑'이 결합한 합성어이다.
⑤ '도둑고양이'는 어근 '도둑'과 어근 '고양이'가 결합한 합성어이다.

15 ③

단어들의 반의 관계는 둘 이상의 단어가 여러 가지 공통적인 의미 요소를 바탕으로 하나의 의미 요소만 서로 대립될 때 성립한다.

① 하의어는 상의어의 의미를 바탕으로 하며, 상의어에 비해 개별적이고 구체적인 의미를 가진다.
② 상의어는 하의어에 비해 일반적이고 포괄적인 의미를 가진다.
④ 유의 관계에 있는 단어들은 소리는 다르지만 서로 의미가 유사한 관계에 있다.
⑤ 유의어는 서로 유사한 의미의 단어들이기 때문에 문장에서 대체되어 쓰이기도 하지만, 미묘한 느낌의 차이가 있기 때문에 대체하여 쓰이지 못하기도 한다.

16 ②

'가끔'은 '시간적·공간적 간격이 얼마쯤씩 있게'를 의미하는 단어로, 이와 유의 관계에 있는 단어에는 '때때로, 이따금, 어쩌다, 종종' 등이 있다. '자주'는 '같은 일을 잇따라 잦게'를 의미하는 단어로, 이와 유의 관계에 있는 단어에는 '번번이, 수시로' 등이 있다.

17 ⑤

[보기]에 제시된 '곱다'와 '예쁘다'는 소리는 다르지만 서로 의미가 비슷한 단어로, 두 단어들의 관계는 유의 관계이다. '점차'는 '차례를 따라 조금씩.'을 의미하며, '조금씩'은 '많지 않게 계속하여.'를 의미하므로 서로 유의 관계에 있는 단어이다.

① '길다'와 '짧다'는 반의 관계이다.
② '기쁨'과 '슬픔'은 반의 관계이다.
③ '도형'과 '삼각형'은 상하 관계이다.
④ '계절'과 '겨울'은 상하 관계이다.

18 ④

하나의 단어와 유의 관계를 형성하는 단어는 여러 개가 있을 수 있으나 유의 관계에 있는 단어라고 하여 무조건 대체하여 쓸 수 있는 것은 아니다. '너를 볼 낯이 없어.'라는 문장에서 '낯'은 '남을 대할 만한 체면.'을 의미하므로 '면목'과 바꾸어 쓸 수 있다.

19 ④

'좋다'의 반의어로는 '나쁘다, 싫다, 밉다. 해롭다' 등이 있다. '끈질기다'는 '끈기 있게 질기다'를 의미하므로 '좋다'와 반의 관계에 있다고 볼 수 없다.

20 ③

'연하다'는 '재질이 무르고 부드럽다, 색이나 농도가 진하지 않고 옅다.'를 의미하며 '부드럽다'와 유의 관계에 있는 단어이다. 또한 '연하다'와 반의 관계에 있는 단어는 '딱딱하다, 진하다, 질기다' 등이 있다. 한편 '두껍다'의 반의 관계에 있는 단어에는 '얇다'가 있다.

21 ⑤

정답 풀이

'아름답다'는 '빼어나다', '곱다'와 유사한 의미를 가지는 유의어로 이들을 모두 대체할 수 있다.

오답 풀이

① '높다'의 유의어에는 '높다랗다, 우뚝하다' 등이 있다.
② '친절하다'의 유의어에는 '상냥하다, 나긋나긋하다' 등이 있다.
③ '영리하다'의 유의어에는 '똑똑하다, 지혜롭다' 등이 있다.
④ '착하다'의 유의어에는 '선하다, 선량하다' 등이 있다.

22 ⑤

정답 풀이

'벗다'와 반의 관계를 형성하는 단어에는 '벗다 ↔ (옷을) 입다, (모자를) 쓰다, (시계를) 차다, (신발을) 신다, (장갑을) 끼다'처럼 그 쓰임에 따라 다양하게 존재한다. '사용하다'는 '일정한 목적이나 기능에 맞게 쓰다.'를 의미하는데, '벗다'와 공통된 의미 요소가 없으므로 '벗다'와 반의 관계의 단어라고 볼 수 없다.

23 ②

정답 풀이

상의어는 하의어의 의미를 포함하고 있는 단어이며, 하의어는 상의어의 일반적인 의미에 포함된 구체적인 의미를 가진 단어이다. '예사소리', '거센소리'는 '자음'이라는 상의어 속에 포함되는 개념이며, '예사소리', '거센소리'와 대등한 관계로 나열될 수 있는 개념에는 '된소리'가 있다.

24 ②

정답 풀이

'맵다'의 사전적 의미는 다음과 같다.

> **맵다** 「형용사」
> 1. 고추나 겨자와 같이 맛이 알알하다.
> 2. 성미가 사납고 독하다.
> 3. 날씨가 몹시 춥다.
> 4. 연기 따위가 눈이나 코를 아리게 하다.
> 5. 결기가 있고 야무지다.

이 중 1의 의미가 중심적 의미이며, 나머지는 주변적 의미이다. 이를 고려하면 [보기]의 ㉠은 중심적 의미로, ㉡은 주변적 의미로 쓰였으며, 이를 통해 '맵다'가 다의

어임을 알 수 있다.

오답 풀이

① ㉠은 중심적 의미일 뿐, ㉡에 비해 일반적인 의미를 가진다고 보기는 어렵다.
③ '맵다'는 다의어이므로 반의어에 대한 설명과는 거리가 멀다.
④ '맵다'는 다의어이므로 국어사전에 여러 개의 뜻으로 한꺼번에 실려 있다.
⑤ ㉠과 ㉡은 발음이 같다. 발음할 때 소리가 다른 단어의 예에는 말(言)[말:]과 말(長)이 있다.

25 ③

정답 풀이

'깎다'는 다의어로, 중심적 의미는 '칼 따위로 물건의 거죽이나 표면을 얇게 벗겨 내다.'이다. '머리를 짧게 깎았다.'의 '깎다'는 '풀이나 털 따위를 잘라 내다.'를 의미하며, '물건값을 1000원 깎았다.'의 '깎다'는 '값이나 금액을 낮추어서 줄이다.'를 의미한다. 따라서 두 문장에서 '깎다'는 모두 주변적 의미로만 쓰였다.

오답 풀이

① '기행문을 썼다.'의 '쓰다'는 '머릿속의 생각을 종이 혹은 이와 유사한 대상 따위에 글로 나타내다.'를 의미하고, '약이 매우 썼다.'의 '쓰다'는 '혀로 느끼는 맛이 한약이나 소태, 씀바귀의 맛과 같다.'를 의미한다. 따라서 각 문장의 '쓰다'는 서로 의미상 관련이 없는 동음이의어이다.
② '그분은 늘 생각이 바르다.'의 '바르다'는 '말이나 행동 따위가 사회적인 규범이나 사리에 어긋나지 않고 들어맞다.'를 의미하고, '흰 벽지를 바르다'의 '바르다'는 '풀칠한 종이나 헝겊 따위를 다른 물건의 표면에 고루 붙이다.'를 의미한다. 따라서 각 문장의 '바르다'는 서로 의미상 관련이 없는 동음이의어이다.
④ '가사는 늘 나의 몫이다.'에서 '가사'는 '살림살이에 관한 일.'을 의미하고 '노래 가사를 바꾸어 불렀다.'에서 '가사'는 '가요로 불릴 것을 전제로 쓰인 글.'을 의미한다. 따라서 각 문장의 '가사'는 서로 의미상 관련이 없는 동음이의어이다.
⑤ '오늘 밭에서 김을 매기로 했다.'의 '김'은 '논밭에 난 잡초.'를 의미하고, '밤에 김을 싸 먹자.'의 '김'은 '해초류의 하나.'를 의미한다. 따라서 각 문장의 '김'은 서로 의미상 관련이 없는 동음이의어이다.

26 ⑤

정답 풀이

'가다'는 다의어이며, [보기]에서는 '관심이나 눈길 따위가 쏠리다.'의 의미로 쓰였다. '그 사람의 옷차림으로

자꾸 눈길이 간다.'에서의 '가다'도 같은 의미로 쓰인 것이다.

① '가다'가 '금, 줄, 주름살, 흠집 따위가 생기다.'의 의미로 쓰였다.
② '가다'가 '한쪽으로 흘러가다.'의 의미로 쓰였다.
③ '가다'가 '지금 있는 곳에서 어떠한 목적을 가지고 다른 곳으로 옮기다.'의 의미로 쓰였다.
④ '가다'가 '일정한 목적을 가진 모임에 참석하기 위하여 이동하다.'의 의미로 쓰였다.

27 ④

정답 풀이

다의어는 확장된 의미에 따라 대체될 수 있는 유의어가 달라질 수 있다. '공부의 목표를 어디에 두느냐가 중요하다.'라는 문장에서 '두다'는 '중요성이나 가치 따위를 부여하다.'를 의미하며, '새로 만들어 정해 두다.'를 의미하는 '설정하다'와 유의 관계에 있다.

오답 풀이

①, ②의 '두다'는 '일정한 곳에 놓다.'의 의미로 쓰였다.
③ '두다'는 '가져가거나 데려가지 않고 남기거나 버리다.'의 의미로 쓰였다.
⑤ '두다'는 '직책이나 조직, 기구 따위를 설치하다.'의 의미로 쓰였다.

28 ⑤

정답 풀이

'눈'의 중심적 의미는 '빛의 자극을 받아 물체를 볼 수 있는 감각 기관'이다. '눈을 부라리는 것을 보니 화가 났구나.'의 '눈'은 '물체를 볼 수 있는 기관'을 의미하므로, 중심적 의미로 쓰인 것이다.

오답 풀이

① '눈'은 '태풍에서 중심을 이루는 부분'을 의미한다.
② '눈'은 '사람들의 눈길'을 의미한다.
③ '눈'은 '사물을 보고 판단하는 힘'을 의미한다.
④ '눈'은 '무엇을 보는 표정이나 태도'를 의미한다.

29 ④

정답 풀이

'잠자리에 들고 말았다.'의 '들다'는 '수면을 취하기 위한 장소에 가거나 오다.'를 의미한다. '저 가방을 들고 따라오시오.'의 '들다'는 '손에 가지다.'를 의미한다. 따라서 각 문장의 '들다'는 의미상 관련이 없으므로, 동음이의어이다.

오답 풀이

① '저녁이 되니 추웠다.'의 '저녁'은 '해가 질 무렵부터 밤이 되기까지의 사이.'를 의미하고, '저녁을 푸짐하게 차렸다.'의 '저녁'은 '저녁 시간에 먹는 끼니'를 의미한다. 따라서 '저녁'은 다의어이다.
② '수학 문제를 풀었다.'의 '풀다'는 '모르거나 복잡한 문제 따위를 알아내거나 해결하다.'를 의미하고, '꼬인 실뭉치를 꼼꼼하게 풀었다.'의 '풀다'는 '묶이거나 감기거나 얽히거나 합쳐진 것 따위를 그렇지 아니한 상태로 되게 하다.'를 의미한다. 따라서 '풀다'는 다의어이다.
③ '아버지는 걸음이 빠르시다.'의 '빠르다'는 '어떤 동작을 하는 데 걸리는 시간이 짧다.'를 의미하고, '아직 수영하기에는 빠르다.'의 '빠르다'는 '어떤 일이 생기거나 어떤 일을 하기에는 아직 시간이 더 필요한 상태에 있다.'를 의미한다. 따라서 '빠르다'는 다의어이다.
⑤ '길가의 나무가 죽었다.'의 '죽다'는 '생명이 없어지거나 끊어지다'를 의미하고, '집에 오니 벽시계가 죽어 있었다.'의 '죽다'는 '움직이던 물체가 멈추어 제 기능을 하지 못하다.'를 의미한다. 따라서 '죽다'는 다의어이다.

30 ④

정답 풀이

㉠'다르다'는 '비교가 되는 두 대상이 같지 않다.'를 의미하며, ㉡'틀리다'는 '셈이나 사실 따위에 그르게 되거나 어긋나다.'를 의미한다. 따라서 ㉠의 반의어는 '같다'이고 ㉡의 반의어는 '맞다'이다. '아버지와 딸의 얼굴'은 생김새를 두고 '같다'와 '다르다'를 판단할 수 있는 대상임으로, '틀리다'가 아니라 '다르다'라고 하여야 한다.

31 ④

정답 풀이

국어의 유의어는 한자어와 순우리말의 관계로 형성되는 경우가 많다. '저의'는 '겉으로 드러나지 아니한, 속에 품은 생각.'을 의미하는 한자어로, 순우리말인 '속셈'과 의미가 유사하다.

오답 풀이

① '두통'은 '머리가 아픈 증세'를 가리키는 한자어이며, '고뿔'은 '감기'의 유의어이다.
② '시선'은 '눈이 가는 길. 또는 눈의 방향'을 의미하는 한자어이며 '눈길'의 유의어이다.
③ '여가'는 '일이 없어 남는 시간'을 의미하는 한자어로, '겨를, 말미' 등의 유의어이다. '넉넉함'의 유의어는 '여유'이다.
⑤ '필시'는 '반드시'의 유의어이며, '마침내'의 유의어는 '필경'이다.

[숨마 주니어®]는

고교 상위권 선호도 1위 브랜드 **숨마쿰라우데®**가 만든
중학생들을 위한 혁신적인 **중등 브랜드**입니다!

숨마 주니어® 중학 국어 **문법 연습** 시리즈

수준별·단계별 구성	수록 개념	주요 학습 내용
중학 국어 문법 연습 1 **기본**	핵심 개념 **57개**	개념 학습 + 문제로 연습하기 + **실력 완성하기**
중학 국어 문법 연습 2 **심화**	핵심 개념 **16개**	개념 학습 + 문제로 연습하기 + **내신 뛰어넘기**

「중학 국어 문법 연습」을 추천합니다.

국어 문법 개념을 이해하는 능력은 어느 날 갑자기 생기는 것이 아닙니다. 개념을 확실히 이해할 때까지
반복해서 공부해야 어렵게 느껴지기만 했던 국어 문법을 나의 것으로 만들 수 있습니다. 일반적으로 소홀
하기 쉬운 문법 공부이지만 중학교 때 제대로 공부해 두면 수능까지도 효과적으로 대비할 수 있습니다.

추천 이유 **1** **국어 문법은 국어 공부의 기본입니다.**

- 국어 문법 개념을 정확하게 알고 있으면 문장의 구조를 파악하는 능력이 향상됩니다.
- 문장의 구조를 파악하는 것은 국어 공부의 기초가 됩니다.

추천 이유 **2** **교과서 문법 개념을 총정리하여 학습할 수 있습니다.**

- 국어 교과서와 교육 과정에 나오는 국어 문법의 핵심 개념을 총정리하였습니다.
- 꼭 알아두어야 하는 문법 개념을 한눈에 파악하여 학습할 수 있습니다.

추천 이유 **3** **중학교 과정의 문법 개념으로 수능 문제(5문항)까지 대비할 수 있습니다.**

- 국어 문법은 개념이 변하지 않아 한 번 제대로 익혀두면 대입 수능 문법 문제까지
  대비할 수 있습니다.

학습 교재의 새로운 신화! 이룸이앤비가 만듭니다!

이룸이앤비의 특별한 중등 수학교재 시리즈

숨마쿰라우데® 중학수학 [개념기본서] 시리즈

Q&A를 통한 스토리텔링식
수학 기본서의 결정판! (전 6권)

- 중학수학 개념기본서 1-상 / 1-하
- 중학수학 개념기본서 2-상 / 2-하
- 중학수학 개념기본서 3-상 / 3-하

숨마쿰라우데® 중학수학 [실전문제집] 시리즈

숨마쿰라우데 중학 수학 「실전문제집」으로
학교 시험 100점 맞자! (전 6권)

- 중학수학 실전문제집 1-상 / 1-하
- 중학수학 실전문제집 2-상 / 2-하
- 중학수학 실전문제집 3-상 / 3-하

숨마쿰라우데® 스타트업 중학수학 시리즈

한 개념 한 개념씩 쉬운 문제로 매일매일 꾸준히
공부하는 기초 쌓기 **최적의 수학 교재!** (전 6권)

- 스타트업 중학수학 1-상 / 1-하
- 스타트업 중학수학 2-상 / 2-하
- 스타트업 중학수학 3-상 / 3-하

이룸이앤비의 특별한 중등 영어교재 시리즈

숨마주니어® WORD MANUAL 시리즈

중학 주요 어휘 총 2,200단어를 수록한

『어휘』와『독해』를 한번에 공부하는 **중학 영어휘 기본서!** (전 3권)

– WORD MANUAL ❶
– WORD MANUAL ❷
– WORD MANUAL ❸

숨마주니어® 중학 영문법 MANUAL 119 시리즈

중학 영어 문법 마스터를 위한

핵심 포인트 119개를 담은 **단계별 문법서!** (전 3권)

– 중학 영문법 MANUAL 119 ❶
– 중학 영문법 MANUAL 119 ❷
– 중학 영문법 MANUAL 119 ❸

숨마주니어® 중학 영어 문장 해석 연습 시리즈

중학 영어 교과서에서 뽑은 핵심 60개 구문!

1,200여 개의 짧은 문장으로 **반복 훈련하는 워크북!** (전 3권)

– 중학 영어 문장 해석 연습 ❶
– 중학 영어 문장 해석 연습 ❷
– 중학 영어 문장 해석 연습 ❸

숨마주니어® 중학 영어 문법 연습 시리즈

중학 영어 필수 문법 56개를

쓰면서 마스터하는 **문법 훈련 워크북!!** (전 3권)

– 중학 영어 문법 연습 ❶
– 중학 영어 문법 연습 ❷
– 중학 영어 문법 연습 ❸